Peter Vermeulen

Autismus und das prädiktive Gehirn

Absolutes Denken in einer relativen Welt

Deutsch von Reinhard Rudolph

LAMBERTUS

LAMBERTUS+ App inside

Laden Sie dieses Buch kostenlos auf Ihr Smartphone, Tablet und/oder Ihren PC und profitieren Sie von zahlreichen Vorteilen:

- **kostenlos:** Der Online-Zugriff ist bereits im Preis dieses Buchs enthalten
- **verlinkt:** Die Inhaltsverzeichnisse sind direkt verlinkt, und Sie können selbst Lesezeichen hinzufügen
- **durchsuchbar:** Recherchemöglichkeiten wie in einer Datenbank
- **annotierbar:** Fügen Sie an beliebigen Textstellen eigene Annotationen hinzu
- **sozial:** Teilen Sie markierte Texte oder Annotationen bequem per E-Mail oder Facebook

Aktivierungscode: pvag-2024

Passwort: 8047-0887

Download App Store/Google play:

- **App Store/Google play** öffnen
- Im Feld **Suchen Lambertus+** eingeben
- **Laden** und **starten** Sie die **Lambertus+ App**
- Oben links den Aktivierungsbereich anklicken um das E-Book freizuschalten
- Bei **Produkte aktivieren** den **Aktivierungscode** und das **Passwort** eingeben und mit **Aktivieren** bestätigen
- Mit dem Button **Bibliothek** oben links gelangen Sie zu den Büchern

PC-Version:

- Gehen Sie auf **www.silkcodeapps.de/desktop/lambertus**
- Kästchen links **+ Aktivierungscode** anklicken, um das E-Book freizuschalten
- **Aktivierungscode** und **Passwort** eingeben und mit **Aktivieren** bestätigen
- Wenn Sie Zusatzfunktionen wie persönliche Notizen und Lesezeichen nutzen möchten, können Sie sich oben rechts mit einer persönlichen E-Mail-Adresse dafür registrieren
- Mit dem Button **Bibliothek** oben links gelangen Sie zu den Büchern

Jetzt unter www.lambertus.de/appinside

Laden im App Store

JETZT BEI Google play

Bei Fragen wenden Sie sich gerne an uns:
Lambertus-Verlag GmbH – Tel. 0761/36825-24 oder
E-Mail an info@lambertus.de

LAMBERTUS

SOZIAL | RECHT | CARITAS

Peter Vermeulen

Autismus und das prädiktive Gehirn

Absolutes Denken in einer relativen Welt

Deutsch von Reinhard Rudolph

LAMBERTUS

Bibliografische Information der Deutschen Nationalbibliothek

Die Deutsche Nationalbibliothek verzeichnet diese Publikation in der Deutschen Nationalbibliografie; detaillierte bibliografische Daten sind im Internet über dnb.d-nb.de abrufbar.

2., durchgesehene Auflage

www.lambertus.de
Umschlaggestaltung: Nathalie Kupfermann, Bollschweil
Umschlagbild: Gee Vero, Künstlerin, Initiatorin des internationalen Projekts The Art of Inclusion
Druck: Elanders Waiblingen GmbH
ISBN: 978-3-7841-3729-2
ISBN e-Book: 978-3-7841-3730-8

Für Det, die mein Leben spannend macht,
indem sie mich in unregelmäßigen Abständen
mit Vorhersagefehlern erfreut.

Hinweis des Verlags zur geschlechtergerechten Sprache

Das Buch wendet sich auch an autistische Leserinnen und Leser. Deswegen verzichtete der Übersetzer im Sinne der Barrierefreiheit auf das Gendern mit Sonderzeichen. Wo es möglich war, wurde eine neutrale Formulierung gewählt, ansonsten das generische Maskulinum. Die im Buch verwendeten Personenbezeichnungen beziehen sich – sofern nicht anders kenntlich gemacht – auf alle Geschlechter.

Inhalt

Vorwort zur deutschen Ausgabe

Peter Vermeulen ist ein belgischer Pädagoge und Psychologe, der sich seit mehr als 30 Jahren mit Autismus befasst. Zum einen ist er in Gent (Belgien) als Lehrender, Trainer sowie Therapeut an einem von ihm mitgegründeten Autismus-Zentrum (Autisme Centraal) leitend tätig, an dem er bis heute wertvolle Erfahrungen in der Arbeit mit Menschen aus dem Autismus-Spektrum und Familien mit autistischen Kindern gewonnen hat. Zum anderen ist er ein vor allem im europäischen Raum bekannter und anerkannter Autismus-Experte und Autor zahlreicher Schriften, die sich insbesondere durch ein wissenschaftlich gestütztes, innovatives Nachdenken über die Sicht auf Autismus auszeichnen. Dazu zählt das viel beachtete Buch „Autismus als Kontextblindheit“ (2016). Wenngleich dieser Buchtitel zu einer einseitigen (negativen) und engen Sicht auf Autismus verleiten kann und daher kritisch gesehen werden sollte, werden wichtige Beobachtungen, Befunde und Erfahrungen zusammengetragen, die dazu sensibilisieren, Menschen aus dem Autismus-Spektrum angesichts ihrer Schwierigkeiten, Situationen oder Informationen kontextbezogen zu erfassen und zu nutzen, besser zu verstehen und ihnen mehr Lebensqualität durch geeignete Unterstützungsformen für ein inklusives ‚Leben mit Autismus‘ zu ermöglichen.

Ebenso innovativ und richtungsweisend kann die vorliegende Schrift betrachtet werden, die eine wichtige Ergänzung, ja Weiterentwicklung von „Autismus als Kontextblindheit“ darstellt.

Mit dem Begriff des „prädiktiven Gehirns“ wird eine bedeutsame Erkenntnis der kognitiven Neurowissenschaften aufgegriffen, die davon ausgeht, dass die Informationsverarbeitung des Gehirns nicht linear verläuft (z.B. nach dem Prinzip: Input – Verarbeitung – Output oder als Kette aus Stimuli und Reaktionen). Vielmehr trifft das Gehirn stets Vorhersagen darüber, was es in einer bestimmten Situation wahrnehmen und erwarten wird. Das bedeutet, dass es als eine vorausschauende Instanz operiert, indem es die Realität (z.B. tatsächliche Ereignisse oder Erlebnisse) mit seiner Vorhersage abgleicht und bei Abweichungen von Reizen (z.B. Überraschungen, unvorhergesehenen Situationen) eine Überarbeitung (Fehlerkorrektur durch Kontextsensitivität) seiner bisherigen Antizipation oder Erwartung vornimmt. Würde das Gehirn jedem Vorhersagefehler Aufmerksamkeit widmen, käme es „schnell zu einer mentalen Überbelastung“, weshalb es immer zwischen ‚relevanten‘ und ‚irrelevanten‘ Abweichungen (Stimuli) unterscheiden und entscheiden muss. Ein solcher vorausschauender Prozess (auch als *predictive coding* bezeichnet) profitiert von individuellen Erfahrungen und vollzieht sich als ein extrem schnelles, sofortiges und unbewusstes Reagieren auf eine neue Situation oder Information, einen neuen Stimulus oder Gedanken. Manche sprechen in dem Zusammenhang von einer Überlebensstrategie. Demgegenüber gibt es freilich auch Situationen, in denen keine rasche Reaktion oder Antwort notwendig ist, was dann zu bewussten (überlegten) Entscheidungen führt, bei denen gleichfalls ein im Gedächtnis gespeichertes Erfahrungswissen eine wichtige Rolle spielt, das wie die Entscheidungen nicht von unbewussten (emotionalen) Einflüssen losgelöst betrachtet werden darf.

Vor dem Hintergrund dieser Erkenntnisse führt uns P. Vermeulen mit gut nachvollziehbaren und interessanten Beispielen, Konzepten und Forschungsergebnissen aus den kognitiven Neurowissenschaften vor Augen, dass die Gehirne nicht-autistischer Menschen und Autist*innen auf Vorhersagen oft unterschiedlich reagieren. Das ist mit Blick auf Autismus nicht per se pathologisch, sondern ein Hinweis auf Neurodiversität. Diese Einsicht hat P. Vermeulen dazu veranlasst, im vorliegenden Buch den Ausdruck „Kontextblindheit" weithin zu vermeiden und einen neutraleren Begriff wie „absolutes Denken" zu nutzen, der nicht unmittelbar auf eine Beeinträchtigung verweist.

Gleichwohl sind einige Schwierigkeiten zu beachten, die sich nicht selten bei autistischen Menschen beobachten lassen, so z. B. soziale Handlungen kontextbezogen vorherzusagen, das eigene Wissen intuitiv und flexibel kontextspezifisch einzusetzen, zwischen wichtigen und unwichtigen Kontextelementen zu unterscheiden oder schnelle kontextabhängige Vorhersagen zu machen, die benötigt werden, um „sich reibungslos und flexibel in der Welt zurechtzufinden".

Solche Beobachtungen stehen mit der neurowissenschaftlichen Erkenntnis im Einklang, dass die Wahrnehmung autistischer Menschen von Natur aus auf die Erfassung lokaler Reize ausgerichtet ist, was einerseits als besondere Stärke betrachtet und beruflich genutzt werden kann. Andererseits kann eine solche autistische Fähigkeit nachteilige Effekte haben, wenn bereits winzige Details in einer Situation viel Aufmerksamkeit erfahren und nicht ignoriert werden können. Dem Anschein nach verlassen sich viele autistische Menschen weniger auf Verallgemeinerungen (z. B. Oberbegriffe, Eindrücke), sondern eher auf konkrete Informationen, die sie unmittelbar wahrnehmen (z. B. Dinge, die sie sehen). Hierzu ein Beispiel:

Vor etwa 10 Jahren lernte ich den Autisten Herrn K., einen ‚Detail-Denker' mit einem ‚fotografischen Gedächtnis' kennen, der im Rahmen seiner Arbeit zwei Mal Unterlagen in das Büro eines Vorgesetzten bringen sollte. Beim ersten Mal hatte dies gut geklappt, indem er im Büro die Unterlagen direkt dem Vorgesetzten überreichen konnte. Neun Tage später sollte er erneut Unterlagen zum Büro bringen und übergeben. Als Herr K. diesmal das Büro betrat, war er unmittelbar irritiert, indem er annahm, in einem falschen Raum zu sein. Da der Vorgesetzte nicht anwesend war und sich die Anordnung von zwei Pflanzen an einem Fenster verändert hatte, geriet er in Stress. Zunächst zitterte er am ganzen Körper, sodass ihm die Unterlagen aus den Händen entglitten, und dann steigerte er sich in einen panischen Erregungszustand (verzweifeltes Schreien, mit Füßen auf den Boden stampfen und Arme schütteln) mit dem Gefühl eines Kontrollverlusts. Nach gut drei Minuten hatte sich dieser ‚Overload'-Effekt gelegt, als der Vorgesetzte erschien und ihn beruhigen konnte.

An diesem Beispiel merken wir, dass Probleme durch emotional bestimmte Reaktionen des Gehirns auf unvorhersehbare Veränderungen (Reize) entstehen können, auf die sich das Gehirn nicht eingestellt hat und dass Vorhersagefehlern zu viel Bedeutung verliehen wird, sodass das Wesentliche (Auftrag, Ziel) aus dem Blick gerät und die betroffene Person letztlich „nicht mehr richtig funktionieren" kann (zit. n. T. Grandin „Ich sehe die Welt wie ein frohes Tier", Berlin 2008, S. 79).

Daraus zieht P. Vermeulen den weisen Schluss für die Praxis, sich weniger auf Stimuli (Schaffung einer reizarmen Umgebung) als vielmehr auf den Umgang mit der Hyperreaktivität zu konzentrierten, die durch Reize im Gehirn erzeugt wird und sich vor allem im limbischen System (Amygdala) abspielt. Das bedeutet, dass es zunächst einmal darauf ankommt, autistischen Menschen z.B. durch Angebote zur Entspannung oder von Aktivitäten, die den individuellen Interessen entsprechen, zum emotionalen Wohlbefinden, zu einem Selbstwertgefühl, zu Freude und Glücksgefühlen (Flow-Erleben) zu verhelfen. Dadurch soll zugleich Momenten einer Hyperreaktivität vorgebeugt werden. Als hilfreich gilt zudem die kognitive Verhaltenstherapie, wenn es darum geht, Ängste abzubauen oder anders als bisher über unangenehme Stimuli (Geräusche, Gerüche etc.) zu denken. Ferner zielen P. Vermeulens Vorschläge darauf ab, eine autistische Person darin zu unterstützen, als Akteur der eigenen Entwicklung selbst Reize zu erzeugen, um Ereignisse besser vorhersehbar zu machen, ein Gefühl der Kontrolle über die eigenen Lebensumstände zu gewinnen sowie Vorhersagefehler verringern zu können. Einen wichtigen Stellenwert haben darüber hinaus Angebote einer kontextbezogenen Emotionserkennung sowie kontextualisierte Sozialgeschichten oder Skripte, bei denen Kontextvariationen fokussiert werden. Solche Unterstützungsformen sind den derzeit weit verbreiteten entkontextualisierten Übungsbehandlungen durch ein bloßes Benennen isolierter Gesichtsausdrücke (Emotionslernen) oder den diskreten Lernformaten im Rahmen von ABA überlegen. Das gilt ebenso für Trainingsprogramme, die soziale Fähigkeiten als isolierte, einzuübende Verhaltensweisen betrachten, anstatt den Kontext, die Komplexität und wechselseitige Dynamik von Interaktionen und sozialen Kommunikationen aufzubereiten, wie es z. B. die Theorie des doppelten Empathie- und Interaktionsproblems bei Autismus (dazu I. Heuer/H. Seng/G. Theunissen, Autismus – über vernachlässigte Themen, Freiburg i. Br.: Lambertus-Verlag 2024, i. E.) nahelegt.

Mit diesen Hinweisen wendet sich P. Vermeulen an Menschen aus dem Autismus Spektrum sowie an Angehörige und professionelle Unterstützungspersonen, an die das Buch vorrangig adressiert ist. Diesbezüglich ist es ihm gelungen, neuere wissenschaftliche Erkenntnisse insbesondere auch jenseits der Autismusforschung für eine verstehende Sicht auf Autismus sowie für ein positives Denken und Handeln auf eine erfrischende Art und durch eine lebendige Diktion leicht zugänglich und verständlich gemacht zu haben. Damit passt die Schrift mit ihrem innovativen Gehalt nahtlos in die Reihe der vom Lambertus-Verlag publizierten Autismus-Bücher.

Freilich wäre es ein Missverständnis anzunehmen, Autismus nunmehr restlos durch den Ansatz des „prädiktiven Gehirns“ oder *‚predictive processing‘* verstehen zu können. Wir sollten uns darüber im Klaren sein, dass komplexe Phänomene wie Autismus, bei denen immer auch soziale Einflussfaktoren eine wichtige Rolle spielen, nicht auf eine einzelne Theorie der kognitiven Neurowissenschaften reduziert werden können. Das ist aber auch nicht die Absicht von P. Vermeulen.

In diesem Sinne bin ich davon überzeugt, dass die Schrift zum Überdenken bisheriger Sichtweisen auf Autismus, zu Diskussionen und einer innovativen Praxis anregen kann, weshalb ich ihr weitverbreitete Beachtung und viele Leserinnen oder Leser wünsche.

Freiburg i. Br.
Georg Theunissen im Mai 2024

Vorwort zur englischen Ausgabe

Peter Vermeulen ist ein weltweit anerkannter Experte für autistisches Denken und hat viel dazu beigetragen, Autismus besser zu verstehen. Er ist Autor zahlreicher Bücher zu diesem Thema, in denen es darum geht, das Denken und Fühlen von Menschen zu verstehen, indem man versucht, die Welt aus ihrer Perspektive zu sehen. In seinem Buch *Autism as Context Blindness* (2012) (deutsch: *Autismus als Kontextblindheit* (2016)) weist Peter darauf hin, dass autistische Menschen oft versuchen, sich in einer Welt zurechtzufinden, die ihnen „chaotisch und verwirrend" erscheint. In solchen Situationen besteht ein starker Wunsch nach Vorhersehbarkeit und einer „Oase der Ruhe". Die daraus resultierenden Verhaltensweisen werden in der Gesellschaft oft missverstanden. Peters Arbeit hat jedoch die neurologischen Mechanismen aufgezeigt, die der Reizüberflutung und dem tagtäglich erlebten Stress autistischer Menschen zugrunde liegen.

Als praktisch tätiger Experte gilt sein Interesse auch der konkreten Unterstützung von Menschen vor dem Hintergrund der Erkenntnisse über das prädiktive Gehirn und Kontextblindheit. Dieses Buch mit dem Titel *Autismus und das prädiktive Gehirn* stützt sich auf anerkannte, zukunftsweisende Forschungsergebnisse über das menschliche Gehirn und setzt sie in Beziehung zu Erfahrungen aus der Praxis.

Peter zeigt uns, dass unser Gehirn nicht passiv Informationen aufnimmt, sondern diese aktiv verarbeitet:

Wir glauben, dass unser Gehirn als Organ auf die Ereignisse in der Außenwelt reagiert. Aber das ist nicht der Fall. In Wirklichkeit sagt das Gehirn voraus, was seiner Meinung nach in der Welt passieren wird, sodass wir besser auf Ereignisse reagieren können, wenn sie eintreten.

Die Funktionsweise des prädiktiven Gehirns zu verstehen, ist meiner Meinung nach ein entscheidender Faktor, um sich in das „autistische Erleben" einzufühlen und die bestmögliche Unterstützung und Maßnahmen für Menschen zu ermöglichen, die mit einer Welt konfrontiert sind, die oft unbeständig, unsicher, komplex und mehrdeutig (VUCA) ist (volatile, uncertain, complex and ambiguous).

In diesem Buch kommt Peters umfangreiches Wissen zum Tragen, wenn es darum geht, sich in der sozialen Umwelt zurechtzufinden oder Einblicke in sensorische Probleme zu erhalten. Wenn Sie mehr über die neurologische Verarbeitung und deren Zusammenhang mit Autismus und autistischem Erleben erfahren möchten, wird Ihnen dieses Buch zweifellos dabei helfen, zu verstehen, warum Menschen die Welt manchmal anders sehen. Mein Kollege Damian Milton spricht oft von einem „doppelten Empathie"-Problem, bei dem es Menschen manchmal schwerfällt, sich in die autistische Erlebniswelt einzufühlen. Peter Vermeulens Arbeit fördert dieses empathische Verstehen im Rahmen eines schlüssigen, wissenschaftlichen Konzepts und hat damit das Verständnis und die Praxis von Menschen in meiner Organisation und auf der ganzen Welt beeinflusst.

Dieses Buch richtet sich an ein breites Publikum, und ich würde es jedem, der sich für die neurologischen Prozesse des autistischen Gehirns interessiert, sehr empfehlen:

Die meisten Menschen mit Autismus sowie die Eltern autistischer Kinder, Lehrer, Therapeuten, Helfer, Betreuer und Autismus-Coaches haben noch nie von der Theorie des prädiktiven Gehirns gehört und wissen nicht, was sie für unser Verständnis von Autismus bedeuten kann. Für diese Menschen ist dieses Buch gedacht.

Zusammenfassend kann ich dieses Buch von ganzem Herzen empfehlen, da es einen weiteren Schritt zur Entmystifizierung von Autismus darstellt und uns als Fachkräfte, Familienmitglieder und Freunde dabei hilft, die autistische Community besser in ihrer Entfaltung zu unterstützen.

Professor Andrew McDonnell
Klinischer Psychologe, Studio 3

Einleitung

Wenn über Autismus gesprochen wird, ist oft zu hören, dass diese Behinderung auf eine gestörte Verarbeitung von Sinnesreizen zurückzuführen ist. Was aber, wenn das Gehirn gar keine Reize verarbeitet?

Wir bringen Kindern mit Autismus bei, bestimmte Emotionen mit bestimmten Gesichtsausdrücken zu verbinden, aber was wäre, wenn es keine Emotionen gibt, die man aus dem menschlichen Gesicht ablesen kann? Was wäre, wenn dem Verstehen menschlichen Verhaltens in erster Linie eine unbewusste Vorhersage zugrunde liegt, was Menschen tun werden? Würde das klassische Training sozialer Fähigkeiten, das autistischen Kindern, Jugendlichen und Erwachsenen angeboten wird, überhaupt etwas bringen?

Überall liest man, dass Menschen mit Autismus mehr Vorhersehbarkeit in ihrem Leben brauchen als nicht-autistische Menschen, aber ist das wirklich so?

Bei der Förderung von Kindern, Jugendlichen und Erwachsenen mit Autismus wird häufig von einem fünfstufigen Prozess ausgegangen: Ereignisse → Gedanken → Gefühle → Verhalten → Ergebnis. Was aber, wenn die Gedanken nicht den Ereignissen folgen, sondern ihnen vorausgehen? Und was ist, wenn Gefühle eigentlich Vorhersagen darüber sind, wie man in der unmittelbaren Zukunft reagieren muss, und nicht eine Reaktion auf das, was gerade passiert ist?

Viele Strategien, Methoden und Maßnahmen, die derzeit für Kinder, Jugendliche und Erwachsene mit Autismus eingesetzt werden, beruhen auf klassischen Vorstellungen zur Funktionsweise des Gehirns, die sich auf die „Computer"-Metapher von Input, Verarbeitung und Output stützen. Mit anderen Worten, ein Gehirn, das nach dem Prinzip Reiz → Antwort oder Ereignis → Verarbeitung → Reaktion funktioniert.

Neuere wissenschaftliche Untersuchungen haben gezeigt, dass diese klassische Sichtweise auf die Funktionsweise des Gehirns nicht mehr haltbar ist. Wir wissen jetzt, dass das Gehirn anders funktioniert, als wir bisher angenommen haben. Die neuen Erkenntnisse darüber, wie das Gehirn tatsächlich arbeitet, sind wirklich erstaunlich und werfen ein völlig neues Licht darauf, was in unseren Köpfen vor sich geht. Mehr noch: Diese Erkenntnisse sind nicht nur bemerkenswert, sondern auch ein wenig schockierend, weil sie unserer Intuition völlig zuwiderlaufen. Entgegen unserer Vorstellung ist es nicht so, dass unser Gehirn immer nur auf das reagiert, was in der Außenwelt passiert. In Wirklichkeit sagt das Gehirn voraus, was seiner Meinung nach in der Welt passieren wird, sodass wir besser auf Ereignisse reagieren können, wenn sie eintreten.

Diese neurologischen Erkenntnisse sind zwar wissenschaftlich gesehen relativ aktuell, aber keineswegs völlig neu.

Der erste Durchbruch gelang den Wissenschaftlern in den 1990er-Jahren, also vor mehr als 20 Jahren. Seitdem wurde die Theorie des prädiktiven Gehirns für die Entwicklung von Anwendungen in verschiedenen Bereichen, einschließlich der Medizin, genutzt. Ich werde im Kapitel über sensorische Probleme bei Autismus Beispiele dafür anführen. Die Theorie des prädiktiven Gehirns hat ebenfalls Eingang in die Welt der Psychologie und Psychiatrie gefunden, mit innovativen Vorstellungen zu Themen wie Affektregulation und Halluzinationen. Das hat zu einem besseren Verständnis und einer besseren Behandlung verschiedener psychischer Störungen wie Psychosen oder posttraumatischem Stress geführt. Obwohl dieses neue Wissen über das prädiktive Gehirn aus der Zeit um die Wende zum 21. Jahrhundert stammt, wird es erst jetzt im autistischen Kontext wahrgenommen.

Die Anwendung dieses Wissens beschränkt sich jedoch noch weitgehend auf Forschungsprojekte in Universitätslabors. Als Flame bin ich stolz darauf, dass flämische Forschungsteams auf diesem Gebiet eine Vorreiterrolle spielen und der Untersuchung des prädiktiven Gehirns bei Autismus ihren Stempel aufdrücken. Es ist jedoch enttäuschend, dass außerhalb dieser wenigen Teams das Wissen darüber, wie das autistische Gehirn seine Vorhersagen trifft, weitgehend terra incognita ist: unbekanntes Terrain. Die meisten Menschen mit Autismus sowie die Eltern autistischer Kinder, Lehrer, Therapeuten, Helfer, Betreuer und Autismus-Coaches haben noch nie etwas von der Theorie des prädiktiven Gehirns gehört und wissen nicht, was dies für unser Verständnis von Autismus bedeuten kann. Für diese Menschen ist dieses Buch gedacht. Ich habe versucht, die neuesten Erkenntnisse über das prädiktive Gehirn und seine möglichen Auswirkungen auf unseren Umgang mit Autismus zu beschreiben und zu erklären.

Dies ist mein drittes Buch über autistisches Denken und die Funktionsweisen des autistischen Gehirns. Seit mehr als 30 Jahren versuche ich, eine Brücke zwischen der wissenschaftlichen Erforschung des Autismus (insbesondere der Gehirnforschung) und der Praxis zu bauen. Ich habe versucht, den Inhalt wissenschaftlicher Artikel, die für die breite Öffentlichkeit oft unverständlich sind, zu vereinfachen und zu übersetzen. Damit verbinde ich die Hoffnung, dass alle, die mit Autismus zu tun haben, inspiriert werden und neue Ideen erhalten, die es ihnen ermöglichen, den Autismus anders zu betrachten und vor allem besser damit umzugehen.

Woher kommt mein Interesse (manche Leute in meinem Umfeld nennen es Besessenheit) an autistischem Denken? Es entspringt meiner Überzeugung, dass autistisches Denken der Schlüssel zum Verständnis des Autismus als Ganzes ist. Obwohl Autismus auf der Grundlage von Verhaltenskriterien diagnostiziert wird – mit anderen Worten, wie jemand agiert und reagiert – gibt es meiner Meinung nach so etwas wie autistisches Verhalten gar nicht. Genauso wenig wie es etwas gibt, das wir sinnvollerweise als flämisches Verhalten, Altersverhalten, Ausflugsverhalten etc. bezeichnen könnten. Ich stimme Barry Prizant, einem der führenden Autismus-Pioniere, vollkommen zu, wenn er sagt, dass die einzige Art von Verhalten, die es gibt, menschliches Verhalten ist. Barry ist sich durchaus bewusst, dass auch Tiere Verhalten zeigen, aber ihm geht es darum, dass es keine Verhaltensweisen gibt, die nur bei Menschen mit Autismus, nicht aber bei Menschen ohne Autismus zu beobachten sind. Daher bin ich fest davon überzeugt, dass sich die Diagnosekriterien für Autismus nicht auf den Autismus an sich beziehen, sondern auf die Auswirkungen von Autismus. Was den Autismus am deutlichsten charakterisiert, ist die Art und Weise, wie das autistische Gehirn arbeitet.

Mein erstes Buch zu diesem Thema schrieb ich vor einem Vierteljahrhundert, im Jahr 1996. Es hieß *Das ist der Titel.* In diesem Buch habe ich versucht, autistisches Denken mithilfe von Witzen und künstlicher Intelligenz zu erklären. Im hinteren Teil des Buches, das Sie jetzt in den Händen halten, habe ich die Schlusstabelle aus *Das ist der Titel* noch einmal abgedruckt. Diese Tabelle stellt eine Art Zusammenfassung des gesamten Buches von 1996 dar. Damals wurde meine Beschreibung des autistischen Denkens in erster Linie durch die Arbeit von Uta Frith und ihre Überlegungen zur schwachen zentralen Kohärenz (ein Begriff, den ich durch den einfacheren Begriff „kohärentes Denken“ ersetzt habe) inspiriert. Das Kernargument von *Das ist der Titel* bestand darin, dass das autistische Gehirn Schwierigkeiten hat, Kohärenz zu erkennen, sodass es weniger gut darin ist, die wesentlichen Aspekte von Dingen und Ereignissen zu „erahnen“.

Natürlich ist die Wissenschaft seit 1996 nicht stehengeblieben. Ganz im Gegenteil. Seit der Jahrtausendwende ist die Zahl der Veröffentlichungen zum Thema Autismus exponentiell gestiegen. Diese explosionsartige Zunahme der Autismus-Forschung hat dazu geführt, dass die drei bestehenden Haupttheorien über das autistische Gehirn Risse bekommen haben: Theory of Mind, exekutive Funktionen und zentrale Kohärenz. Ich glaubte, einen roten Faden zu erkennen, der sich durch all diese Forschungsstudien zieht, einen Faden, der helfen könnte, die Schwachstellen der drei großen Theorien zu überbrücken und sie sogar miteinander zu verbinden. Es handelte sich um das Konzept „Kontext". Bitte kommen Sie nicht auf die Idee, dass ich glaubte, eine Art großen Durchbruch erzielt zu haben. Die Annahme einer reduzierten Kontextsensitivität bei Menschen mit Autismus war bereits von Uta Frith vorgeschlagen worden. In der Tat war dies Teil ihrer ursprünglichen Theorie über die schwache zentrale Kohärenz bei Autismus. Frith ging davon aus, dass diese schwache zentrale Kohärenz zwei Hauptaspekte hat: erstens die Unfähigkeit, das größere Ganze auf kohärente Weise zu sehen, und zweitens die Unfähigkeit, Kontext zu erkennen und zu nutzen. Die meisten Forschungsarbeiten hatten sich bis dahin auf den ersten dieser beiden Aspekte (Detailorientierung) konzentriert, aber es wurde immer deutlicher, dass der Kern des Problems nicht hier, sondern in der Kontextsensitivität zu suchen war. Bei einem Essen mit Uta und ihrem Mann Chris in einem Londoner Restaurant hat mich ihr Enthusiasmus dazu bewogen, ein zweites Buch über diesen relativ unerforschten zweiten Aspekt zu schreiben.

Es dauerte ein Jahr bis zur Fertigstellung, aber 2009 konnte ich mein Manuskript zur Veröffentlichung einreichen. Das Ergebnis war *Autismus als Kontextblindheit*, ein Buch, das inzwischen in sechs Sprachen übersetzt wurde und in den Vereinigten Staaten mehrere Preise gewonnen hat. (Danke, Uta!)

Doch auch hier machte die Wissenschaft große Fortschritte. Und das ist auch gut so! Weniger als drei Jahre nach der Veröffentlichung von *Autismus als Kontextblindheit* erschien in einer wissenschaftlichen Fachzeitschrift ein Artikel[1], in dem zum ersten Mal eine Verbindung zwischen Autismus und einer neuen Theorie zur Funktionsweise des Gehirns hergestellt wurde. Diese Theorie besagt, dass bei unserer Wahrnehmung ein Abgleich von Erwartungswerten mit eingehender sensorischer Information stattfindet. Für mich war die Botschaft klar: Ich konnte noch einmal ganz von vorne anfangen ...

Wie schon beim Schreiben von *Autismus als Kontextblindheit* habe ich wieder angefangen, viele wissenschaftliche Artikel zum Thema menschliches Gehirn zu lesen, vor allem aber solche, in denen es gar nicht um Autismus ging. Es zahlt sich oft aus, über den Tellerrand des eigenen Fachgebiets hinauszuschauen und zu sehen, was man von anderen Fachdisziplinen lernen kann. Es ist nämlich schwierig, wirklich innovativ zu sein, wenn man nie aus seiner Komfortzone herauskommt.

Ich war erstaunt darüber, was ich in diesen neuen Artikeln lesen konnte. Mein Glaube an mein bestehendes Wissen über das menschliche Gehirn wurde in seinen Grundfesten erschüttert. Dinge, von deren Richtigkeit mich meine langjährigen Studien und praktischen Erfahrungen überzeugt hatten, erwiesen sich nun als unzutreffend, oder zumindest als nicht übereinstimmend mit den neuen Entdeckungen, die neurologische Wissenschaftler und Wissenschaftlerinnen seit den 1990er-Jahren gemacht hatten. Im Gegensatz zu dem, was ich gedacht und in meinem Buch *Autismus als Kontextblindheit* geschrieben hatte, schien es nun, dass die Wahrnehmung kein Prozess ist, in dem uns die Welt durch die Sinne zugänglich gemacht wird. Die neuere Hirnforschung hatte gezeigt, dass die Wahrnehmung ein Prozess ist, bei dem 90% der Aktivität im Gehirn selbst entsteht, ein Prozess, bei dem die Sinne keine auslösende Rolle spielen, sondern erst in einem späteren Stadium in begrenzterer (aber nicht unwichtiger) Weise ins Spiel kommen. Mit anderen Worten: Ich habe gelernt, dass die Wahrnehmung eine Konstruktion des Gehirns ist, eine Art selbst erzeugte Illusion. Die Wahrnehmung ist also nicht der Versuch, ein möglichst genaues Bild der Welt zu erhalten, sondern eine (manchmal gründliche, manchmal oberflächliche) Überprüfung eines Bildes oder eines Modells der Welt, das das Gehirn bereits hat. Kurz gesagt, das Gehirn ist nicht Empfänger der Welt, sondern macht Vorhersagen über die Welt.

Als ob das nicht schon genug wäre, deuteten die neuen Theorien zur Hirnfunktion auch darauf hin, dass die herkömmliche Unterscheidung zwischen Wahrnehmen, Denken, Fühlen und Handeln nicht mehr so bedeutsam ist, wie bisher angenommen. Wie viele andere hatte ich z.B. geglaubt, dass Emotion und Kognition, Fühlen und Denken, in einem ständigen Wettbewerb stehen, wenn es darum geht, wie wir uns verhalten sollen. Vielleicht kennen Sie die Theorie von den drei Gehirntypen, die der Mensch haben soll: das Reptiliengehirn, das Tiergehirn und das menschliche Gehirn? Seit seiner Entstehung in den 1960er-Jahren wurde dieses dreigliedrige Modell verwendet, um die manchmal überraschenden Ergebnisse der Interaktion zwischen diesen drei verschiedenen Teilen des Gehirns zu erklären. Aber nichts davon ist wahr! Wir wissen heute, dass Gefühle, Gedanken und Verhalten nur drei verschiedene Verfahren sind, die das Gehirn einsetzt, um mit seinen eigenen Vorhersagefehlern umzugehen. Alle drei dienen demselben Zweck und sie arbeiten zusammen.

Glücklicherweise gab es bei den Theorien zur Hirnfunktion ein Element, das durch die neuen Entdeckungen nicht verworfen wurde, nämlich die Bedeutung des Kontexts. Selbst in der revolutionären Theorie des prädiktiven Gehirns spielt der Kontext nach wie vor eine wichtige Rolle – man könnte sogar sagen, eine Hauptrolle. Aus diesem Grund habe ich Kontextblindheit 2.0 als Untertitel für mein neues Buch erwogen. Ich habe mich dann aber für einen neutraleren Begriff entschieden, einen Begriff, der gleichbedeutend ist mit Kontextblindheit, der aber nicht auf eine Störung oder Behinderung verweist und eher den Aspekt der Neurodiversität bejaht: Absolutes Denken in einer relativen Welt. Am Ende des Buches werden Sie nachvollziehen können, warum ich dies für die richtige Definition von Autismus halte. In diesem Sinne ist das vorliegende Buch keine aktualisierte Version von *Autismus als Kontextblindheit.* Beide Bücher ergänzen sich jedoch gegenseitig.

In unserer modernen VUCA-Welt würden Sie mit einem passiv reagierenden Gehirn nur schwerlich überleben können; was Sie brauchen, ist ein Gehirn, das aktiv gestaltet und vorausschauend agiert. VUCA ist ein Begriff, der vom Army War College, einer Militärakademie in den Vereinigten Staaten, entwickelt wurde und erstmals gegen Ende der Ära des Kalten Krieges zum Einsatz kam. Die Beendigung dieses Krieges zwischen dem angeblich freien und kapitalistischen Westen und dem autoritären und kommunistischen Osten hat die Welt nicht einfacher gemacht. Die einfache Unterscheidung zwischen „den Guten“ und „den Bösen“, zwischen Freund und Feind, war verschwunden. Die internationalen Beziehungen wurden komplexer. Dies spiegelt sich in dem Akronym VUCA wider, das für volatile, uncertain, complex und ambiguous steht (unbeständig, unsicher, komplex und mehrdeutig). Mit anderen Worten: eine Welt, die, zumindest in weiten Teilen, im Grunde unberechenbar ist. Heute wird der Begriff nicht nur von Politikern, Politikerinnen und Militärs verwendet, sondern ist auch ein aufsteigender Stern am Firmament der Management-Theorie, insbesondere in Büchern und Trainingsprogrammen, die sich mit strategischer Führung beschäftigen. Aus diesem Grund kann der Begriff VUCA auch als perfekte Metapher zur Erklärung der Funktionsweise des menschlichen Gehirns verwendet werden.

Wie Sie später in diesem Buch lesen werden, ist die Information über die Welt, die das Gehirn über die Sinne empfängt, immer unbeständig, unsicher, komplex und mehrdeutig. Einfach ausgedrückt: Die Information, die das Gehirn von den Sinnesorganen erhält, ist unzuverlässig. Die einzige Möglichkeit für das Gehirn, mit dieser Unzuverlässigkeit und Ungewissheit umzugehen, besteht darin, die Kontrolle über den Wahrnehmungsprozess zu übernehmen und zum Regisseur seines eigenen

Erlebens zu werden. Mit anderen Worten: Es muss den Ereignissen zuvorkommen, anstatt darauf zu warten, dass sie eintreten.

Auf den folgenden Seiten habe ich versucht, die neuen Theorien über das prädiktive Gehirn so einfach und verständlich wie möglich zu erklären. Ich habe auch versucht, einige der neueren (und oft sehr fachspezifischen) Forschungsstudien zu „predictive mind“ und Autismus zusammenzufassen. Das war keine leichte Aufgabe. Von den drei Büchern, die ich über die Funktionsweise des autistischen Gehirns geschrieben habe, hat mich dieses am meisten Blut, Schweiß und Tränen gekostet. Die Theorie des prädiktiven Gehirns ist nicht leicht zu verstehen. In ihrer Kolumne in Trouw (einem niederländischsprachigen Nachrichtenmagazin) bezeichnete Heleen Slagter[2], Neurowissenschaftlerin an der Vrije Universiteit Amsterdam, diese Theorie als „die Relativitätstheorie der kognitiven Wissenschaften“. Das war in doppelter Hinsicht eine treffende Wortwahl. Wie Einsteins Relativitätstheorie ist auch die Theorie des prädiktiven Gehirns ein absoluter Game-Changer, ein Durchbruch, der ein völlig neues Licht auf die Funktionsweise des menschlichen Gehirns wirft. Und wie bei der Relativitätstheorie ist auch sie nur schwer zu erklären und zu verstehen. Aus diesem Grund habe ich versucht, einen Mittelweg zwischen einer klaren und verständlichen Zusammenfassung und einer wissenschaftlich exakten Darstellung zu finden.

Dennoch ist es möglich, dass einige Leser manchen Abschnitten nur schwer folgen können. Um bestimmte Dinge deutlich zu machen, war es für mich manchmal notwendig, einen fachspezifischen Ansatz zu wählen. Meine Erklärungen zum Thema Autismus im Lichte der neuen Theorie sind daher nicht immer einfach. Aber das ist auch nicht weiter verwunderlich. Autismus war und ist kein einfaches Thema, sondern wird immer komplexer. In meinem Buch Autisme is niet blauw, de smurfen wel *(Schlümpfe sind blau, Autismus ist es nicht)* habe ich auf die Trivialisierung des Wissens über Autismus hingewiesen, das oft auf einfache und banale Floskeln wie „reizarm = autismusfreundlich“ reduziert wird.

Ich habe Autismus und das prädiktive Gehirn für Leser geschrieben, die differenziertere und wissenschaftlich fundiertere Informationen wünschen. Wenn Sie auf der Suche nach vorgefertigten Autismus-„Rezepten“ und schmucken Metaphern sind, werden Sie enttäuscht sein.

Auf der anderen Seite des Spektrums werden Wissenschaftler, die das Buch lesen, zweifellos gelegentlich die Nase rümpfen bei Passagen, in denen ich wissenschaftliche Abstriche machen musste, um einen bestimmten Aspekt verständlich zu machen. Und sie werden natürlich Recht haben. Ich habe mich bewusst dafür entschieden, einige Elemente der Theorie zum prädiktiven Gehirn nicht in allen technischen und wissenschaftlichen Details zu erläutern, sondern habe stattdessen eine eigene vereinfachte Version gewählt oder einige Dinge ganz weggelassen. Leser, die an einer umfassenderen fachlich-wissenschaftlichen Analyse interessiert sind, finden in den Endnoten Hinweise auf die Studien, die diesem Buch zugrunde liegen.[3] Diese Literaturhinweise sollen nicht nur meine Dankbarkeit gegenüber meinen zahlreichen Quellen zum Ausdruck bringen, sondern auch all jenen dienen, die gerne mehr Details wissen wollen und lieber das Originalmaterial lesen möchten. Ich habe die aktuellen wissenschaftlichen Erkenntnisse zur Predicitive-Mind-Theorie im Zusammenhang mit Autismus auf das Minimum reduziert, das ich für die tägliche Praxis und für die von mir anvisierten Zielgruppen (zu denen nicht Wissenschaftler, sondern Menschen mit Autismus, Eltern autistischer Kinder und Fachleute gehören) für relevant hielt. Obwohl dieses Buch nicht als praktischer Leitfaden gedacht ist, habe ich dennoch versucht, die neuen Erkenntnisse so zu beschreiben, dass sie in der Praxis helfen können, mit den täglichen Herausforderungen bei der Unterstützung autistischer Menschen umzugehen. Die Entdeckung des prädiktiven Gehirns wirft nicht nur ein neues Licht auf Autismus an sich, sondern führt auch zu der unvermeidlichen Schlussfolgerung, dass viele der gegenwärtig im Zusammenhang mit Autismus angewandten Methoden und Vorgehensweisen dringend überarbeitet werden müssen. Dies öffnet die Tür für neue Verfahren und Strategien.

Wie bereits erwähnt, ist es nicht einfach, die Theorie zum prädiktiven Gehirn zu verstehen. Außerdem bereitet diese ein gewisses Unbehagen. Sie widerspricht radikal der eigenen Intuition über die Funktionsweise des Gehirns. Obwohl ich mich inzwischen an diese neue Sichtweise auf das menschliche Gehirn gewöhnt habe, fällt es mir, nach dem Verfassen dieses Buches manchmal immer noch schwer, die neue Theorie zu akzeptieren, weil sie sich so sehr von dem unterscheidet, was meine eigene Erfahrung mir sagt. Es ist ein wenig so, wie wir Sonne und Erde sehen. Obwohl wir alle wissen, dass sich die Erde um die Sonne dreht (und nicht umgekehrt), sehen wir immer noch jeden Morgen die Sonne am Horizont aufgehen und jeden Abend untergehen, als ob sie sich bewegen würde – und nicht die Erde. Und genauso verhält es sich mit der Theorie des prädiktiven Gehirns. Auch wenn ich weiß, dass meine Wahrnehmung eine Konstruktion meines Gehirns ist und nicht die Realität widerspiegelt, werde ich das Gefühl nicht los, dass ich Bilder, die ich von der Außenwelt erhalte, erst verarbeite, um ihnen dann eine Bedeutung zuzuordnen. Es fällt mir schwer zu glauben, dass mein Hungergefühl eine Vorhersage der nahenden Erschöpfung meiner Energiereserven ist und nicht eine Reaktion auf einen bestehenden Mangel an Brennstoff (Glykogen) in meinem System. Angesichts dieser Vorbehalte ist es vielleicht nicht verwunderlich, dass es beim Schreiben dieses Buches immer wieder zu heftigen Diskussionen beim Frühstück, Mittagessen und Abendessen im Hause Vermeulen kam wie z. B., als meine Frau zu mir sagte: „Du glaubst also, du kannst alles vorhersagen, was ich sagen werde? So ein Unsinn!" Nach all den Jahren, die wir zusammen sind, wusste meine Frau genau, wie ich reagieren würde. Was meinen Standpunkt eher bestätigte ...

Was ich damit sagen will, ist Folgendes: Wenn Sie das Buch lesen, wird es Momente geben, in denen Sie garantiert erstaunt die Augenbrauen hochziehen. Einiges von dem, was ich schreibe, wird Ihnen unglaublich vorkommen. Auch mir kam es anfangs unglaublich vor.

Aber ich kann Ihnen versichern, dass Sie sich mit der Zeit daran gewöhnen werden, auch wenn Ihre Intuition, genau wie meine, weiterhin hartnäckigen Widerstand leisten wird.

Zum Schluss: Ich habe dieses Buch in einer Zeit großer Unsicherheit und Unvorhersehbarkeit geschrieben. Wie bei den meisten von Ihnen hat ein scheinbar unbedeutendes, aber letztlich bösartiges (und virulentes) Virus mein Leben auf den Kopf gestellt. Anstatt wie üblich zu Kongressen und Workshops in der ganzen Welt zu reisen, kam am frühen Abend eines Freitags im März 2020 alles zum Stillstand. Und das an einem Freitag dem dreizehnten! In meinem Terminkalender standen nun nicht mehr Dinge mit monatelanger Vorhersehbarkeit, sondern eine Reihe von fast leeren Seiten, die mit Fragezeichen über die Zukunft übersät waren. Die VUCA-Welt war mit voller Wucht in mein Leben getreten! Aber wo Schatten ist, ist auch Licht. Meiner Meinung nach ist die Pandemie eine autistische Erfahrung, die wir alle teilen können, ob wir wollen oder nicht. Plötzlich sind wir alle mit Dingen konfrontiert, mit denen sich das autistische Gehirn Tag für Tag auseinandersetzen muss: Unvorhersehbarkeit, Ungewissheit, Weltmodelle, die nicht mehr zu funktionieren scheinen (das Zuhause ist nicht mehr nur ein Zuhause, sondern auch ein Arbeitsplatz und eine Schule), komplexe Situationen (was ist eine „ wichtige" Reise und was nicht?), Verwirrung und Unklarheit (wie genau funktioniert das Kohorten-Prinzip in den Haushalten?) etc. Die Theorie des prädiktiven Gehirns lehrt uns, dass „Ungewissheit" das Schlüsselwort ist, wenn wir Autismus beschreiben wollen. Nachdem wir alle durch die Pandemie gelernt haben, was es bedeutet, das

Leben in einer wahrhaftigen VUCA-Welt zu erleben, hoffe ich, dass wir von nun an mehr Verständnis für Autismus und die davon Betroffenen aufbringen können. Vor allem hoffe ich, dass wir alle erkennen werden, dass Autismus gar nicht so viel „anders" ist, als wir denken. Niemand von uns mag Unsicherheit. Wir alle wollen in einer Welt leben, in der wir Ereignisse vorhersagen können, ohne zu viele Fehler zu machen. Wie das funktioniert, werde ich im folgenden Kapitel erklären.

1

Das prädiktive, „vorhersagende" Gehirn

Ich will es gleich auf den Punkt bringen: Ihr Gehirn kennt sich selbst nicht. Und wenn die Behauptung des berühmten niederländischen Hirnforschers Dick Swaab stimmt, dass wir unser Gehirn sind, bedeutet das, dass Sie sich selbst nicht kennen.

Das ist eine gewagte Behauptung, aber eine notwendige, wenn ein Autor seine Leser davon überzeugen will, ein Buch wie dieses weiterzulesen. Natürlich kann es sein, dass einige Leute nach der Lektüre des vorherigen Absatzes das Buch einfach beiseitelegen und nie wieder aufschlagen. Aber dieses Risiko gehe ich gerne ein ... Wenn Sie immer noch bei mir sind, ist das großartig. Ich danke Ihnen!

Warum sollten Sie Ihr Gehirn nicht kennen? Schließlich sind Sie und Ihr Gehirn schon seit Jahren zusammen. Mit anderen Worten: Sie sollten alles wissen, was unter Ihrem Schädel passiert. Keiner seiner vielen Bewohner sollte Ihnen fremd sein: Ihre Ideen, Erinnerungen, Gefühle, Gedanken, Träume etc. Natürlich lässt sich nicht leugnen, dass Sie all diese Dinge tatsächlich wissen. Aber das ist nicht das, was meine einleitende Behauptung meint. Sie „wissen" vielleicht von all den Bewohnern Ihres Gehirns, aber Sie „wissen" nicht, wie sie ihre tägliche Existenz und Interaktion ordnen. Mit anderen Worten: Die Behauptung, dass „Ihr Gehirn sich selbst nicht kennt", bedeutet, dass Ihr Gehirn nicht weiß, wie es funktioniert.

Wiederum werden viele von Ihnen, die bis hierher gelangt sind, ernsthafte Zweifel an der Richtigkeit dieser Behauptung haben. Wenn Sie ein Buch wie dieses lesen, ist die Wahrscheinlichkeit groß, dass Sie bereits andere Bücher und Artikel über das Gehirn und seine Funktionsweise gelesen haben. Sie haben wahrscheinlich schon Dutzende von Diagrammen gesehen über die Art und Weise, wie das Gehirn

Informationen verarbeitet. Falls nicht, finden Sie Hunderte von ihnen auf der Google-Bildersuche.

Die allermeisten sehen in etwa so aus:

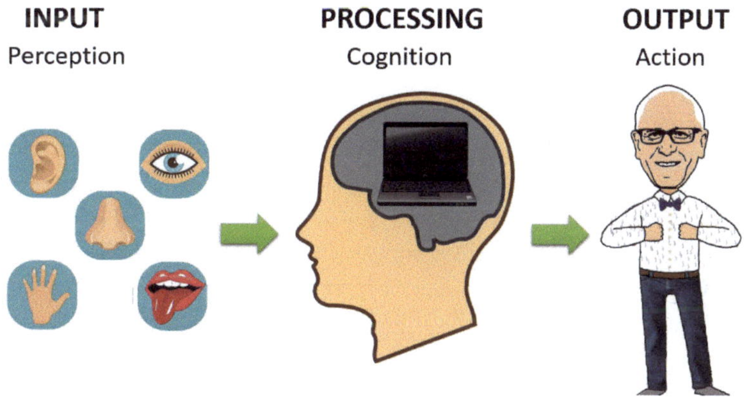

Die beliebteste Metapher für das Gehirn ist heutzutage der Computer. In diesem Sinne reiht sich der Computer in die lange Liste der „Maschinen"-Metaphern ein, die im Laufe der Jahrhunderte verwendet wurden, um die Funktionsweise des menschlichen Körpers und seiner verschiedenen Bestandteile zu beschreiben. Beispielsweise wird das Herz mit einer Pumpe verglichen. In ähnlicher Weise wird das Gehirn als eine Art Computer betrachtet, und wir verwenden sogar Computerbegriffe, um zu erklären, wie es funktioniert: Input, Verarbeitung, Output.

Unsere Sinnesorgane liefern den Input: Information über die Welt, sowohl von außen als auch aus dem Inneren unseres Körpers. Das Gehirn nimmt diese Information auf, ordnet sie, bewertet sie und speichert sie. Das ist die Verarbeitung. Das Ergebnis dieser Verarbeitung sagt uns, wie wir auf die Welt reagieren sollen: der Output. Und bis zu einem gewissen Grad ist das alles richtig. Das Gehirn verarbeitet tatsächlich Informationen, genauso wie ein Computer. Aber zu sagen, das Gehirn sei wie ein Computer, würde zu weit führen.[4] Das ist so, als würde man ein Bällchenbad für seine Kinder mit einer Dose Tomatensuppe mit Fleischbällchen vergleichen, nur weil beide Bällchen enthalten. In den letzten Jahren hat die Hirnforschung eine kopernikanische Wende vollzogen, die unser Denken über das Gehirn und seine Funktionsweise auf den Kopf gestellt hat.

Eine kopernikanische Wende? Zu Beginn des 16. Jahrhunderts versetzte der polnische Mathematiker und Astronom Nikołaj Kopernikus (heute eher als Nikolaus

Kopernikus bekannt) die Gesellschaft seiner Zeit in Aufruhr, als er behauptete, dass die Erde nicht das Zentrum des Universums sei, wie die Menschen seit der Antike angenommen hatten.

Kopernikus bewies, dass sich die Erde um die Sonne dreht und nicht umgekehrt. Zu dieser Zeit war dies ein beunruhigender Gedanke, den die meisten Menschen nur schwer akzeptieren konnten, denn es war das erste Mal, dass die Wissenschaft es wagte, das in Frage zu stellen, was fast alle Menschen intuitiv glaubten. Wir alle sehen, wie die Sonne jeden Morgen im Osten aufgeht und jeden Abend im Westen untergeht, aber wir haben kein wirkliches Gefühl für die verblüffende Geschwindigkeit und Komplexität, die bei diesem scheinbar simplen täglichen Prozess eine Rolle spielen.[5] Das war im 16. Jahrhundert nicht anders. Daher hielten viele Zeitgenossen von Kopernikus seine Ideen für absurd. Papst Paul V. setzte sein Buch sogar auf die Verbotsliste der katholischen Kirche. Die wenigen Wissenschaftler, die Kopernikus' Ansichten unterstützten, wie Galileo Galilei und Giordano Bruno, gerieten bald in ernsthafte Schwierigkeiten mit der Obrigkeit. Galilei wurde unter Hausarrest gestellt, und der weniger glückliche Bruno wurde schließlich von der Inquisition als Ketzer auf dem Scheiterhaufen verbrannt.

Auch wenn heutzutage niemand mehr verbrannt oder in einen Kerker geworfen wird (zumindest hoffen wir das!), erlebt die Hirnforschung derzeit eine Revolution und einen Paradigmenwechsel von ebenso dramatischem Ausmaß. Und wie die Entdeckungen von Kopernikus sind auch die jüngsten Entdeckungen über das menschliche Gehirn auf Unglauben gestoßen, weil sie scheinbar dem widersprechen, was wir intuitiv glauben. Was die Hirnforscher entdeckt haben, passt einfach nicht zu unserer Vorstellung davon, wie unser Gehirn funktioniert. Es lässt uns an unserem Weltbild zweifeln. Und was vielleicht noch wichtiger ist: Es lässt uns an unserem Bild von uns selbst zweifeln. Für viele mag das ein beunruhigender Gedanke sein.

Worum geht es also bei diesen spektakulären neuen Entdeckungen? Und was ist so falsch an der Computer-Metapher?

Zunächst einmal führt die Verwendung der Computermetapher zu der Vorstellung, dass das Gehirn logisch und rational funktioniert. Das Gehirn empfängt Information von den Sinnesorganen (ein Prozess, der als Wahrnehmung bezeichnet wird). Anschließend organisiert und verarbeitet es diese Informationen (ein Prozess, der als Denken oder Kognition bezeichnet wird), um eine „Bedeutung" zu generieren, auf deren Grundlage das Gehirn dem Körper sagt, wie er auf die Außenwelt reagieren soll (unsere Verhaltensreaktionen). Zumindest haben wir das immer angenommen. In Wirklichkeit arbeitet das Gehirn jedoch nicht so logisch und rational, wie wir denken. Zumindest nicht die ganze Zeit über. Einer der vielen Wissenschaftler, die dies nachgewiesen haben, ist der israelische Psychologe Daniel Kahneman[6]. In den letzten fünf Jahrzehnten hat er erforscht, wie Menschen Entscheidungen treffen. Er kam zu der überraschenden Schlussfolgerung, dass wir mehr Fehler machen, wenn wir bewusst über ein Problem nachdenken, was zu Entscheidungen führt, die weit davon entfernt sind, intelligent oder gut begründet zu sein.

Kahnemans Überlegungen hatten eine große und unmittelbare öffentliche Wirkung, insbesondere in den Wirtschaftswissenschaften. Bis dahin waren Ökonomen immer davon ausgegangen, dass eine gute ökonomische Leistung auf einer sorgfältigen Abwägung möglicher Risiken und Gewinne beruht. Kahneman zeigte ihnen, dass sie damit falsch lagen – ein Akt der Aufklärung, für den er 2002 mit dem Nobelpreis für Wirtschaftswissenschaften ausgezeichnet wurde.

Mit anderen Worten: Die Tatsache, dass unsere Spezies die Gefahren der Welt seit Zehntausenden von Jahren überlebt hat, ist nicht auf die Fähigkeit unseres Gehirns zu logischem Denken und Berechnen zurückzuführen. Hirnforscher haben nicht nur nachgewiesen, dass das Gehirn dazu neigt, durcheinander zu geraten, wenn es logisch denken soll, wie Kahneman und sein Kollege Tversky bereits in den 1970er-Jahren gezeigt haben, sondern auch, dass diese Art des logischen Denkens ein langsamer Prozess ist, der viel Zeit erfordert. Und wenn man überleben will, muss man nicht nur klug, sondern auch schnell sein.

Stellen wir uns vor, dass wir vor 15.000 Jahren leben und mit unseren Vorfahren, den Jägern und Sammlern, auf der Suche nach Nahrung durch die Savanne ziehen. Wir bahnen uns vorsichtig einen Weg durch das hohe Gras, als wir vor uns ein Geräusch hören. Wir können nicht sehen, wer das Geräusch macht, aber es ist tatsächlich ein Säbelzahntiger. Welche Art von Gehirn würde Ihnen in dieser Situation am meisten nützen? Bevor Sie antworten, sollten Sie zwei weitere Faktoren berücksichtigen. Erstens: Menschen stehen zwar nicht ganz oben auf der Liste der Lieblingsspeisen von Tigern, aber wenn sich die Gelegenheit ergibt, werden sie nie die Chance auf ein Stück Menschenfleisch ausschlagen. Zweitens: Wenn es um Geschwindigkeit geht, ist der Tiger ein Hase und Sie sind eine Schildkröte. Also zurück zu unserer Frage: Welches Gehirn wird Ihnen helfen zu überleben?

Wahrscheinlich nicht das Gehirn, das sagt: „Alle mal herhören. Wir können alle das Rascheln im Gras vor uns hören, aber wir können nicht sehen, was es ist. Es könnte ein großes und gefährliches Raubtier sein. Aber es könnte genauso gut ein kleines Säugetier oder ein Vogel sein, den wir gerne essen. Wir sollten also nicht zu voreilig sein. Nehmen wir uns etwas Zeit, um die richtige Entscheidung zu treffen. Wir sollten alle Fakten zusammentragen, sie in die richtige Reihenfolge bringen, die potenziellen Risiken und Vorteile abwägen und erst dann eine Entscheidung treffen, von der wir sicher sein können, dass sie gut begründet ist. Das ist der einzige logische Weg, um zu wissen, ob wir um unser Leben rennen oder die Bratpfanne vorbereiten sollten..." Wenn Sie diesen langwierigen Prozess abgeschlossen haben, sind Sie schon halb im Rachen des Tigers.

In einer solchen Situation hatten unsere frühen Vorfahren einfach nicht die Zeit, eine detaillierte und zeitraubende Gewinn- und Verlustanalyse zu erstellen! Nur die Gehirne haben überlebt, die sich schnell und unbewusst dafür entschieden, wegzulaufen, sobald sie hörten, dass sich das Gras bewegt. Wenn wir sie fragen könnten, wie oder warum sie diese Entscheidung getroffen haben, würden sie es uns nicht sagen können. Denn sie wüssten es nicht. Aber die Evolution hat bewiesen, dass diese unbewussten „Lass uns das Risiko nicht eingehen"-Gehirne klüger waren als ihre rationaleren und nachdenklicheren Gegenstücke. Und was für den Homo erectus im Pleistozän galt, gilt auch heute noch für moderne Männer und Frauen. Zwar müssen wir uns nicht mehr vor Säbelzahntigern fürchten, aber dafür sind andere Gefahren hinzugekommen. Zum Beispiel Autos, die sich mit hoher Geschwindigkeit nähern, wenn wir – oder unsere Kinder – schnell die Straße überqueren wollen. Gehen Sie? Oder gehen Sie nicht? Entscheidungen dieser Art ermöglichen uns nicht nur das Überleben, sondern auch viele andere Dinge, die nichts mit dem Überleben zu tun haben. Zum Beispiel Tennis spielen. Leute mit einem Gehirn, das Sinneseindrücke verarbeiten muss, bevor es sein Verhalten anpassen kann, könnten unmöglich Tennis spielen.

Leute mit einem Gehirn, das Sinneseindrücke verarbeiten muss, bevor es sein Verhalten anpassen kann, könnten unmöglich Tennis spielen.

Der menschliche Körper und seine verschiedenen Sinnesorgane verfügen über Millionen von Rezeptoren, und in den allermeisten Situationen bleibt einfach nicht genug Zeit, um die Millionen von Reizen, mit denen diese Rezeptoren das Gehirn ständig bombardieren, zu einem kohärenten Ganzen zu verarbeiten, das wir als „Bedeutung“ bezeichnen könnten. Die Rezeptoren im Auge beispielsweise wandeln die von ihnen wahrgenommenen Reize in elektronische Signale um, die von den Nerven mit einer Geschwindigkeit von 70 bis 120 Metern pro Sekunde zum Gehirn transportiert werden. Das mag schnell klingen, ist aber in Wirklichkeit zu langsam, um auf die meisten Dinge, die im Leben passieren, bewusst reagieren zu können. Die Zeitspanne zwischen dem Lichteinfall auf die Netzhaut und dem Eintreffen der daraus resultierenden elektronischen Signale in dem für die Erkennung von Objekten zuständigen Bereich des Gehirns beträgt etwa 170 Millisekunden (etwas mehr als eine Sechstelsekunde). Bis diese Signale wieder in eine erste vorläufige Wahrnehmung des Gesehenen umgewandelt werden, vergehen weitere 80 Millisekunden.

Von den zehn besten Tennisspielern der Welt können die meisten einen Tennisball mit einer Geschwindigkeit von rund 250 Kilometern pro Stunde aufschlagen. Den absoluten Weltrekord hält derzeit (anno 2021) der Australier Sam Groth, der 2012 bei einem Turnier in Südkorea einen Aufschlag mit 263 Stundenkilometern schaffte. Ein Tenniscourt ist 23,77 Meter lang. Das bedeutet, dass Groths Ball die andere Seite des Platzes, auf der sein Gegner stand, in etwa 325 Millisekunden erreichte. Der Ball überquerte das Netz in etwa 170 Millisekunden, der gleichen Zeit, die ein visueller Reiz braucht, um von der Netzhaut zum visuellen Verarbeitungszentrum im Gehirn zu gelangen.

Mit anderen Worten: Wenn Groths Gegner „sieht“, dass er den Ball schlägt, hat der Ball bereits die Hälfte der Strecke zu ihm zurückgelegt. Wenn er „sieht“, wie der Ball das Netz überquert, hat er ihn bereits passiert – und Groth hat ein weiteres „Ass“ erzielt (vorausgesetzt, der Ball war „drin“). Wenn das Gehirn Reize auf die gleiche Weise wie ein Computer verarbeiten würde (Input – Verarbeitung – Output), wäre niemand in der Lage, einen Tennisball auf wettbewerbsfähige Weise zu treffen, selbst wenn der nicht so schnell wie bei Groth unterwegs ist. Viele andere Sportarten, bei denen sich Dinge mit hoher Geschwindigkeit bewegen – wie Baseball oder sogar Fußball – wären ebenso schwierig zu spielen. Und ebenso schwierig zu pfeifen. Nehmen wir z. B. die Abseitsregel im Fußball. In den 170 Millisekunden, die das visuelle Bild eines Spielers von der Netzhaut bis zum Gehirn des Linienrichters braucht, ist jeder anständige Stürmer schon mindestens anderthalb Meter weiter!

Kurz gesagt: Um die Gefahren der Evolution zu überstehen (und auch um Abseitsentscheidungen ohne den Video Assistant Referee (VAR) zu treffen), hat das menschliche Gehirn gelernt, nicht auf Information oder Input zu warten, bevor es entscheidet, was zu tun ist. Mit anderen Worten: Unser Gehirn ist nicht nur aktiv, sondern auch – und vor allem – proaktiv. Es gibt nur eine Möglichkeit, unsere langsamen und fehlerhaften Prozesse der bewussten Wahrnehmung und des Denkens zu kompensieren, und zwar durch superschnelle und unbewusste Vorhersagen. Tennisspieler können den Aufschlag von Groth (zumindest manchmal) zurückschlagen, nicht weil sie den tatsächlichen Flug des Balls verfolgt haben, sondern weil sie den Flug des Balls schnell, genau und unbewusst vorhersagen konnten. Genauso haben Schiedsrichter und Linienrichter, die ein „gutes Auge" für Abseitsstellungen haben, vor allem gelernt, wie man ein Abseits vorhersieht.

Unser Gehirn ist nicht nur aktiv, sondern auch – und vor allem – proaktiv.

Neben der Schnelligkeit und den besseren Überlebenschancen gibt es noch einen weiteren wichtigen Grund, warum das Gehirn nicht auf Sinnesinformation warten möchte, bevor es Entscheidungen trifft und Handlungen einleitet. Die von den Sinnesorganen gelieferten Informationen sind nicht nur langsam, sondern auch sehr unzuverlässig. Unser Gehirn hat keinen direkten Kontakt zur Außenwelt. Es sitzt in der Dunkelheit der Schädelhöhle gefangen. Es kann nicht sehen, hören, tasten, riechen oder schmecken. Alles, was es tun kann, ist, elektromagnetische Signale zu empfangen und zu verarbeiten. Das kann es gut, aber es gibt ein Problem: In der Außenwelt gibt es viele verschiedene und völlig unzusammenhängende Ereignisse, die das gleiche elektromagnetische Signal erzeugen können. Dies wurde bereits im 19. Jahrhundert von dem deutschen Physiologen Johannes Peter Müller entdeckt. Er ließ Licht auf die Netzhaut seiner Versuchspersonen leuchten, und diese sagten ihm, sie sähen „Licht". Aber die Menschen hatten die gleiche Empfindung – das Sehen von Licht –, wenn er nichts weiter tat, als ein wenig Druck auf ihren Augapfel zu geben. Auch die elektrische Stimulation des Sehnervs führte zu demselben Erlebnis: Die Versuchspersonen berichteten, dass sie Licht sahen. Kurz gesagt, es wurden drei Signale an das Gehirn gesendet, die alle exakt gleich waren, aber jeweils eine völlig andere Ursache hatten.

Aus Müllers Befunden lässt sich schlussfolgern, dass das Gehirn die Ursache für die elektrischen Signale, die es ständig empfängt, oft „erahnen" muss. Unser „Erleben" ist also kein direkter Eindruck von der Welt, sondern die beste Vermutung des Gehirns über die Ursache der Signale, die unser Nervensystem jede Stunde des Tages überfluten. Und da es keine direkte Verbindung zwischen einem Reiz und einer Sinneswahrnehmung gibt, ist es möglich, dass ein und derselbe Reiz eine Vielzahl von sehr unterschiedlichen Sinneserfahrungen hervorruft. Das kann manchmal zu spektakulären Diskussionen führen, z. B. über die Farbe von Dingen.

Anfang Februar 2015 war Cecilia Bleasdale aus Lancashire im Nordwesten Englands auf der Suche nach einem passenden Kleid für die Hochzeit ihrer Tochter Grace. In einem Geschäft in der Nähe der Stadt Chester fand sie drei Kleider, die ihr sehr gut gefielen. Weil sie sich nicht entscheiden konnte, machte sie von jedem Kleid ein Foto mit ihrem Smartphone. Nachdem sie noch eine Weile darüber nachgedacht hatte, entschied sie sich schließlich für ein Kleid in Blau und Schwarz. Als sie zu Hause ankam, schickte sie alle drei Fotos an die in Schottland lebende Grace und fügte eine Textnachricht hinzu: „Ich habe das dritte gekauft". Daraufhin erwiderte Grace: „Du meinst das weiß-goldene?" Die verwirrte Cecilia antwortete daraufhin: „Nein, es ist blau und schwarz!" Grace schlug daraufhin vor, dass ihre Mutter vielleicht einen Augenoptiker aufsuchen sollte, denn das dritte Kleid war ganz eindeutig weiß und goldfarben. Um sich zu vergewissern, dass sie nicht farbenblind oder verrückt war, zeigte Cecilia auch ihrem Mann das dritte Foto. Aber er machte die Sache nur noch komplizierter, indem er antwortete: „Tut mir leid, Schatz, aber für mich sieht es auch weiß und gold aus", obwohl er das Kleid im Laden tatsächlich in den Händen gehalten hatte, damit seine Frau es fotografieren konnte! Grace postete das Foto später auf ihrer Facebook-Seite, wo es von einer ihrer Freundinnen, Caitlin McNeil, gesehen wurde. Auch sie meinte, das Kleid sei weiß und goldfarben. Am Tag der Hochzeit war Caitlin dann allerdings sehr überrascht, als sie sah, dass Cecilias Kleid ganz offensichtlich blau und schwarz war!

Noch immer verblüfft von diesem seltsamen Phänomen, stellte Caitlin das Foto am 26. Februar auf ihre eigene Tumblr-Blogseite und bat ihre Follower um eine Meinung. Die Resonanz war überwältigend, und innerhalb weniger Stunden war ein neuer Internethype geboren, der schließlich als „Dressgate" bekannt wurde. Millionen von Menschen sahen sich das Foto an, das in Spitzenzeiten mehr als 10.000-mal pro Sekunde aufgerufen wurde. Und nicht nur in den sozialen Medien war „Dressgate" ein großer Erfolg: Die Frage, warum verschiedene Personen dasselbe Kleid in verschiedenen Farben sahen, schaffte es auch in überregionale Zeitungen wie The Guardian und The New York Times, aber auch in wissenschaftliche Publikationen und sogar in Ellen De Generes TV-Talkshow.

Wie kann es sein, dass Menschen bei so einem elementaren Vorgang wie der Farberkennung so grundverschieden wahrnehmen? Die Erklärung ist eigentlich ganz einfach oder klingt zumindest einfach: Wir sehen Farben nicht wirklich, wir erfinden sie. Farben sind eine Konstruktion unseres Gehirns. Die verschiedenen Farben, die wir wahrnehmen, sind unterschiedliche Wellenlängen von elektromagnetischer Strahlung. Die Rezeptoren des menschlichen Auges können nur einen begrenzten Bereich dieser Wellenlängen wahrnehmen (z. B. können sie keine Röntgenstrahlen oder Radiowellen wahrnehmen).

Dieser begrenzte Bereich (Wellenlängen zwischen 400 und 750 Nanometern) wird als Farbspektrum bezeichnet. Die verschiedenen Wellenlängen erzeugen entsprechend unterschiedliche elektronische Signale im Gehirn. Auch hier muss das Gehirn „vermuten", was diese elektronischen Signale verursacht haben könnte. Dazu berücksichtigt das Gehirn den weiteren Kontext der Umgebung und insbesondere den Lichteinfall.

Ein konkretes Beispiel. Wir alle nehmen eine reife Tomate als rot wahr. In Wirklichkeit ist eine Tomate aber nicht rot. Sie hat keine Farbe. Die Haut der Tomate absorbiert alle verschiedenen Wellenlängen des Lichts, reflektiert aber die Wellenlänge zurück, die mit dem übereinstimmt, was wir als „rot" bezeichnen, das sind etwa 700 Nanometer. Die Wellenlängen, die die Tomate reflektiert, hängen von der Art des auf sie fallenden Lichts ab. Diese Wellenlängen sind z. B. für klares weißes Licht anders als für blaues oder gelbes Licht. Um zu vermeiden, dass uns die vielen möglichen Farbkombinationen verwirren, wendet das Gehirn ein Korrekturverfahren an, indem es die Farbe der Dinge auf der Grundlage des Lichteinfalls „errät". Ohne diesen Korrekturprozess würden wir die Farbe der Tomaten in einem Ladenregal ganz anders wahrnehmen als an einem Strauch draußen in unserem Garten. Genauso würden wir die Hautfarbe von Menschen je nach Tageszeit (morgens, mittags, abends) anders „sehen", weil das von der Sonne kommende Licht zu verschiedenen Tageszeiten unterschiedlich ausfällt. Wenn nichts mehr eine feste Farbe hätte, würde uns das in den Wahnsinn treiben und die Welt in einen sehr unvorhersehbaren Ort verwandeln.

Wegen dieses Korrekturverfahrens konnten die Leute Cecilias Kleid in verschiedenen Farben sehen, obwohl das Foto für alle gleich war. Einige nahmen (unbewusst) an, dass das Foto entweder über- oder unterbelichtet war. Andere nahmen Korrekturen vor, die den Bildschirm oder das Licht, bei dem das Foto betrachtet wurde, berücksichtigten.

Welches Feld ist heller, A oder B?

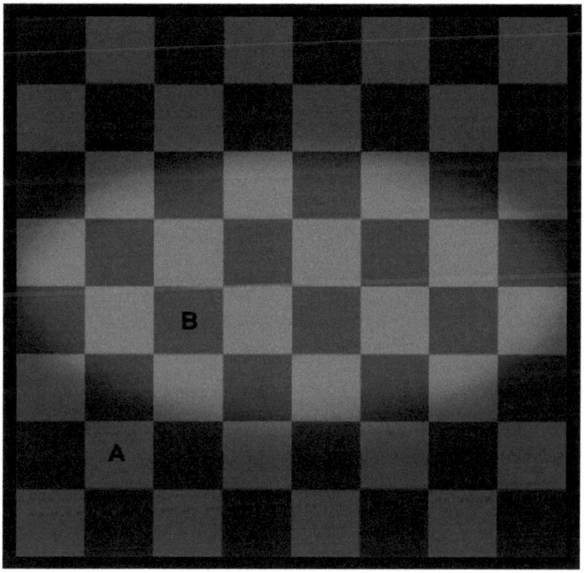

Diese auf unseren Annahmen beruhende automatische Korrektur erklärt auch, warum auf dem obigen Schachbrett das Feld A heller erscheint als das Feld B, obwohl beide genau gleich grau sind. Ihr Gehirn „weiß", dass A zu den hellen Feldern des Schachbretts gehört, korrigiert den Schatten und sieht daher das Feld als heller an als Feld B.[7]

Mit anderen Worten: Wir sehen nicht, was wirklich da ist, sondern das, wovon wir unbewusst annehmen, dass es da sein sollte. Das bedeutet, dass die Realität von unserem Gehirn konstruiert wird. Chris Frith,[8] ein namhafter Neurowissenschaftler und Ehemann von Uta, einer weltweit anerkannten Expertin auf dem Gebiet des Autismus, drückt es wie folgt aus: „Die Wahrnehmung ist eine Illusion, die (zum Glück in den meisten Fällen) mit der Realität korrespondiert. Ein anderer bekannter Hirnforscher, Anil Seth, ging in einem vielbeachteten TED-Talk[9] aus dem Jahr 2017 sogar so weit, die Wahrnehmung als „kontrollierte Halluzination" zu bezeichnen. Wir nehmen die Welt nicht so wahr, wie sie ist, sondern wir nehmen ein Modell der Welt wahr, das von unserem Gehirn erstellt wird.

Wäre das nicht der Fall, würden wir jedes Mal in Panik geraten, wenn wir sehen, wie sich unsere Lieben zu Fuß oder mit dem Fahrrad von uns entfernen, denn sie würden immer kleiner werden. Je weiter jemand von uns entfernt ist, desto kleiner wird das Bild, das auf unsere Netzhaut projiziert wird. Zum Glück verlassen wir uns bei den Annahmen über die Größe einer Person nicht auf den Maßstab dieses Bildes, sondern auf das Wissen unseres Gehirns, dass Menschen nicht plötzlich kleiner werden, sobald sie mit dem Fahrrad fahren! An dieser Stelle fragen sich sicher einige von Ihnen: Wie können wir ein Modell der Welt haben, wenn wir nicht zuvor über Sinneseindrücke verfügen, auf die wir dieses Modell stützen können? Wie kann man einen Hund als Hund erkennen, wenn man vorher noch nie einen gesehen hat? Die Antwort auf diese Frage ist komplex. Tatsächlich lautet die Antwort sowohl „Ja" als auch „Nein". Nein, man muss einen Hund nicht zuerst gesehen haben, um ihn als Tier zu erkennen. Ja, man muss eine Reihe von Hunden gesehen haben, um sein(e) Modell(e) von Hunden und anderen Haustieren zu verfeinern und zu verbessern. Daher bezeichnen Kleinkinder manchmal eine Katze als Hund oder haben die Tendenz, alle Männer als „Papa" zu bezeichnen (sehr zur Belustigung der Anwesenden – außer vielleicht dem echten Papa).

Wenn wir geboren werden, ist unser Gehirn nicht leer. Es ist keine Tabula rasa, sondern enthält bereits eine Menge „vorprogrammierter" Information. Sie müssen z. B. nicht erst lernen, dass die Welt eine dreidimensionale (3D) Struktur hat oder Licht im Allgemeinen von oben kommt. Dieses Wissen wird Ihnen bei der Geburt mitgegeben. Sie können es als eine Art Starterpaket für Ihre Überlebensmission auf der Erde betrachten.

Mehr noch: Dieses Wissen ist so stark in Ihrem Gehirn präsent, dass Sie nicht so tun können, als ob Sie es nicht wüssten. Bekannte optische Täuschungen machen sich dies zunutze. Zum Beispiel sagt uns unser angeborenes Wissen, dass die Welt dreidimensional ist und dass das menschliche Gesicht konvex und nicht konkav geformt ist, wie bei der verblüffenden Hollow-Face-Täuschung, die Sie unten sehen.[10] Das linke Gesicht wird nach vorne zu uns projiziert (konvex), während das rechte Gesicht in Wirklichkeit nach innen gewölbt ist (konkav). Trotzdem sehen beide Gesichter gleich aus, weil unser Gehirn uns sagt, dass dies der Fall sein sollte.

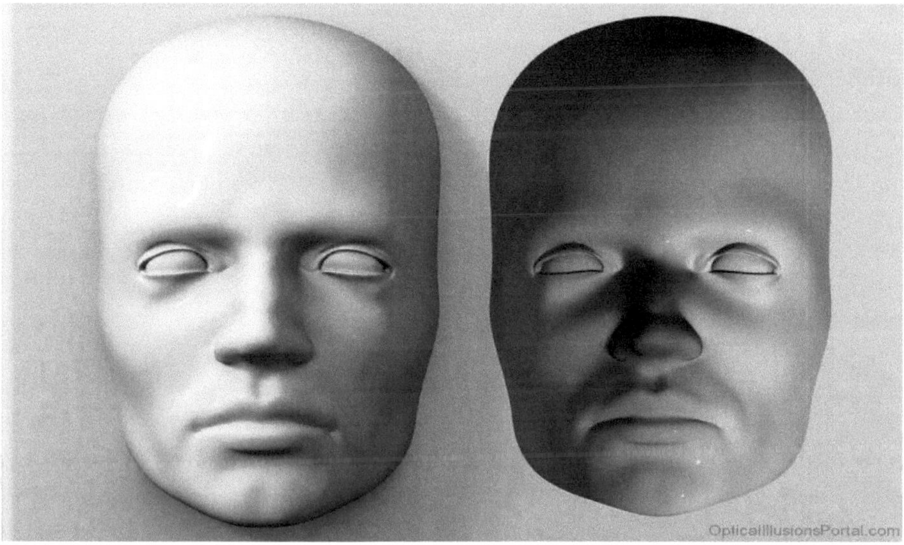

konvexe Maske *dreht sich in eine ...* *konkave Maske*

Wir wissen nicht genau, wie viel oder welche Art von Information auf diese Weise vorprogrammiert ist. Aber es ist sicher mehr, als wir gemeinhin denken. So haben flämische Forscher[11] herausgefunden, dass die Kategorien, nach denen das Gehirn das Gesehene gruppiert und unterscheidet (Ist dies ein Gesicht? Ist dies ein Gegenstand? Ist dies eine Landschaft?), bereits bei der Geburt in unserem Kopf vorhanden sind und nicht erst durch visuelle Erfahrung erlernt werden müssen. Die Forscher ließen eine Gruppe sehbehinderter Menschen – von denen einige ohne Augen geboren waren, sodass sie noch nie etwas sehen konnten – Geräusche aus verschiedenen Kategorien hören, wie Lachen oder Essen für die Kategorie „Gesichter" und eine Uhr oder eine Waschmaschine für die Kategorie „Objekte". Die Gehirnaktivität der Versuchspersonen wurde gemessen, und obwohl sie nie ein Gesicht oder eine Uhr gesehen hatten, reagierte der visuelle Cortex in ihrem Gehirn auf jede Kategorie anders, und zwar genauso wie bei Menschen, die sehen können. Mit anderen Worten: Sehbehinderte scheinen dieselbe visuelle „Landkarte" wie sehende Menschen zu verwenden, um zwischen Kategorien zu unterscheiden. Mehr noch, diese Karte existiert in ihrem Kopf, auch wenn sie die Außenwelt nie gesehen haben. Fazit: Wir wissen bestimmte Dinge, ohne dass wir vorher einen sensorischen Input benötigen.

Aber es geht sogar noch weiter. Wenn einer Ihrer Sinne nicht richtig oder gar nicht funktioniert, können Sie die Information, die dieser Sinn normalerweise liefern würde, durch einen Ihrer anderen Sinne erhalten. Wirklich? Wie ist das möglich? Dazu muss man wissen, dass das Gehirn ausschließlich durch die Verarbeitung von elektrischen Signalen funktioniert. Unabhängig davon, von welchem Sinn das Signal kommt, wird es in der gleichen elektromagnetischen Form durch die verschiedenen Nervenbahnen des Körpers übertragen. Aus diesem Grund macht es für das Gehirn keinen Unterschied, woher diese Signale kommen, solange es weiterhin die Signale erhält, die es für unser Überleben braucht. Das bedeutet, dass man zum Sehen auch die anderen Sinnesorgane benutzen kann, was allerdings eine Menge Übung und Geduld erfordert. Erik Weihenmayer aus Colorado (USA) ist dafür der lebende Beweis. Erik leidet an einer seltenen Erbkrankheit namens juvenile Retinoschisis. Dabei handelt es sich um eine Erkrankung, bei der die Netzhaut in zwei Schichten gespalten wird, sodass man entweder sehr schlecht sieht oder wie im Fall von Erik schließlich erblindet.

Ab seinem 13. Lebensjahr verschlechterte sich Eriks Sehkraft allmählich, bis er schließlich überhaupt nicht mehr sehen konnte. Als Heranwachsender war Erik schon immer ein großer Fan von Klettern, Radfahren und Skifahren gewesen, allesamt Sportarten, die bei fehlender Sehkraft potenziell sehr gefährlich, wenn nicht gar unmöglich sein können. Trotzdem wollte Erik seinen Sport, der ihm so viel bedeutete, nicht aufgeben. Und das tat er auch nicht. Im Alter von 33 Jahren erreichte er als erste blinde Person überhaupt den Gipfel des Mount Everest. Außerdem ist er nach wie vor ein begeisterter Radfahrer und beherrscht akrobatische Fallschirmsprünge. Und das alles ohne normales Sehvermögen. Wie macht er das nur? Das Geheimnis liegt darin, dass Erik jetzt mit seiner Zunge sehen kann. Erik trägt eine Kamera. Diese Kamera sendet visuelle Signale, die sonst auf seine Netzhaut projiziert würden, in digitaler Form (eine Reihe von Einsen und Nullen) an ein sehr kleines intelligentes Gerät auf Eriks Zunge. Von dort aus sendet die Zunge über ihre eigenen Nervenbahnen elektrische Signale an das Gehirn, und zwar auf genau dieselbe Weise, wie es der Sehnerv bei einer sehenden Person tun würde. Für das Gehirn ist Information gleich Information; es ist ihm egal, woher sie kommt. Und wie bei der Informationsübertragung über die Augen muss das Gehirn nun eine „Vermutung" über die Ursache der elektrischen Impulse anstellen, die es über die Zunge erhalten hat. Die Erfahrung von Erik und anderen zeigt, dass das Gehirn recht schnell lernt, die Signale als visuelle Information zu interpretieren. Darüber hinaus entwickelt und verbessert das Gehirn im Laufe der Zeit sein „Modell" für den Ursprung dieser Signale, sodass es die Signale schließlich so interpretiert, als ob sie über die traditionellen Nervenbahnen empfangen würden, also vom Auge und nicht von der Zunge. Das klingt spektakulär, und das ist es auch – aber es ist nicht neu. Es funktioniert nach genau demselben Prinzip wie ein Cochlea-Implantat, das Hörgeschädigten und Gehörlosen das Hören ermöglichen: Das Implantat verwandelt Schall in elektrische Impulse, die den Hörnerv stimulieren, sodass Menschen, die kaum etwas hören oder gar nichts hören, Töne und Sprache wahrnehmen können.

Es klingt unglaublich, ist aber wahr: Obwohl unser Gehirn für seine Tätigkeit zweifellos Input und Information benötigt, ist es weit weniger auf die Sinne angewiesen, als wir denken, um diesen Input und diese Information zu erhalten. Man kann mit Fug und Recht behaupten, dass in der Computer-Metapher für das Gehirn der Beitrag der Sinne stark überschätzt wird.

Obwohl unser Gehirn für seine Tätigkeit zweifellos Input und Information benötigt, ist es weit weniger auf die Sinne angewiesen, als wir denken.

Und das ist nicht das einzige Manko der Computermetapher. Es gibt z.B. auch das Problem, das im Diagramm am Anfang dieses Kapitels veranschaulicht wird. Dieses Bild zeigt ein statisches und lineares Modell. Alles beginnt auf der linken Seite mit einem Reiz und endet auf der rechten Seite mit einer Reaktion. Irgendwo dazwischen, nach der Verarbeitung der Informationen, entsteht „Bedeutung“. Aber wo genau? An welchem Punkt endet die Wahrnehmung und beginnt die Kognition (das Denken)? Beginnt die Kognition bereits direkt hinter der Netzhaut im Sehnerv? Oder beginnt sie erst im optischen Zentrum des Gehirns?

Wir wissen, dass es in diesem Hirnareal verschiedene hierarchisch angeordnete Regionen gibt. Nur die „unteren“ Regionen können auf einfache Reize wie Bewegung, Richtung oder Konturen reagieren, während die „höheren“ Bereiche auf Reize mit komplexerer Zusammensetzung reagieren. Die Frage bleibt jedoch dieselbe: Wo erhält ein Reiz eine „Bedeutung“? Ist das „Sehen“ von Linien oder Bewegungen – auch wenn man nicht weiß, was oder wen sie darstellen – eine Form von „Bedeutung“? Wer kann das sagen?

Letztendlich können wir nur Folgendes sagen: Die Informationsverarbeitung kann nicht nur in eine Richtung fließen, was bedeutet, dass es keinen bestimmten Punkt gibt, an dem die Wahrnehmung endet und die Kognition beginnt.

In Wirklichkeit ist die Art und Weise, wie unser Gehirn uns hilft, die Welt zu verstehen und angemessen auf sie zu reagieren, eine dynamische Angelegenheit, bei der sich Information in verschiedene Richtungen bewegt: von unten nach oben und von oben nach unten.

Bottom-up bezieht sich auf den Aufwärtsfluss (Feedforward) von elektrischen Signalen von den Sinnen zu den höheren Regionen des Gehirns. Top-down bezieht sich auf den abwärts gerichteten Rückfluss verarbeiteter Information (Feedback) vom Gehirn zu den tiefer gelegenen Teilen der Gehirnhierarchie und schließlich zu den Sinnesorganen. Beide Ströme finden gleichzeitig statt. Die Sinne versorgen das Gehirn mit Information, auf die das Gehirn reagiert, indem es nur die Information zugänglich macht, die für die weitere Verfeinerung seines Modells der Welt nützlich ist. Mit anderen Worten: Der Fluss der Sinneseindrücke wird von oben nach unten gesteuert und korrigiert. Und das ist auch gut so! Stellen Sie sich nur einmal vor, was passieren würde, wenn Ihr Gehirn Zugang zu allen Sinneseindrücken hätte. Schon wenige Minuten nach dem Aufwachen am Morgen wäre Ihr Kopf prall gefüllt. Schon beim Frühstück wäre er kurz vor dem Explodieren! Wenn das Gehirn so arbeiten würde, wie am Anfang des Diagramms dargestellt, würden Sie nicht nur beim Tennisspielen ständig von überraschenden Bällen ins Gesicht getroffen werden, sondern auch in vielen anderen Lebensbereichen darunter leiden, dass Sie ständig mit Information überschüttet werden, auf die Sie nicht vorbereitet sind. Ihr Gehirn mag keine (nicht zu viele) Überraschungen.

Stattdessen geht es eher so sparsam wie möglich mit der Energieversorgung des Körpers um, für den es zuständig ist. Das bedeutet, dass es keine Mühe auf Information verschwendet, die für unser effektives Funktionieren und Überleben nicht notwendig ist.

Folglich blendet es alles aus, was es nicht braucht. Er lässt nur das durch, was unbedingt notwendig ist. Auf diese Weise können beispielsweise Japaner den Unterschied zwischen dem Buchstaben R und dem Buchstaben L nicht hören, weil dies in ihrer eigenen Sprache keine nützliche Unterscheidung ist. Ihr Gehirn wendet daher keine Zeit und Energie auf, um zwischen diesen beiden Lauten zu unterscheiden.

Was ist für das menschliche Gehirn nützlich und/oder notwendig? Alles, was uns hilft, zu funktionieren und zu überleben. In dieser Hinsicht ist das Gehirn nicht an „Wahrheit" interessiert. Bei der Wahrnehmung geht es nicht darum, das „wahrhaftigste" oder genaueste Bild von der Welt zu erhalten. Sie ist eine manchmal gründliche, manchmal oberflächliche Überprüfung des vom Gehirn erstellten Bildes oder Modells von der Welt. Das Gehirn will nicht wissen, ob sein Modell der Welt korrekt ist und der äußeren Realität entspricht. Es interessiert sich nur dafür, ob das von ihm entwickelte Modell uns hilft, schnell und angemessen auf die Realität zu reagieren. Mit anderen Worten: Das Modell muss kein genaues Abbild der wahren Realität sein. Das ist der Grund, warum Illusionen funktionieren. In einer Illusion sehen wir etwas, das sich von der Realität unterscheidet. Aber das Gehirn nimmt diese Unvollkommenheiten in der Wahrnehmung gerne in Kauf, solange die meisten Bestandteile seines selbst erschaffenen Modells der Welt uns am Leben erhalten.

Wie der Rest unseres Körpers arbeitet auch das Gehirn für unser Überleben (und unsere Fortpflanzung, wenn genügend Zeit und Energie für beides vorhanden ist). Um diese Aufgabe erfolgreich zu erfüllen, hat sich das Gehirn zu einem Organ entwickelt, das die Kontrolle über unsere Existenz selbst in die Hand genommen hat. Oder wie Lisa Feldman Barrett es ausdrückt: „Wir sind die Architekten unserer eigenen Erfahrungen."[12] Das Gehirn will nicht von der unzuverlässigen und mehrdeutigen Information der Sinne abhängig sein. Wenn man diesen Sinnen nicht einmal beim Erkennen von so etwas Einfachem wie der Farbe eines Kleides trauen kann, wozu sind sie dann überhaupt gut?

Ebenso will das Gehirn nicht mit nutzloser Information aus den Sinnesorganen überflutet werden. Es hat nicht die Absicht, ein Sklave dieser Sinne zu werden.

Und last but not least mag das Gehirn keine unvorhersehbaren Überraschungen. Die von den Sinnesorganen gelieferte Information ist zu langsam, sodass das Gehirn nicht immer gut vorbereitet sein kann.

Kurz gesagt, die ganze Vorstellung mit der Computermetapher (Input – Verarbeitung – Output) ist einfach nicht stichhaltig. Wie kann man sich die Dinge also wirklich vorstellen? Der Grundgedanke ist einfach: Das Gehirn mag keine Überraschungen und will daher so weit wie möglich vorhersehen, was passieren wird. Aus diesem Grund wartet das Gehirn nicht darauf, dass die Sinne Information über die Außenwelt liefern, sondern macht stattdessen selbst Vorhersagen über diese

Welt. Das haben Hirnforscher erst kürzlich, zu Beginn des 21. Jahrhunderts, entdeckt. Was diese Entdeckung so kopernikanisch und damit revolutionär macht, ist die Erkenntnis, dass die Wahrnehmung nicht durch einen Reiz in der Außenwelt beginnt, sondern im Kopf, im eigenen Gehirn. Die alte Vorstellung von „Reiz → Reaktion" ist einfach nicht richtig.

Was Kopernikus und seine Mitstreiter mit dem Bild des Menschen vom Universum gemacht haben, machen die heutigen Neurowissenschaftler mit unserem Bild vom menschlichen Gehirn: Sie stellen es auf den Kopf.

Das Gehirn mag keine Überraschungen und will daher so weit wie möglich vorhersehen, was passieren wird.

In der alten Denkart über das Gehirn beginnt alles mit einem Reiz, der von den Rezeptoren in einem der Sinnesorgane aufgenommen wird. Diese Information wird dann über die Nervenbahnen an einen der höheren Verarbeitungsbereiche des Gehirns weitergeleitet.

Nach der Verarbeitung geben diese Bereiche eine Rückmeldung über die eingehende Information an den Rest des Körpers. So scheint es zumindest für die meisten von uns zu sein. Aber so läuft es nicht wirklich ab. Bevor Reize von den Sinnen aufgenommen werden, sagt das Gehirn bereits voraus, wie der Input der Sinne sein wird. Wenn Sie ein Stück Schokolade sehen, wissen Sie bereits (unbewusst, ohne nachzudenken), wie es schmecken wird, bevor Sie es in den Mund stecken.

Das Gehirn bittet die Sinne nicht um neue Information oder Input, sondern will eine Rückmeldung zu der Information, die es bereits über die Welt hat. Vor diesem Hintergrund prüft Ihr Gehirn, ob Konsistenz und Geschmack der Schokolade mit Ihren (und seinen) Erwartungen übereinstimmen. Mit anderen Worten: Was wir früher als Zuleitung (Feedforward) von Information bezeichnet haben (Bottom-up-Prozess), ist in Wirklichkeit eine Rückmeldung (Feedback), und verläuft umgekehrt! Das Gehirn nutzt die Sinne, um die Brauchbarkeit und den Überlebenswert seiner eigenen Vorhersagen über die Welt zu überprüfen. In den Neurowissenschaften ist dies als Theorie des prädiktiven Gehirns oder der prädiktiven Kodierung bekannt.[13] Die folgenden Diagramme sollen dies verdeutlichen. Zum besseren Verständnis habe ich dazu das Beispiel der visuellen Wahrnehmung gewählt.

Was wir bis vor Kurzem gedacht haben:

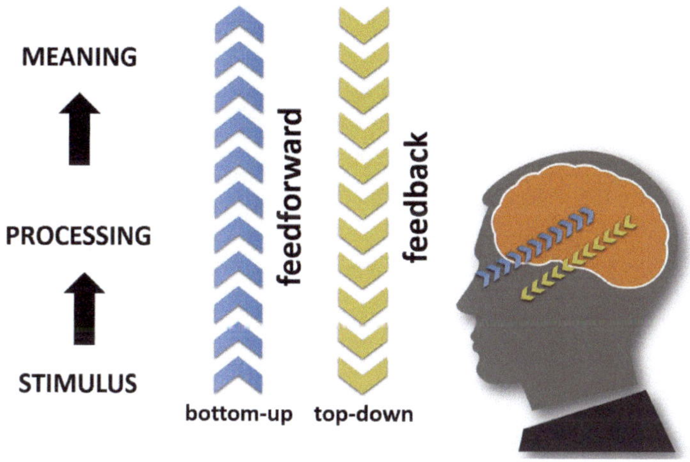

Wie wir jetzt darüber denken:

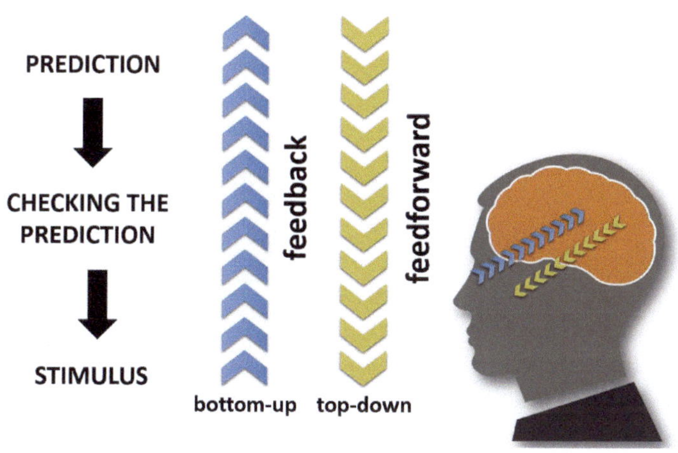

Es fällt uns schwer zu glauben, dass die Wahrnehmung in unserem eigenen Kopf beginnt und nicht das Ergebnis einer von der Außenwelt empfangenen Empfindung ist. Dies widerspricht unserer Intuition: Wir alle haben das Gefühl, dass wir zunächst Eindrücke aus der Welt um uns herum sammeln, um sie erst dann zu verarbeiten und zu nutzen. Die Vorstellung, dass das Gehirn Sinneseindrücke auf der Grundlage eines zuvor konstruierten Modells der Welt vorhersagt, klingt für die meisten Menschen heute unglaublich. Genauso unglaublich muss die Behauptung von Kopernikus für die Männer und Frauen des 16. Jahrhunderts geklungen haben, dass sich die Erde um die Sonne dreht. Und ich muss gestehen, dass es mir nicht anders geht! Auch wenn ich jetzt schon auf rund einem Dutzend Seiten die neue Theorie über die Funktionsweise des Gehirns beschrieben habe, bleibt mein Gefühl, dass ich auf die Welt reagiere und sie nicht in den Labyrinthen meines eigenen Verstands konstruiere.

Das führt natürlich zu einer ganzen Reihe weiterer Fragen. Ist das Gehirn hellseherisch begabt? Wenn es den Input der Sinne vorhersagen kann, bedeutet das, dass es immer weiß, was passieren wird? Und wenn ja, warum gewinnen wir dann nicht jede Woche im Lotto?

Um diese und ähnliche Fragen zu beantworten, muss man erklären, wie die Vorhersageprozesse im Gehirn tatsächlich funktionieren.

Wenn Sie sich das prädiktive Gehirn bereits als eine Art Wahrsagerin vorstellen, die mit einer Kristallkugel und einem Stapel Tarotkarten bewaffnet ist, sollten Sie sich diese Vorstellung aus dem Kopf schlagen, bevor wir weitermachen. Ein prädiktives Gehirn ist kein Gehirn, das die Zukunft vorhersagen kann. An seinen Vorhersagen ist nichts Paranormales. Um zu verstehen, warum das so ist, müssen wir das Wort „Vorhersage“ etwas genauer erklären.[14] Auch hier möchte ich das Sehen als das einfachste Beispiel verwenden. Laien sind oft überrascht, wenn sie erfahren, dass der Teil des Gehirns, der für die Verarbeitung visueller Information zuständig ist – der visuelle Cortex –, sich nicht unmittelbar hinter den Augen, sondern im hinteren Teil des Gehirns befindet. Mit anderen Worten: Wir sehen buchstäblich aus dem Hinterkopf heraus! Dieser visuelle Kortex ist hierarchisch aufgebaut. Es gibt untere Ebenen, die nur einen sehr begrenzten Zuständigkeitsbereich haben und sich mit der Verarbeitung relativ kleiner und einfacher Informationseinheiten über die Welt befassen, wie Farben, Linien, Konturen, Bewegung und Orientierung. Weiter oben gibt es komplexere Netzwerke von Nervenzellen, die über ein breiteres Sehspektrum verfügen, das es ihnen ermöglicht, Objekte, Menschen und Situationen zu identifizieren und zu „sehen“. Diesen verschiedenen Bereichen innerhalb des visuellen Kortex wurde jeweils eine Nummer zugeordnet, die ihre relative Position in der Hierarchie des Cortex angibt: V1, V2, V3 etc.

Wie kommt nun der Faktor „Vorhersage" ins Spiel? Wenn wir von den Vorhersagen des Gehirns sprechen, meinen wir eigentlich die Vorhersagen, die eine hierarchische Hirnstufe über die Hirnaktivität der unmittelbar darunter liegenden Stufe macht. Konkret bedeutet dies, dass V4 die Hirnaktivität von V3 vorhersagt, V3 sagt die Hirnaktivität von V2 voraus und so weiter, bis die primärsten Gruppen von Neuronen im Cortex die Signale vorhersagen, die auf den Rezeptoren in der Netzhaut erwartet werden können. Auf der Grundlage dessen, was dann tatsächlich an Hirnaktivität auf den unteren Ebenen geschieht, erhält jede Neuronengruppe eine Rückmeldung über die von ihr gemachten Vorhersagen.

Auf diese Weise erhält V4 von V3 eine Rückmeldung über seine Vorhersagen, während V3 seinerseits die Hirnaktivität von V2 nutzt, um zu überprüfen, ob seine Vorhersagen richtig waren oder nicht.

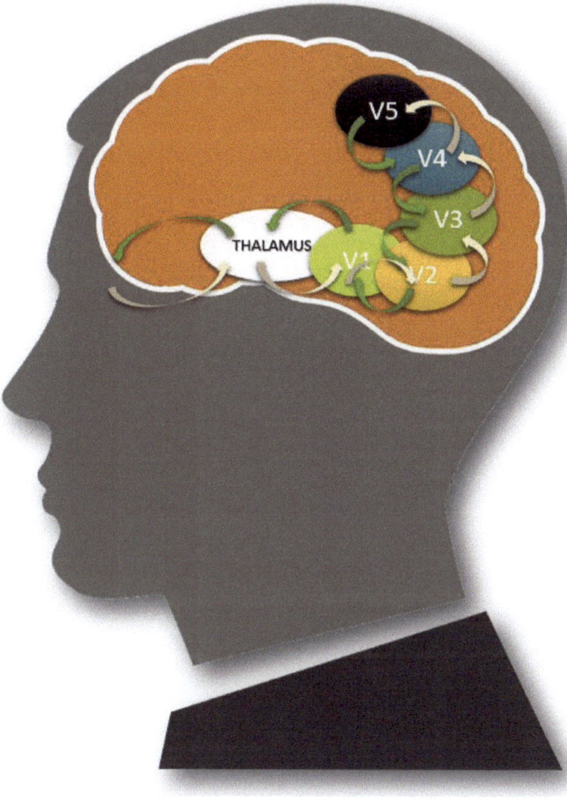

Gruppen von Gehirnzellen sagen die Aktivität von niedrigeren Gruppen von Gehirnzellen voraus. Die unteren Gruppen senden eine Rückmeldung, mit der die Genauigkeit der Vorhersagen überprüft werden kann.

Kurz gesagt, die Vorhersagen des Gehirns haben nichts mit Hellseherei zu tun. Außerdem werden die Vorhersagen nicht in einem einzigen Bereich oder an einer bestimmten Stelle des Gehirns gemacht. Es gibt keinen Bereich, den wir als „Vorhersageareal" bezeichnen können. Nein, die Vorhersagen werden gleichzeitig in vielen verschiedenen Teilen des Gehirns gemacht, in einem sich selbst organisierenden System. Darüber hinaus dauert dieses komplexe Zusammenspiel von Vorhersagen und Rückmeldungen auf Vorhersagen nur Millisekunden.

Wenn sich die Vorhersagen als richtig erweisen, passiert nichts. Das Gehirn muss keine Abhilfemaßnahmen ergreifen und kann sich daher, metaphorisch gesprochen, auf seinen Lorbeeren ausruhen. Sein Modell der Welt stimmt. Hurra! Ganz anders sieht es jedoch aus, wenn die vorhergesagte Aktivität in den tiefer gelegenen Regionen und bei den Sinnesrezeptoren nicht den Erwartungen entspricht. In diesem Fall schaltet das Gehirn sofort auf Korrekturbetrieb um. Und warum? Weil sein Modell der Welt nicht mehr perfekt ist. Es ist mit einem sogenannten Vorhersagefehler konfrontiert.

Das Gehirn mag keine Vorhersagefehler. Wenn sie auftreten, hat das Gehirn zwei Möglichkeiten: Es kann sein Modell von der Welt aktualisieren, sodass seine Erwartungen besser mit den Rückmeldungen der Sinne übereinstimmen, oder es kann Maßnahmen in der realen Welt ergreifen und sie so anpassen, dass sie besser mit den Erwartungen des Modells übereinstimmen. In jedem Fall ist unser Gehirn ständig auf der Hut, die Anzahl der Vorhersagefehler und unerwarteten Überraschungen zu minimieren.[15]

In der großen Pause eines wissenschaftlichen Kongresses, auf dem ich einer der Referenten war, bekam ich zu meiner Tasse Kaffee ein Stück Schokolade. Es war Zartbitterschokolade, genau die Sorte, die ich mag. Also steckte ich sie, ohne nachzudenken in meinen Mund. Sie schmeckte scheußlich, und hätte ich mich nicht in einem Raum voller anderer angesehener Gäste und Redner befunden, hätte ich sie sofort wieder ausgespuckt. Einer meiner Kollegen bemerkte meine Überraschung und meinte: „Das ist ein interessanter Geschmack, diese Schokolade mit Meersalz." Es war das erste Mal, dass ich diese Art von Schokolade gegessen hatte, und mein Gehirn hatte nicht erwartet, den Geschmack von Salz zu erleben. Salz gehörte nicht in das Modell meines Gehirns, wie Schokolade schmecken sollte. Dies führte zu einem Vorhersagefehler, nämlich: „Meine Güte, mit dieser Schokolade stimmt etwas nicht!" Meine unmittelbare Bauchreaktion, die Schokolade auszuspucken, war ein Überlebensreflex, ausgelöst von meinem Gehirn, das davon ausging, dass etwas nicht stimmt. Salz ist nicht das, was wir erwartet haben! Das Ausspucken wäre in der realen Welt eine Korrekturmaßnahme gewesen, um den Vorhersagefehler zu beseitigen und das Modell des Gehirns von Schokolade aufrecht zu erhalten. Auf diese Weise würde der schlechte Geschmack einfach verschwinden. Aber ich hatte nicht den Mut, das in einem überfüllten Raum zu tun. Außerdem mag ich nicht nur Schokolade, sondern auch Salz. Daraufhin hat mein Gehirn sofort sein Modell von Schokolade angepasst, sodass Salzgeschmack nun zu den möglichen Eigenschaften von Schokolade gehört. Somit macht mein Gehirn keine Vorhersagefehler mehr, wenn ich ein Stück gesalzene Schokolade esse. Es gibt nur noch den köstlichen Geschmack von Schokolade und Salz.

Dieses Beispiel zeigt, dass das Gehirn nicht auf Reize reagiert, sondern auf Abweichungen von Reizen, die es vorhergesagt hat. Mit anderen Worten, es reagiert auf Vorhersagefehler.[16] Wir werden uns unserer Umwelt nur dann bewusst, wenn die Rückmeldungen, die wir von unseren Sinnen erhalten, nicht mit unseren Erwartungen übereinstimmen. Das ist eine gute Sache: Wie bereits erwähnt, würde es uns in den Wahnsinn treiben, wenn unser Gehirn den gesamten Input verarbeiten müsste, den es von allen Sinnesorganen erhält. Zum Glück muss das Gehirn nur dann aktiv werden, wenn es einen Unterschied gibt zwischen dem, was es erwartet hat, und neuer Information, die auf dem beruht, was tatsächlich passiert ist. Alles andere wäre eine unnötige Verschwendung der begrenzten Energieressourcen des Gehirns. Warum sollte es sich um Dinge kümmern, die es bereits kennt und erwartet? Daher verlässt es sich stattdessen auf das bereits oben skizzierte System: ein ständiger Strom von Top-down-Aktivitäten in Form von Vorhersagen, die nur dann korrigiert werden, wenn es durch Bottom-up-Sinneseindrücke auf Vorhersagefehler aufmerksam gemacht wird.[17]

Dies erklärt, warum zehnmal mehr Nervenbahnen von der Sehrinde zum Thalamus – der Verbindung zwischen dem Gehirn und dem Sehnerv – führen, als in umgekehrter Richtung.[18] Man muss dabei auch bedenken, dass nur 10 % der Information, die das Gehirn zum Sehen verwendet, tatsächlich von den Augen stammen. Die restlichen 90 % der Information stammen aus anderen Bereichen des Gehirns.[19] Mit anderen Worten: Die Sinne sind keineswegs die Hauptakteure im

Wahrnehmungsprozess, sondern spielen nur eine Nebenrolle. Der eigentliche Star der Wahrnehmung ist das Gehirn selbst; dort wird fast die gesamte Arbeit geleistet.

Das Gehirn verfügt über eine bemerkenswerte Fähigkeit zur Anpassung. Es passt seine Modelle von der Welt ständig an und verbessert sie, und zwar blitzschnell. Ihr Gehirn braucht z.B. nur wenige Minuten, um sein bestehendes Modell Ihres Körpers durch ein neues falsches Körperteil zu ergänzen! Dies wurde durch ein Experiment bewiesen, das Matthew Botvinick und Jonathan Cohen Ende der 1990er-Jahre durchführten[20] und das heute als „Gummihand"-Täuschung allgemein bekannt ist. Botvinick und Cohen setzten ihre Versuchspersonen an einen Tisch und baten sie, beide Unterarme auf die Tischoberfläche zu legen. Dann stellten sie eine Trennwand auf den Tisch, sodass die Versuchspersonen ihre rechte Hand nicht mehr sehen konnten. Auf die sichtbare Seite der Trennwand legten sie eine Gummihand. Anschließend strichen die Forscher mit einer weichen Bürste gleichzeitig über die Gummihand und die „unsichtbare" rechte Hand. Das Ergebnis? Durch die Kombination dessen, was sie sehen und was sie fühlen konnten, auf der Grundlage all ihrer früheren Erfahrungen mit dem gleichzeitigen Sehen und Fühlen von Dingen, sahen die Gehirne der Versuchspersonen die Gummihand als einen tatsächlichen Teil des Körpers an! Die Versuchspersonen zuckten sogar zusammen, als die Forscher vorgaben, sie würden die Gummihand mit einem Hammer schlagen! Dieser Anpassungsprozess dauerte übrigens nur zwei Minuten. Als die Wissenschaftler die Versuchspersonen fragten, wie sie das Experiment erlebt hätten, antworteten die meisten, es habe sich angefühlt, als sei ihre eigene Hand verschwunden und die falsche Hand real geworden.

Das Konzept des prädiktiven Gehirns steht nicht nur für eine Theorie über die Wahrnehmung, sondern ist vor allem eine Theorie über die Art und Weise, wie Menschen lernen.

Daraus können wir vor allem Folgendes ableiten: das Konzept des prädiktiven Gehirns steht nicht nur für eine Theorie über die Wahrnehmung, sondern ist vor allem auch eine Theorie über die Art und Weise, wie Menschen lernen. Das Gehirn lernt aus jeder Erfahrung, die wir machen, etwas Neues und passt seine Modelle von der Welt entsprechend an, sodass es besser vorhersagen kann, was in dieser Welt in Zukunft wahrscheinlich passieren wird. Das bedeutet, dass sich Ihr Gehirn ständig verändert. Ihr Gehirn von heute ist nicht dasselbe wie das von gestern. Und nachdem Sie diesen Text gelesen haben, hat sich Ihr Gehirn erneut verändert.

Das Gehirn lernt nicht nur schnell, sondern auch mit großer Flexibilität. Das ist notwendig. Es gibt keine klare und feste Verbindung zwischen einer sensorischen Erfahrung und dem, was in der Außenwelt diese Erfahrung verursacht haben könnte. Alle Sinneseindrücke sind per Definition mehrdeutig und können auf unterschiedliche Weise interpretiert werden.

Kurz gesagt, für das Gehirn gibt es in der Welt keine sicheren Gewissheiten. Angesichts einer solchen Ungewissheit ist Flexibilität die einzige Antwort.

Dazu folgendes Beispiel:

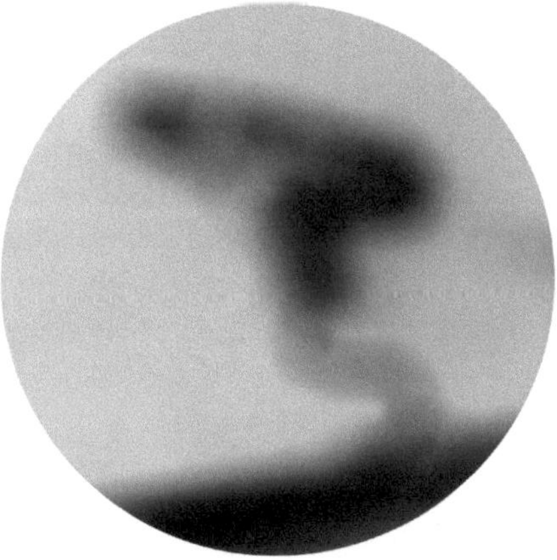

Was meinen Sie, was das ist? Das ist schwer zu sagen, denn das Bild ist ziemlich unscharf. Man kann nur Vermutungen anstellen.

Wenn ich Ihnen sage, dass es sich bei dem Objekt um ein elektrisches Gerät handelt, können Sie wahrscheinlich eine genauere Vermutung anstellen. Es könnte eine Bohrmaschine sein. Aber es könnte auch ein Haartrockner sein. Schauen Sie sich nun die beiden Bilder auf der folgenden Seite an.

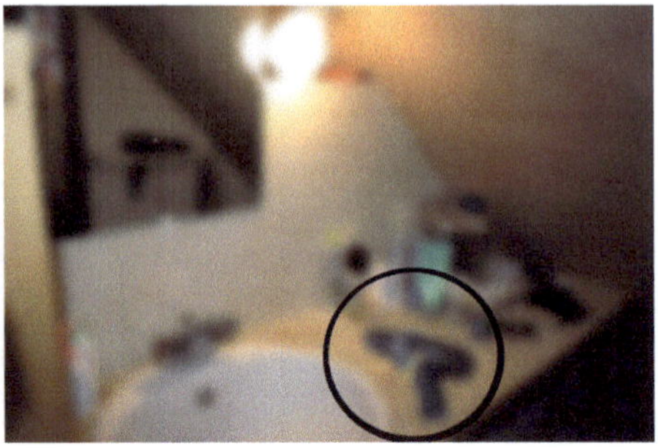

Wenn ich Sie jetzt noch einmal frage, werden die meisten von Ihnen vermutlich sagen, dass es sich bei dem Bild links um eine Bohrmaschine und bei dem Bild rechts um einen Haartrockner handelt. Warum? Weil Ihr Gehirn seine Vorhersagen flexibel an den jeweiligen Kontext anpasst. Im Kontext einer Werkbank ist eine Bohrmaschine wahrscheinlicher als ein Haartrockner. Im Badezimmer ist es genau andersherum.

Da es keine feste Eins-zu-eins-Beziehung zwischen einer Sinneswahrnehmung und ihrer Ursache in der Außenwelt gibt, sind immer verschiedene Erklärungen möglich. Es folgt ein weiteres Beispiel für solche Probleme, mit denen das Gehirn ständig konfrontiert wird. Sehen Sie sich den Würfel unten an – benannt nach dem Schweizer Kristallographen und Geographen Louis Albert Necker, der diese optische Täuschung entwickelt hat.

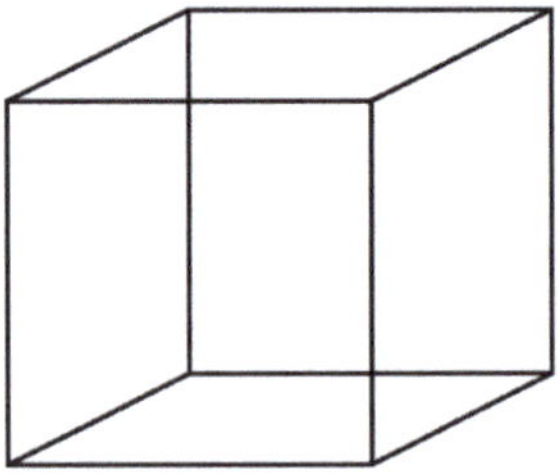

Betrachten Sie nun die nächsten beiden Würfel. Wie würden Sie die Position des Balles beschreiben? In der unteren hinteren linken Ecke? Oder in der unteren vorderen linken Ecke? Eigentlich ist beides möglich. Es kommt darauf an, welche Seite des Würfels Sie als seine Vorderseite betrachten. Und das hängt davon ab, ob Sie den Würfel von oben nach unten oder von unten nach oben betrachten. Ein wenig

Kontext macht den Unterschied aus. Das hat natürlich auch Einfluss auf die Größe der Kugel, die in dem einen Würfel weiter entfernt aussieht als in dem anderen.

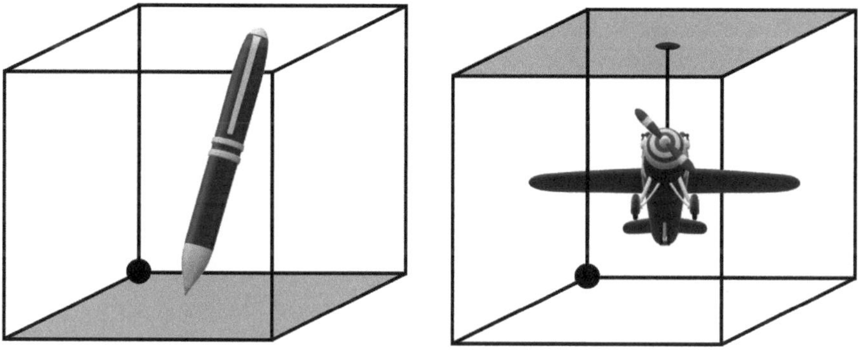

Da die Sinneseindrücke mehrdeutig und unzuverlässig sind, nichts in der Welt zu 100 % sicher ist und das Gehirn daher auch weiß, dass sein eigenes Modell der Welt nicht zu 100 % richtig sein kann, arbeitet es lieber mit Wahrscheinlichkeiten. Es gibt immer mehrere mögliche Erklärungen für den Ursprung unserer Erfahrungen und es würde das Gehirn zu viel Energie und Mühe kosten, alle diese Erklärungen einzeln zu prüfen. In einer Welt mit schnell herannahenden Säbelzahntigern, Autos und Tennisbällen bleibt dafür einfach keine Zeit. Daher ist es am klügsten, sich für die wahrscheinlichste und plausibelste der unter den gegebenen Umständen verfügbaren Lösungen zu entscheiden – oder, wenn Sie so wollen, diese zu vermuten.[21] Das ist das Erfolgsgeheimnis des prädiktiven Gehirns.

Stellen Sie sich vor: Sie sitzen in Ihrem Auto und hören eine Feuerwehrsirene. Eine Möglichkeit wäre, dass jemand in der Nachbarschaft die Sirene nur zum Spaß ausgelöst hat. Hmm. Das ist zwar nicht unmöglich, aber auch nicht das wahrscheinlichste oder glaubwürdigste Szenario. Es ist nicht leicht, eine solche Sirene in die Hände zu bekommen, und wenn man sie „zum Spaß“ auslöst, macht man sich nicht gerade beliebt. In Ihrem Modell, „warum Sirenen heulen“, ist derzeit kein Platz für Spaßvögel mit einem schrägen Sinn für Humor. Nein, es ist viel wahrscheinlicher und viel plausibler, dass die Sirene zu einem Feuerwehrfahrzeug gehört, das sich in der Nähe befindet. Die Möglichkeit, dass das Feuerwehrauto in Ihre Richtung fährt, ist ebenfalls nicht sehr wahrscheinlich, es sei denn, Sie riechen Brandgeruch oder sehen irgendwo vor Ihnen einen Verkehrsunfall. Trotzdem rechnen Sie damit, dass Sie innerhalb der nächsten Minute ein Feuerwehrauto sehen werden, und bremsen deshalb ab. Sie können das Feuerwehrauto immer noch nicht sehen, aber um besser auf sein mögliches Eintreffen vorbereitet zu sein, fahren Sie langsamer und näher an den Straßenrand. Sie drehen auch die Lautstärke des Radios herunter, damit Sie sich besser konzentrieren können. Gleichzeitig scheint sich auch das Geräusch der Sirene immer weiter zu entfernen, bis Sie es schließlich nicht mehr hören können. Außerdem stellen Sie fest, dass keines der anderen Fahrzeuge die Geschwindigkeit verringert. Angesichts dieser neuen Information ändern Sie Ihr Szenario: Das Sirenengeräusch kam aus dem Radio! Ihre Vorhersage, gleich ein Feuerwehrauto zu sehen, wird sofort verworfen, da die Rückmeldung Ihrer Sinne bestätigt, dass diese Vorhersage falsch war. Und wenn Sie das nächste Mal eine Sirene hören, hängt es vom Kontext ab, ob Sie denken, dass sie aus dem Radio oder von einem Feuerwehrauto irgendwo in der Nähe kommt (Ist das Radio eingeschaltet? Werden andere Autos langsamer? Sehe ich Rauch?), aber in jedem Fall werden Sie Ihr Modell, „warum Sirenen heulen“, angepasst haben. Nehmen wir an, dass sich dieser Vorfall an einem Donnerstagabend ereignete, als Sie von der Arbeit nach Hause fuhren. Genau eine Woche später passiert das Gleiche noch einmal: eine Sirene ertönt aus dem Radio. Und am darauffolgenden Donnerstag wieder. Sie werden schließlich daraus folgern, dass das Radioprogramm, das Sie mit nur einem Ohr hören (schließlich fahren Sie mit dem Auto), einen Jingle oder ein Tonfragment mit einer Sirene verwendet. Wenn Sie diese Verbindung hergestellt haben, werden Sie an den folgenden Donnerstagen nicht mehr langsamer werden, wenn Sie die Sirene wieder hören. Die möglichen Szenarien sind in Ihrem Vorhersagemodell angepasst worden.

Aber unter anderen Voraussetzungen können die Wahrscheinlichkeiten und damit auch die Vorhersagen Ihres Gehirns sehr unterschiedlich sein. Stellen wir uns nun vor, dass Sie eines Donnerstags beschließen, mit dem Fahrrad zur Arbeit zu fahren, statt mit dem Auto. Wenn Sie nun auf dem Heimweg eine Sirene hören, wird Ihr Gehirn die verschiedenen Vorhersagemöglichkeiten in eine andere Reihenfolge bringen. Wenn Sie auf Ihrem Fahrrad kein Radio hören, wird Ihr Gehirn Ihnen diesmal sagen, dass die Feuerwehr kommt.

Diese kleine Geschichte zeigt, wie das Gehirn ständig versucht, seine Vorhersagefähigkeit zu verbessern, indem es die Anzahl seiner Vorhersagefehler minimiert, und wie es seine Vorhersagen anpasst, um dem jeweiligen Kontext Rechnung zu tragen. Das bedeutet aber nicht, dass das Gehirn ständig nach Perfektion strebt.

Ein Modell, das „gut genug“ ist, um unser Überleben zu sichern, reicht aus. Das heißt, dass das Gehirn nicht jedes Mal, wenn es mit einem Vorhersagefehler konfrontiert wird, sofort eine umfassende Überarbeitung seines Weltbildes vornimmt. Wenn diese Fehler manchmal durch Zufall oder einfach nur Pech auftreten, müssen die Modelle nicht überarbeitet werden. Google belebt seine Startseite regelmäßig mit Bildern von wichtigen Ereignissen oder Personen, die mit einem bestimmten Datum verbunden sind, aber wegen dieser gelegentlichen Änderungen denken wir nicht sofort, dass wir auf einer anderen Startseite gelandet sind. Es ist unmöglich, dass das Gehirn jedem Vorhersagefehler und jedem unerwarteten Input seine Aufmerksamkeit widmet, da dies schnell zu einer mentalen Überbelastung führen würde. Kurz gesagt: Ihrem Gehirn würde die Sicherung durchbrennen. Aus diesem Grund muss das Gehirn notwendigerweise unterscheiden zwischen Vorhersagefehlern, die ignoriert werden können, und Vorhersagefehlern, die ernst genommen werden müssen.

Um diese Unterscheidung zu treffen, erfasst das Gehirn das Ausmaß des „Hintergrundrauschens" (Interferenz) und der Variation, mit der dieser sensorische Input auftritt. Oder um es einfacher auszudrücken: Es schätzt ein, wie viel Vertrauen es in die Sicherheit der empfangenen Sinneseindrücke haben kann.

Stellen wir uns diesmal vor, Sie gehen an einem nebligen Sonntagmorgen spazieren. Sie hören einen Hund bellen. Ein paar Schritte weiter sehen Sie eine Katze, die am Wegesrand sitzt. Eine Katze, die bellt? Das haben Sie sicher nicht erwartet! Aber die Wahrscheinlichkeit ist gering, dass Sie Ihr Modell einer Katze anpassen, um eine neue Katzenart zu berücksichtigen, die wie ein Hund bellt, statt wie andere Katzen zu miauen. Der Nebel in diesem Beispiel steht dafür, dass die Sinnesrezeptoren in Ihrer Netzhaut zu viel Rauschen und Interferenzen empfangen, um Ihrem Gehirn zuverlässige Signale senden zu können, sodass Sie die unerwartete Kombination von Katze (visuelles Element) und Hund (auditives Element) als nicht ernst zu nehmenden Vorhersagefehler betrachten werden. Vielleicht beginnen Sie sogar, an Ihrer eigenen Wahrnehmung zu zweifeln. War es wirklich eine Katze, die Sie gesehen haben? Das Gleiche gilt, wenn es zwar keinen Nebel gibt, aber viele Umgebungsgeräusche um Sie herum (vorbeifahrende Autos, schreiende Menschen, Feuerwehrsirenen etc.). Sie können die Katze deutlich sehen und sehen keinen Hund in der Nähe, aber Sie glauben trotzdem, die Katze bellen zu hören. Auch hier ist die Störung in der Umgebung zu groß, als dass sich das Gehirn auf die sensorischen Signale verlassen könnte, die besagen: „Diese Katze bellt." Also werden Sie Ihr Katzenmodell nicht anpassen. Was aber, wenn es keinen visuell irritierenden Nebel und kein akustisch störendes Geräusch gibt? Wie wird sich Ihr Gehirn verhalten, wenn Sie überzeugt sind, dass die Katze, die Sie sehen, tatsächlich bellt? Unter diesen Umständen wird der Vorhersagefehler das Gehirn zumindest dazu veranlassen, ernsthaft über die Natur seines Katzenmodells nachzudenken...

Neben dem Umfang des Rauschens oder der Interferenz bestimmt auch das Ausmaß der Variation im sensorischen Input, wie viel Bedeutung das Gehirn bestimmten Vorhersagefehlern zuordnet. Stellen Sie sich vor, eine Ihrer Kolleginnen kommt an einem Montagmorgen in Ihr Büro und ihr Haar, das am Freitag noch blond war, ist jetzt strahlend blau. Wenn es sich um eine Kollegin handelt, die ihre Haarfarbe regelmäßig so drastisch ändert, fällt Ihnen der Unterschied vielleicht gar nicht auf. Der häufige Wechsel der Haarfarbe ist Teil des Modells, das Ihr Gehirn von dieser bestimmten Kollegin hat.

Mit anderen Worten: Ihr blaues Haar ist nicht überraschend, und es handelt sich nicht um einen Vorhersagefehler. Selbst wenn Sie die Veränderung bemerken, besteht kein Grund, Ihr Modell anzupassen. „Dieses Mal blau? Nett." Wenn die betreffende Kollegin jedoch seit 20 Jahren blond ist, wird Ihr Gehirn diese Veränderung nicht erwarten. Daher werden Sie wahrscheinlich einen kleinen Schreck bekommen, wenn sie mit ihrer neuen aquamarinblauen Dauerwelle hereinkommt. „Mein Gott! Was hast du mit deinen Haaren gemacht!" Diesmal hat sich Ihre Kollegin grundlegender verändert und Ihr Gehirn muss sich an die Arbeit machen, um sein Wissen über sie anzupassen. Sie haben etwas Neues gelernt, das nicht zu Ihrem bisherigen Modell passt. In Zukunft müssen Ihre Erwartungen und Vorhersagen darüber, wie sie aussehen wird, anders ausfallen.

Ein weiteres Beispiel. Sie fahren jeden Tag mit dem Zug zur Arbeit. Und seit zwei Jahren sitzen Sie jeden Tag demselben Mann auf demselben Platz gegenüber. Wenn er eines Tages plötzlich nicht mehr da ist, werden Sie es merken. Ihr Gehirn stößt auf einen Vorhersagefehler. Es hat mit dieser Veränderung nicht gerechnet. Es gibt auch viele andere Menschen, die jeden Tag mit demselben Zug fahren, aber sie haben keine festen Sitzplätze, so wie bei Ihnen. Stattdessen sitzen sie immer woanders, manchmal sogar in verschiedenen Abteilen. Wenn einige dieser Personen an einem bestimmten Tag nicht da sind, werden Sie ihr Fehlen nicht bemerken. In diesem Fall erwartet Ihr Gehirn Variation.

Das Ausmaß der Vorhersage-Gewichtung,[22] dass das Gehirn den Vorhersagefehlern zuschreibt, hängt daher von dem Grad der Unsicherheit ab, den das Gehirn in der empfangenen sensorischen Information erwartet. Wenn das Gehirn viel Rauschen/Interferenzen und Variation erwartet, werden die meisten Vorhersagefehler einfach zu den Akten gelegt, und keine weiteren Maßnahmen ergriffen.

Die Wahrscheinlichkeit, dass Sie eine Veränderung oder etwas Unerwartetes bemerken, hängt allerdings nicht nur vom Grad der erwarteten Gewissheit oder Unsicherheit in Bezug auf den sensorischen Input ab. Sie hängt auch vom Grad der erwarteten Sicherheit in den eigenen Modellen des Gehirns ab. Wenn das Gehirn mit neuen und unbekannten Situationen konfrontiert wird, widmet es Vorhersagefehlern und Rückmeldungen der Sinnesorgane so lange große Aufmerksamkeit, bis es sich sicher ist, dass seine Modelle ausreichend zuverlässig sind. Stellen Sie sich vor, dass Ihre Kollegin mit der blauen Frisur neu ist und heute erst ihren zweiten Arbeitstag in Ihrem Büro hat. Letzten Freitag war sie blond. Jetzt, am Montag, ist sie blauhaarig. Da Sie die Kollegin noch nicht so gut kennen, hat Ihr Gehirn noch kein richtiges Modell für sie. Und das macht Sie neugierig: „Zwei verschiedene Haarfarben in zwei Tagen. Wird sie morgen eine dritte haben?" Damit Sie in Zukunft besser vorhersagen können, wie sie aussehen könnte, achten Sie in den nächsten Tagen besonders auf ihr Haar. Auf diese Weise bauen Sie nach und nach Ihr Modell der Kollegin auf und passen es an. Mit anderen Worten: Sie lernen sie kennen und erfahren, wie sie sich der Welt zeigen möchte. Sobald Sie Vertrauen in Ihr Modell des Aussehens der Kollegin haben (und in ihre Gewohnheit, ihre Haarfarbe regelmäßig zu wechseln), werden Sie künftige Farbveränderungen nicht mehr so schnell oder vielleicht überhaupt nicht mehr bemerken.

Letztendlich läuft es auf Folgendes hinaus: Die Bedeutung, die Ihr Gehirn sensorischem Feedback zuordnet, und die resultierenden Vorhersagefehler, die sich daraus ergeben können, sind nicht festgelegt, sondern höchst variabel. Und diese Variabilität wird zu einem erheblichen Teil durch den Kontext bestimmt. So haben die ständig wechselnden Haarfarben einer Person nur eine begrenzte Bedeutung, wenn man sich für die Gefühle dieser Person interessiert. Wenn man ein Modell über das Gefühlsleben einer Person erstellen will, sind visuelle Informationen über ihre Haarfarbe weitgehend irrelevant (es sei denn, die betreffende Person möchte ihre allgemeine Stimmung jeden Tag mit einer anderen Haarfarbe ausdrücken). Steht dagegen die Wiedererkennung verschiedener Personen im Vordergrund, kann ein visuelles Element wie die Veränderung der Haarfarbe einer Person wichtig sein.

Ein anderes Beispiel: Sie sind bei einem Freund zu einer Tasse Kaffee und einem Stück Kuchen eingeladen und haben viel zu erzählen. Wetten, dass Sie nach einigen Minuten, vielleicht sogar früher, die vorbeifahrenden Autos auf der Straße nicht mehr hören? Wenn Sie aber ein Taxi bestellt haben, das Sie nach Hause bringen soll, hören Sie es bereits, bevor es vor der Tür hält, auch wenn Sie sich noch mit Ihrem Freund unterhalten.

Zusammenfassend lässt sich sagen, dass das Gehirn nicht nur seine Vorhersagen an den Kontext anpasst, sondern auch die Gewichtung von Vorhersagefehlern. Das prädiktive Gehirn ist also ein sehr kontextsensitives Gehirn. Jacob Hohwy,[23] ein australischer Philosoph und Autor des Buches *The predictive mind*, drückt dies folgendermaßen aus: „Kontextsensitivität und die Minimierung von Vorhersagefehlern sind ein und dasselbe."

Das Wichtigste im Überblick

- Unser Gehirn hat keinen direkten Kontakt mit der Außenwelt. Es sitzt gefangen in der Dunkelheit der Schädelhöhle. Es kann nicht sehen, hören, tasten, riechen oder schmecken. Alles, was es tun kann, ist, elektromagnetische Signale zu empfangen und zu verarbeiten. Um zu wissen, was in der Außenwelt und im eigenen Körper vor sich geht (beides ist überlebenswichtig), muss sich das Gehirn auf die Signale verlassen, die es von den Sinnesorganen empfängt.
- Die von den Sinnesorganen empfangenen Signale sind jedoch alles andere als verlässlich. Ein und dasselbe Signal kann in der Außenwelt verschiedene Auslöser haben. Hinzu kommt, dass diese Signale viel zu langsam vom Gehirn empfangen werden, sodass es nicht mehr schnell genug auf die Welt reagieren kann.
- Aus diesem Grund wartet das Gehirn nicht auf den Input der Sinnesorgane. Die Wahrnehmung beginnt im Gehirn selbst. Das Gehirn macht unbewusst und superschnell Vorhersagen über die Welt. Diese Vorhersagen beruhen auf dem, was das Gehirn bereits über die Welt weiß und als unterschiedliche Modelle abgespeichert hat. Im Grunde handelt es sich dabei um gut begründete Einschätzungen der Wahrscheinlichkeit und Plausibilität von Ereignissen in einer gegebenen Situation.
- Das Gehirn holt sich von den Sinnesorganen eine Rückmeldung zu seinen Vorhersagen. Wenn diese Rückmeldung ergibt, dass einige der Vorhersagen falsch waren, verarbeitet das Gehirn diese Information, um die Differenz zwischen dem erwarteten und dem tatsächlich eingetretenen Ereignis zu verringern. Dazu ändert es entweder seine Modelle oder ergreift Maßnahmen in der Außen-

welt zur Erzeugung anderer Sinneseindrücke, die besser zu den bestehenden Modellen passen.

- Die Funktionsweise des Gehirns ist darauf ausgelegt, die Anzahl der Vorhersagefehler zu minimieren. Wenn es weniger Fehler macht, wird der Organismus mit weniger unerwarteten Überraschungen konfrontiert, was wiederum weniger Arbeit für das Gehirn bedeutet. Dennoch ist das Gehirn nicht bestrebt, jeden Vorhersagefehler zu reduzieren oder zu beseitigen. Dies hängt wesentlich von dem Vertrauen und der Gewissheit ab, die das Gehirn in Bezug auf den empfangenen sensorischen Input und die Genauigkeit seiner eigenen Modelle hat.
- Ob es darum geht, Vorhersagen zu treffen oder mit Vorhersagefehlern umzugehen, das Gehirn arbeitet dabei in hohem Maße kontextsensitiv.

WUSSTEN SIE SCHON?

Obwohl die Theorie des prädiktiven Gehirns in wissenschaftlicher Hinsicht erst in den letzten zwei Jahrzehnten entwickelt wurde, ist das Konzept eines Gehirns, das schnell und unbewusst Vermutungen über die Außenwelt anstellt, nicht neu. Berühmte Philosophen wie Francis Bacon (1561–1626), Thomas Hobbes (1588–1679) und Immanuel Kant (1724–1804) hatten bereits Vorstellungen, die in diese Richtung gingen. Es bedurfte jedoch eines Genies, um diese Vorstellungen zu konkretisieren und auszugestalten. Bei diesem Genie handelte es sich um den deutschen Arzt und Naturwissenschaftler Hermann von Helmholtz (1821–1894). In seinem Handbuch der physiologischen Optik vertrat von Helmholtz die Auffassung, dass das Gehirn unbewusste Schlussfolgerungen trifft. Er verwendete das Beispiel einer Frau, die einen Stift in der Hand hält. Der Stift kommt mit der Hautoberfläche von drei Fingern in Berührung. Wenn die Frau den Stift mit diesen drei Fingern an der gleichen Stelle hält, sollte dies den gleichen taktilen Reiz für jeden der Finger erzeugen. Aber die Frau kommt nicht auf die Idee, dass sie drei Stifte in der Hand hält. Sie weiß, dass sie nur einen einzigen Stift in der Hand hält, weil sie aufgrund ihrer Erfahrung mit der Position ihrer Finger und ihrer Kenntnis des eigenen Körpers unbewusst weiß, dass zwischen diesen drei Fingern nur Platz für einen Stift ist und nicht für drei. Mit anderen Worten: Auf der Grundlage unseres Wissens, das wiederum auf unseren physikalischen Erfahrungen beruht, ziehen wir zur Deutung unserer Sinneserfahrungen unbewusste und spontane Schlussfolgerungen.

Von Helmholtz hielt diese unbewussten Schlussfolgerungen auch für eine mögliche Erklärung von Sinnestäuschungen. Und er führte ein Beispiel an, das einer Quadratur des Kreises gleichkommt und uns genau an den Anfang dieses Kapitels zurückbringt: unser alter Freund Kopernikus und die Illusion der sich bewegenden Sonne. Dies ist die Illusion, die es den Zeitgenossen schwer machte, Kopernikus' revolutionäre Theorien zur Planetenbewegung anzuerkennen. Obwohl wir heute wissen, dass sich nicht die Sonne bewegt, sondern die Erde, „sehen" wir immer noch jeden Morgen die Sonne aufgehen und jeden Abend untergehen. Daher sagten die Menschen im 16. Jahrhundert nicht: „Der Horizont bewegt sich", sondern: „Die Sonne bewegt sich", denn das war es, was sie zu sehen glaubten. Von Helmholtz hätte niemals daran gedacht, dass sein Konzept der unbewussten Schlussfolgerungen ein Jahrhundert nach seinem Tod die Grundlage für eine neue kopernikanische Wende in der Gehirnforschung bilden würde.

2

Das prädiktive, „vorhersagende“ Gehirn und Autismus

Zahlreiche Erkenntnisse zum prädiktiven Gehirn stammen aus dem letzten Jahrzehnt des 20. Jahrhunderts. Es dauerte jedoch weitere zehn Jahre, bis Forscher diese Sichtweise zur Funktion des Gehirns aufgriffen, um Autismus in einem neuen Licht zu betrachten. Tatsächlich ist die Zahl der Forschenden, die Autismus unter diesem Blickwinkel untersuchen, immer noch gering, ebenso wie die Zahl der Veröffentlichungen zu diesem Thema.[24] Dennoch werden einige Dinge allmählich klarer.

Die ersten Wissenschaftler, die darauf hinwiesen, dass sich die Vorhersagefähigkeit eines autistischen Gehirns von der eines neurotypischen Gehirns unterscheiden könnte, waren Ning Qian und Richard Lipkin von der Columbia University in New York. Im Jahr 2011 veröffentlichten sie einen Artikel, in dem sie eine mögliche Erklärung für drei häufige Beobachtungen zum Lernen autistischer Menschen lieferten. Die erste dieser Beobachtungen besteht darin, dass Menschen mit Autismus ihre Aufmerksamkeit auf Details richten, die anderen Menschen nicht auffallen. Zweitens fällt es Menschen mit Autismus schwer, das Gelernte zu verallgemeinern und in verschiedenen Kontexten anzuwenden. Und drittens müssen Menschen mit Autismus Dinge auswendig lernen, die nicht-autistische Menschen intuitiv lernen. Um diese Beobachtungen besser erklären zu können, zogen Qian und Lipkin Parallelen zur Forschung auf dem Gebiet der künstlichen Intelligenz und insbesondere zu den Mechanismen des maschinellen Lernens: die verschiedenen Techniken, mit denen Computer in der Lage sind, neue Kenntnisse und Fähigkeiten zu erwerben und anzuwenden. Laut Qian und Lipkin verfügen autistische Menschen über einen Lernstil, der sich perfekt für das Lernen von Telefonnummern eignet, aber nicht für das Lernen von Kategorien. Telefonnummern sind etwas, das man auswendig lernen muss, eine nach der anderen. Die Verknüpfung zwischen einer Person und ihrer Telefonnummer ist sowohl sehr präzise als auch kontextunabhängig: Es gibt kein Muster oder eine Regelmäßigkeit bei der Zuordnung von Telefonnummern zu Personen. Wenn Sie die Telefonnummer Ihrer Schwester und Ihres Partners kennen, können Sie daraus nicht auf die Telefonnummer Ihrer Tochter schließen. Das Einzige, was Sie tun können, ist jede Telefonnummer einzeln auswendig zu lernen, d. h. jede einzelne Ziffer innerhalb dieser Telefonnummer und alle an der richtigen Stelle, und sie dann mit einer bestimmten Person zu verknüpfen. Wenn Sie eine der einzelnen Nummern vergessen oder an der falschen Stelle in der Reihenfolge platzieren, kann es passieren, dass Sie am Ende den örtlichen Metzger oder Bäcker anrufen und nicht Ihre Schwiegermutter. In diesem Fall hätten Sie einen Vorhersagefehler gemacht. Telefonnummern sind also etwas, das man absolut lernen muss (obwohl dies heute zum Glück unser Smartphone übernimmt).

Ganz anders sieht es aus, wenn wir Dinge lernen müssen, die kontextabhängig sind, die weniger genau sind oder einem bestimmten Muster entsprechen. Nehmen wir z. B. den Unterschied zwischen Hunden und Katzen. Zunächst scheint eine Reihe von Merkmalen wichtig zu sein (die Form der Nase, der Ohren, des Kopfes, des Schwanzes etc.), aber mit der Zeit verinnerlicht man die vielen Unterschiede zwischen Hunden und Katzen, und entdeckt eine Art Muster in diesen Unterschieden, das es uns ermöglicht, ganz allgemein zwischen den beiden Tieren zu unterscheiden. Ohne explizite Regeln oder Erkennungskriterien haben Sie die Gemeinsamkeiten von Hunden erkannt und begriffen (auch wenn das Aussehen der verschiedenen Hundearten sehr unterschiedlich sein kann). Gleichzeitig wissen Sie, dass auch Katzen und Hunde eine Reihe von Gemeinsamkeiten haben (vier Beine, Fell, Schwanz etc.). Wenn Sie dieses Stadium erreicht haben, ist es einfach, dieses Wissen zu verallgemeinern. So können Sie eine Hundeart, die Sie noch nie gesehen haben, sofort als Hund identifizieren, und nicht als Katze. Außerdem werden Sie bei der Entscheidung, ob es sich bei dem Tier um eine Katze oder einen Hund handelt, auch den Kontext heranziehen, denn das Muster der festgestellten Merkmale enthält auch viele kontextuelle Elemente. Ihr Modell eines Hundes enthält beispielsweise viele Elemente, die regelmäßig mit Hunden assoziiert werden (eine Leine, typisches Hundespielzeug, eine Hundehütte etc.), auch wenn sie nicht per se zu einem Hund gehören.[25] Diese kontextuellen Regelmäßigkeiten können Ihnen sogar helfen, das Vorhandensein eines Hundes vorherzusagen, bevor Sie ihn tatsächlich sehen. Oder erwarten Sie einen Goldfisch, wenn der Mann auf dem folgenden Bild weiter geht?

Laut Qian und Lipkin lernen Menschen mit Autismus Dinge über die Welt wie aus einem Telefonbuch. Sie speichern jede Erfahrung mit großer Genauigkeit und merken sich jedes Detail, so als würden sie sich eine Telefonnummer einprägen. Dies passt perfekt zu einer Prozessbeschreibung von Temple Grandin, einer bekannten Frau mit Autismus.

Temple[26] beschreibt ihr Gehirn als eine gigantische Sammlung von konkreten Wahrnehmungseindrücken. Um ein Konzept von Orange zu entwickeln und zu verstehen, legt sie in ihrem Kopf eine Sammlung von Bildern aller möglichen orangefarbenen Objekte an: Orangen, Kürbisse, Karotten, Basketbälle etc. In dieser Hinsicht vergleicht sie ihr mentales Vorgehen mit einer Internet-Suchmaschine wie Google, wo Bilder vieler verschiedener Objekte von vielen unterschiedlichen Orten gesammelt werden.[27] Ihr Konzept eines Hundes ist also eine Sammlung aller Bilder von allen Hunden, die sie jemals gesehen hat, die sie dann in Windeseile gedanklich durchblättert, um einen Hund als Hund erkennen zu können.

Aufgrund ihrer Erkenntnisse kamen Qian und Lipkin zu dem Schluss, dass die Modelle, die ein autistisches Gehirn entwickelt, zu detailliert, zu präzise und zu wenig kontextbezogen sind. Mit anderen Worten, sie sind absolut. Dies wiederum führt zu einer Zunahme von Vorhersagefehlern. Wenn Ihr Modell eines Busses, auf den Sie an der Haltestelle warten, den Bus eines ganz bestimmten Herstellers beinhaltet, hat Ihr Gehirn ein Problem damit, wenn dann plötzlich ein Bus einer anderen Marke vor Ihnen steht. Für ein Gehirn, das nur wenige Muster und sehr wenig Regelmäßigkeit erkennt, kann die Welt ein sehr unberechenbarer Ort sein. Qian und Lipkin beschreiben dies folgendermaßen:[28] „Autistisches Lernen ist nicht so gut, wenn es darum geht, Regelmäßigkeiten herauszufinden, und zeigt deshalb auch Schwächen beim Vorhersagen und Antizipieren. Für autistische Menschen kann sich eine freundliche Umarmung wie ein plötzliches Zudrücken anfühlen, und Alltagsgeräusche können sehr unerwartet und beängstigend wirken."

Qian und Lipkin veröffentlichten ihre Ergebnisse im Jahr 2012. Ein Jahr später plädierten Liz Pellicano von der Universität London und David Burr[29] von der Universität Florenz in einem Artikel erstmals explizit für die Anwendung der Predictive Mind Theorie in Bezug auf Autismus. Im Gegensatz zu den Ausführungen von Qian und Lipkin behaupteten sie nun, dass autistische Gehirne eher zu breite als zu enge Erwartungsmuster haben. Mit anderen Worten, autistische Modelle sind nicht präzise genug.[30] Wenn man nicht in der Lage ist, ausreichend genaue Vorhersagen zu treffen, muss sich das Gehirn mehr auf den sensorischen Input verlassen. Laut Pellicano und Burr erklärt dies, warum Menschen mit Autismus weniger anfällig für optische Täuschungen sind. Diese Täuschungen treten auf, wenn Menschen sich mehr auf die Modelle in ihrem Gehirn verlassen als auf das, was sie in der Realität sehen können, so wie es beispielsweise bei der Hollow-Face-Illusion der Fall ist, die wir weiter oben in diesem Buch kennengelernt haben. Kurz gesagt, ein autistisches Gehirn nimmt die Realität realitätsgetreuer wahr als ein nicht-autistisches Gehirn. Da das Gehirn eines autistischen Menschen seinen Modellen weniger Gewicht beimisst, wird die Welt mit großer Präzision, Detailgenauigkeit und Schärfe wahrgenommen. Es ist fast so, als ob die Welt zu real wird, eine Schlussfolgerung, die Pellicano und Burr in der Überschrift ihres Artikels aufgreifen.

Zwei Jahre später erfuhr die Diskussion eine weitere Wendung mit einer neuen Veröffentlichung, in der Autismus erstmals als eine Störung der Vorhersagefähigkeit beschrieben wurde. Der betreffende Artikel trug den Titel *Autism as a disorder of prediction*[31] und war das Ergebnis der Arbeit von Pawan Sinha und Mitarbeitenden am weltberühmten MIT (Massachusetts Institute of Technology). Die Kernaussage dieser Studie lautete, dass die Vorhersagen in einem autistischen Gehirn einfach nicht treffsicher genug sind. Menschen mit Autismus sind nicht in der Lage, die Zusammenhänge von Ereignissen mit ausreichender Klarheit zu erkennen, insbesondere in Fällen, in denen diese Zusammenhänge nicht ganz offensichtlich sind. Wenn zwei Ereignisse mehr als nur zufällig aufeinander folgen, wird ein nicht-autistisches Gehirn seine Vorhersagemodelle automatisch anpassen.

Wenn Sie z. B. regelmäßig Magenkrämpfe bekommen, nachdem Sie Muscheln gegessen haben, wird Ihr Gehirn wahrscheinlich eine Verbindung zwischen diesen beiden Ereignissen herstellen. Dadurch werden Sie auf die Schmerzen vorbereitet, mit denen Sie rechnen müssen, wenn Sie das nächste Mal Ihr örtliches Fischrestaurant besuchen – vorausgesetzt, Sie wollen weiterhin Muscheln essen. Sinha und seinem Team zufolge sind Menschen mit Autismus sich solcher Zusammenhänge viel weniger bewusst (möglicherweise gar nicht bewusst), sodass sie das nächste Mal nicht so gut vorhersagen können, was passieren wird.

Während diese frühen Veröffentlichungen das Problem für Menschen mit Autismus auf der Ebene der Vorhersagen verorteten, die entweder zu präzise (Qian und Lipkin), zu vage (Pellicano und Burr) oder nicht genau genug (Sinha et al.) sind, deuten neuere Forschungsergebnisse darauf hin, dass das eigentliche Problem in der Schwierigkeit liegt, mit Vorhersagefehlern effizient umzugehen. Genauer gesagt fällt es einem autistischen Gehirn schwer, die richtige Balance zwischen der Gewichtung seiner eigenen Vorhersagen und der Gewichtung der sensorischen Information herzustellen.

In einer Antwort[32] auf den Artikel von Pellicano und Burr behaupten Sander Van de Cruys und seine Mitarbeitenden von der Abteilung für experimentelle Psychologie der Universität Leuven, dass ein autistisches Gehirn ständig dazu neigt, Vorhersagefehler zu ernst zu nehmen. Kleine zufällige Abweichungen bei Ereignissen oder Hintergrundrauschen in der von den Sinnen übermittelten Information werden sofort zum Anlass genommen, bestehende Modelle anzupassen.

Wir haben bereits im ersten Kapitel gesehen, wie nicht-autistische Menschen mit neuen, unbekannten und unsicheren Situationen umgehen, für die sie noch kein Modell haben. Unter diesen Umständen legt das Gehirn mehr Gewicht auf die Information, die es Bottom-up von den Sinnesorganen erhält. Es hat keine wirkliche Wahl: Ein Modell ist entweder nicht vorhanden oder unzureichend entwickelt, sodass nur wenig oder gar keine Top-down-Aktivität möglich ist. Denken Sie zurück an das Beispiel der neuen Kollegin mit den blauen Haaren. Sobald wir jedoch beginnen, ein gewisses Muster und eine Regelmäßigkeit in all den verschiedenen Variationen zu erkennen, mit denen wir konfrontiert werden, verschiebt sich das Gleichgewicht allmählich und das Gehirn räumt seinen eigenen Erwartungen und Vorhersagen mehr Gewicht ein. Solange, bis eine Situation eintritt, die wieder eine stärkere Konzentration auf die Sinneseindrücke erfordert. Denken Sie nun an die andere Kollegin, die in den letzten 20 Jahren immer blond war und jetzt plötzlich blaue Haare hat.

Van de Cruys und seinen Kollegen und Kolleginnen zufolge mangelt es einem autistischen Gehirn bei dieser Herangehensweise an Flexibilität. Für ein solches Gehirn sind unerwartete Abweichungen immer von großer Bedeutung.[33] Dies hat zur Folge, dass die internen Modelle des Gehirns ständig überarbeitet werden müssen, auch für Zusammenhänge, die ein nicht-autistisches Gehirn als zufällig und daher nicht relevant ansehen würde. Auf diese Weise entsteht eine Reihe von immer präziseren Modellen, die aber auch so spezifisch sind, dass sie nicht mehr praktikabel genutzt werden können.[34] Stellen Sie sich ein Modell vor, das die Haare einer Kollegin mit bestimmten Zeitpunkten (sie färbt sich jeden ersten Mittwoch im Monat die Haare grün) oder mit bestimmten Szenarien (hatte am Vorabend einen Streit mit ihrem Mann = lila Haare) in Verbindung bringt. Modelle, die so präzise sind, erschweren nicht nur die Verallgemeinerung, sondern erzeugen auch unweigerlich jede Menge Vorhersagefehler. Jede Situation erscheint neu, weil jede Situation von dem sehr präzisen Vorhersagemodell des Gehirns abweicht. Infolgedessen spricht Van de Cruys bei Menschen mit Autismus von „präzisen Gehirnen in einer unsicheren Welt“.[35]

Zu einer ähnlichen Schlussfolgerung kam auch Rebecca Lawson[36] am University College in London. Ihre Forschung deutet ebenfalls darauf hin, dass das autistische Gehirn schlecht einschätzen kann, ob es sich auf seine eigenen Modelle verlassen kann oder ob es sich auf den sensorischen Input stützen sollte. Wenn Menschen mit Autismus Vorhersagen über ihre Umgebung treffen, neigen sie dazu, sensorische Information als informativer und genauer anzusehen als ihr eigenes Wissen über die Welt. In Situationen, in denen das von Vorteil ist, wie z. B. bei vielen optischen Täuschungen, führt dies zu einer genaueren Wahrnehmung.

Menschen mit Autismus sind für viele Arten von visuellen und auditiven Täuschungen viel weniger empfänglich als Menschen ohne Autismus. In Situationen, in denen das Wissen über die Welt dazu beitragen kann, die Mehrdeutigkeiten und Unsicherheiten in den Sinneseindrücken herauszufiltern, kann jedoch ein zu starker Rückgriff auf sensorische Information zu einer konfusen Wahrnehmung mit Zweifeln und Missverständnissen führen. Habe ich tatsächlich eine bellende Katze gesehen?

Colin Palmer[37] von der Monash University in Australien vertritt einen ähnlichen Standpunkt. Seiner Meinung nach wird die autistische Wahrnehmung in erster Linie durch sensorische Daten gesteuert und nicht durch Vorwissen und kontextuelle Information. Bei dem Versuch, sensorische Information und eigene Modelle zu integrieren, gibt eine autistische Person den von den Sinnen empfangenen Signalen zu viel Gewicht. Es ist fast so, als ob das autistische Gehirn seinen eigenen Modellen nicht „traut" und deshalb glaubt, dass es keine andere Wahl hat, als auf das zurückzugreifen, was die Sinnesorgane ihm sagen.

Habe ich tatsächlich eine bellende Katze gesehen?

Die Theorie, dass sich das Vorhersagesystem eines autistischen Gehirns von dem eines nicht-autistischen Gehirns unterscheidet, ist noch recht neu. Daher überrascht es nicht, dass die verschiedenen Forscherteams nicht immer einer Meinung sind. Es gibt jedoch zwei Punkte, in denen alle Forschenden übereinstimmen.

Erstens: Sowohl bei der Erstellung von Vorhersagen über die Welt als auch beim Umgang mit Vorhersagefehlern arbeitet das autistische Gehirn nicht ausreichend kontextsensitiv.

Dazu folgende Zitate aus verschiedenen wissenschaftlichen Veröffentlichungen:

- Im Vergleich zum neurotypischen Lernstil ist der autistische Lernstil sehr kontextunabhängig.[38]
- Bei ASD (Austismus-Spektrum-Störung) kann die Einschränkung bei kontextbezogenen Vorhersagen die Fähigkeit beeinträchtigen, sich schnell an eine sich ständig verändernde sozio-emotionale Welt anzupassen.[39]
- Wir denken vor allem, dass Autismus mit der Schwierigkeit einhergeht, das Ausmaß an Präzision in verschiedenen Kontexten flexibel anzupassen.[40]
- Die Präzisionsgewichtung bei Autismus könnte auf verschiedene Weise beeinträchtigt sein, was jeweils zu Einschränkungen der Kontextsensitivität in Wahrnehmung und Verhalten führt.[41]
- Insbesondere könnte Autismus mit subtileren Prozessen einhergehen, die an der kontextsensitiven Regulierung und Gewichtung von Sinneseindrücken beteiligt sind.[42]

- Oder etwas anders ausgedrückt: Wenn es Vorhersagen über die Welt trifft, seine Modelle dieser Welt lernt und aktualisiert sowie mit sensorischer Information umgeht, die von diesen Modellen abweicht, scheint das autistische Gehirn von Kontextblindheit betroffen zu sein. In einer Welt, in der alles kontextbezogen und daher relativ ist, versucht ein autistisches Gehirn, absolut mit Modellen und Vorhersagefehlern umzugehen.
- Da ich schon früher ausführlich über Kontextblindheit geschrieben hatte, haben mich die aktuellen Forschungsergebnisse zum prädiktiven Gehirn und Autismus nicht überrascht.[43]

Die Theorie, dass sich das Vorhersagesystem eines autistischen Gehirns von dem eines nicht-autistischen Gehirns unterscheidet, ist relativ neu.

Der zweite Punkt, in dem sich fast alle Forscher einig sind, besagt, dass die Welt für ein autistisches Gehirn voller (unangenehmer) Überraschungen und Vorhersagefehler ist. Oder, um es mit den Worten von Rebecca Lawson zu sagen:[44] „Bei Autismus ist es so, dass man nicht dann Überraschung erlebt, wenn man eigentlich auch überrascht sein sollte, sondern dass es bei allem eine leichte Überraschung gibt." Da sie nur schlecht vorhersagen können, was in der realen Welt passiert, leben Menschen mit Autismus nach Ansicht von Pawa Sinha in ihrer eigenen „magischen Welt", in der Ereignisse unerwartet und scheinbar ohne Grund eintreten. Infolgedessen überschätzen sie die Zufälligkeit und Launenhaftigkeit der realen Welt und unterschätzen die verborgenen Gesetze und Muster, die sie enthält.

Es muss sehr belastend sein, immer wieder dieser Unbeständigkeit ausgesetzt zu sein. Mehr noch, für autistische Menschen ist dies eine Erfahrung, die sich Tag für Tag wiederholt. Das macht es ihnen schwer, erfolgreich mit den Herausforderungen ihrer Umwelt umzugehen.

Eine Welt voller Unvorhersehbarkeit kann ein bedrohlicher Ort sein und dazu führen, dass sich autistische Menschen in ständiger Alarmbereitschaft befinden. Dies kann ihre geistige Energie stark beanspruchen, nicht umsonst ist Müdigkeit eine der häufigsten Beschwerden von Menschen mit Autismus. Die Theorie einer Störung der Vorhersagefähigkeit des Gehirns erklärt auch eine Reihe anderer sozialer und nicht-sozialer Merkmale bei Menschen mit Autismus. Beispielsweise versteht es sich fast von selbst, dass Menschen, deren Gehirn dem sensorischen Input zu viel Beachtung schenkt, leicht Opfer einer Reizüberflutung werden können. Wenn man nicht vorhersagen kann, was wahrscheinlich passieren wird, stellen die unberechenbarsten und wechselhaftesten Lebewesen auf diesem Planeten, nämlich die anderen Menschen, eine massive Quelle der Unsicherheit und potenziellen Bedrohung dar, mit der man nur schwer umgehen kann. Wenn Sie nicht in der Lage sind, aus dem Kontext heraus einzuschätzen, was andere Menschen wahrscheinlich zu Ihnen sagen oder von Ihnen erwarten werden, wird Kommunikation zu einem täglichen Albtraum. Selbst einige der weniger bekannten Merkmale des Autismus, wie motorische Ungeschicklichkeit, können mit einer reduzierten Vorhersagefähigkeit in Verbindung gebracht werden. Erinnern Sie sich an unsere Geschichte mit dem Tennisball? Den Körper angemessen und in der passenden Geschwindigkeit zu manövrieren, um einen Ball zu treffen, erfordert ebenfalls ein hohes Maß an Vorhersehvermögen. Und was ist mit der Vorliebe für Routinen und stereotype Aktivitäten, die ebenfalls häufig mit Autismus in Verbindung gebracht werden? Im Sinne der Predictive-Mind-Theorie ist es nur logisch, dass Menschen mit Autismus solche Aktivitäten als Inseln der Vorhersagbarkeit in einem Ozean der Ungewissheit empfinden, die ihnen die dringend benötigte mentale Erholung und Ruhe bringen.

Routinen und sich wiederholende Tätigkeiten gehören zu den wenigen Aspekten im Leben eines autistischen Menschen, die frei von Vorhersagefehlern gehalten werden können. Ihre scheinbare Zurückhaltung gegenüber Veränderungen beruht demnach weniger auf einer grundsätzlichen Ablehnung von Veränderungen, sondern vielmehr darauf, dass sie nicht in der Lage sind, diese Veränderungen vorherzusagen. In den folgenden Kapiteln werden wir auf einige dieser Themen ausführlicher eingehen.

Gibt es wissenschaftliche Belege für die Annahme, dass eine Beeinträchtigung der Vorhersagefähigkeit des Gehirns vielen autistischen Merkmalen zugrunde liegt?

Ja, die gibt es. Da die Theorie noch relativ neu ist, liegen bisher nur wenige Experimente vor, aber Studien aus der ganzen Welt liefern immer mehr Evidenz für einige der Grundgedanken der Theorie.

So haben verschiedene Studien bestätigt, dass Sinnestäuschungen, die dadurch entstehen, dass das Gehirn bevorzugt seine eigenen Modelle als Vorlage für die Wahrnehmung verwendet, bei Menschen mit Autismus nicht die gleiche bzw. eine geringere Wirkung haben. In diesem Zusammenhang hat die amerikanische Forscherin Carissa Cascio[45] festgestellt, dass es bei Kindern mit Autismus zwei- bis dreimal so lange dauert, bis die „Gummihand"-Illusion einsetzt: durchschnittlich sechs Minuten statt der üblichen zwei bis drei Minuten. Es konnte auch gezeigt werden, dass das 3D-Modell der Welt einen geringeren Einfluss auf die Interpretation des visuellen Inputs bei Menschen mit Autismus hat. Demzufolge sind sie weniger anfällig für die Shepard-Täuschung.[46] Weil wir wissen, dass die Welt dreidimensional ist, erscheint der Tisch auf der linken Seite länger und schmaler als der rechte Tisch, obwohl sie in Wirklichkeit identisch sind.[47]

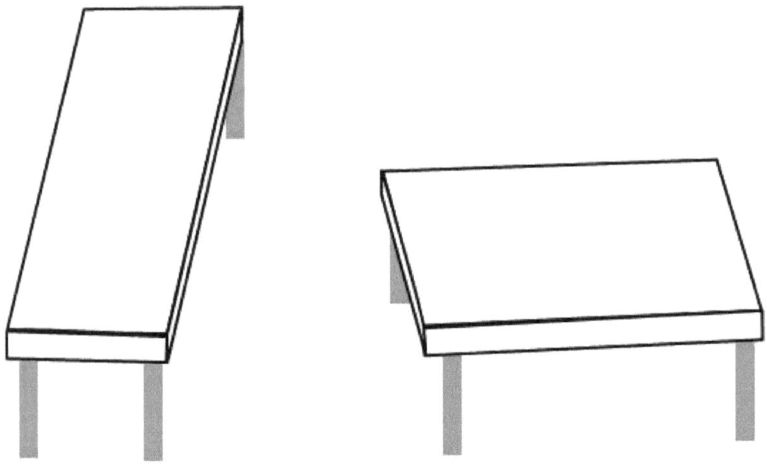

Weil sie ihre internen Modelle der Welt seltener heranziehen, sind Menschen mit Autismus manchmal in der Lage, die Welt mit größerer Genauigkeit wahrzunehmen als Menschen ohne Autismus. Andererseits bedeutet dies aber auch, dass sie in Situationen, in denen ein Modell eine schnelle und fehlerfreie Wahrnehmung erleichtert, die Dinge weniger exakt wahrnehmen. Dies ist häufig der Fall, wenn die Sinneseindrücke undeutlich oder mehrdeutig sind. Wie auf dem folgenden Bild.

Machen Sie sich keine Sorgen, wenn Sie nicht sofort erkennen können, wer oder was das ist.

Es handelt sich um ein sogenanntes Mooney-Bild, benannt nach Craig Mooney, dem kanadischen Forscher, der diese Art von Bildern in den späten 1950er-Jahren in seinem Labor in Toronto (Kanada) erstmals verwendete. Bei den Bildern handelt es sich um nachbearbeitete Fotografien, bei denen alle verschiedenen Farbtöne auf nur zwei Farben reduziert wurden: Schwarz und Weiß. Auf diesen Bildern kann man typischerweise zunächst kaum etwas erkennen: Die meisten Menschen sehen nur ein verwirrendes und undefinierbares Durcheinander von schwarzen und weißen Flecken. Die Dinge werden erst klar, wenn man das Originalfoto gesehen hat (Sie finden es auf einer der nächsten Seiten). Dieses Beispiel verdeutlicht, wie das in unserem Gehirn gespeicherte Wissen die Wahrnehmung realer Dinge erleichtern kann. Und es beweist auch, dass Bedeutung im Gehirn selbst und nicht in der Außenwelt zu finden ist. Ohne unser Vorwissen über den Gegenstand dieses Bildes wäre das Bild völlig sinnfrei.

Studien[48] haben ergeben, dass Menschen mit Autismus das Mooney-Bild auch besser erkennen können, wenn sie das Original gesehen haben, insbesondere bei Objekten, aber weniger bei Gesichtern. Die Registrierung ihrer Augenbewegungen hat jedoch gezeigt, dass sie sich viel mehr anstrengen müssen als die nicht-autistischen Versuchsteilnehmenden. Das Sehen des Originals hilft ihnen, beim zweiten Mal besser zu „erahnen", was auf dem Bild zu sehen ist, aber sie müssen das Bild deutlich länger mit den Augen abtasten als nicht-autistische Personen,[49] fast so, als ob sie es immer noch zum ersten Mal sehen würden. Fazit: Das Vorhandensein eines mentalen Bildes, das auf der Grundlage von Erfahrungen erlernt wurde, macht die Wahrnehmung für Menschen mit Autismus nicht einfacher oder effizienter.

In einer ähnlichen Studie, die an der Universität von North Carolina in Chapel Hill durchgeführt wurde, kamen Rachel Greene und ihr Team zu ähnlichen Ergebnissen. Sie zeigten jungen Menschen mit und ohne Autismus eine Reihe von Bildern. Einige der Bilder waren sozial (z. B. ein Gesicht), andere nicht sozial (z. B. ein Zug, ein Verkehrsschild etc.). Die Jugendlichen hatten zuvor die Anweisung erhalten, falls zuerst ein roter Kreis gezeigt würde, die Mehrheit der nachfolgenden Bilder links zu sehen sei; bei einem blaues Quadrat, die Mehrheit der nachfolgenden Bilder rechts. Dann wurden die Augenbewegungen der Probanden beim Betrachten der Bilder aufgezeichnet. Wenn ein Bild an einer unerwarteten Stelle gezeigt wurde (z. B. rechts, nachdem zuerst ein roter Kreis gezeigt wurde), schauten die nicht-autistischen Jugendlichen viel mehr auf die Seite, wo das Bild sein sollte, als die Jugendlichen mit Autismus. Dies deutet darauf hin, dass die Aufmerksamkeit autistischer Menschen viel weniger durch Vorhersagen über die Welt gelenkt wird. Die nicht-autistischen Versuchspersonen richteten ihren Blick auf die Stellen, an denen etwas zu erwarten war, was den Wahrnehmungsakt schneller und weniger anstrengend machte. Diese Art der Vorwegnahme war bei den Probanden mit Autismus weniger offensichtlich und erfolgreich. Ein autistisches Gehirn muss sich einfach damit begnügen: „Wir werden abwarten und sehen, wo etwas auftaucht, und dann das Notwendige tun, um es zu sehen."

Es ist jedoch nicht so, dass die Aufmerksamkeit autistischer Menschen nie von Erwartungen geleitet wäre. Sie reagieren jedoch anders als nicht-autistische Menschen, wenn diese Erwartungen nicht bestätigt werden. Insbesondere geben sie den Ausnahmen und Zufällen viel zu viel Gewicht.

Stellen Sie sich vor, Sie sollen so schnell wie möglich in Diagrammen wie dem folgenden das Herz erkennen:

Ihr Ziel, das Herz, ist immer zufällig an einer anderen Stelle platziert. Jedes Diagramm enthält auch einen „Distraktor" (Ablenkreiz), etwas, das Ihre Aufmerksamkeit erregen soll, Sie aber ignorieren müssen. Im obigen Diagramm ist der Distraktor das rote Pik. Man wird Ihnen Dutzende dieser Diagramme zeigen, und in 90 % der Fälle befindet sich der Distraktor irgendwo in der oberen Hälfte, aber das wird Ihnen nicht gesagt. Trotzdem wird Ihr Gehirn bald das Muster erkennen und seine weiteren Erwartungen auf dieses Muster beziehen: Es wird erwarten, dass sich die Distraktoren in der oberen Hälfte befinden.

Dadurch wird es leichter, den Distraktor zu ignorieren und das Herz schneller und genauer zu erkennen. Natürlich werden Sie immer dann, wenn der Distraktor in der unteren Hälfte platziert ist – in einem von zehn Fällen – einen Vorhersagefehler machen. Da sich die Distraktoren aber nur selten in dieser Position befinden, wird Ihr Gehirn zu dem Schluss kommen, dass es sich dabei nur um zufällige Abweichungen vom Muster handelt, und daher seine Erwartungen nicht anpassen. Es wird weiterhin davon ausgehen, dass das rote Pik immer irgendwo in der oberen Hälfte zu finden sein wird.

Eine Variante dieses Experiments wurde von Fredrik Allenmark[50] in seinem Labor am Institut für Psychologie der Ludwig-Maximilians-Universität in München durchgeführt. Er verwendete Karos und Kreise in Rot und Grün anstelle von Herz und Pik, aber die Grundprinzipien waren dieselben. Im Ergebnis konnten sowohl die Versuchspersonen mit Autismus als auch die ohne Autismus das Muster der

Distraktoren identifizieren und dieses Muster nutzen, um das Ziel effizienter zu erkennen. Dennoch gab es einen Unterschied. Die autistischen Teilnehmenden brauchten mehr Zeit, um Ziele in der Nähe der Stelle zu finden, an der sich der Distraktor im vorherigen Diagramm (in einer nicht erwarteten Zone) befunden hatte. (In meiner oben gezeigten Version des Experiments würde das z. B. bedeuten, dass sich das Herz in der unteren Hälfte des Diagramms ungefähr an der gleichen Stelle befindet, an der im vorherigen Diagramm das graue Pik abgebildet war). Die Aufzeichnung der Augenbewegungen der Versuchspersonen ergab den Grund für diese Diskrepanz.

Menschen mit Autismus reagierten langsamer auf diese Art von „Trick"-Diagramm, nicht weil sie das Ziel langsamer identifizierten (in dieser Hinsicht waren sie genauso schnell wie nicht-autistische Menschen), sondern weil sie dann nach einem „anderen Ziel" in dem Bereich des Diagramms suchten, in dem sie es erwartet hatten, bevor sie schließlich ihre Aufmerksamkeit wieder auf das eigentliche Ziel richteten. Es war fast so, als hätten sie das Ziel zuerst als Distraktor betrachtet, weil es sich in etwa an der gleichen Stelle befand wie der Distraktor im vorherigen Diagramm.

Mit anderen Worten, es schien, als ob der Vorhersagefehler, der durch die unerwartete Position des Distraktors im vorherigen Diagramm verursacht wurde, bei Menschen mit Autismus zu einer Aktualisierung des Erwartungsmusters führte. Ihr Gehirn hatte tatsächlich die Schlussfolgerung gezogen: „Aha – jetzt kann ich also auch in der unteren Hälfte einen Distraktor erwarten!" Nachdem sie das Ziel in der unteren Hälfte des nächsten Diagramms bemerkt hatten, wollten sie sichergehen, dass es sich nicht um einen Distraktor handelte, und prüften daher auch die obere Hälfte. Dies war bei den nicht-autistischen Testpersonen nicht der Fall. Sie betrachteten den Vorhersagefehler als etwas rein Zufälliges und daher als irrelevant. Infolgedessen blieb ihr Erwartungsmuster unverändert. Zur Verdeutlichung habe ich versucht, dies in den folgenden Diagrammen anhand meines „Herz-Pik"-Beispiels bildlich darzustellen.

Das erste Diagramm zeigt, wie das nicht-autistische Gehirn lernt; das zweite Diagramm zeigt, wie das autistische Gehirn lernt:

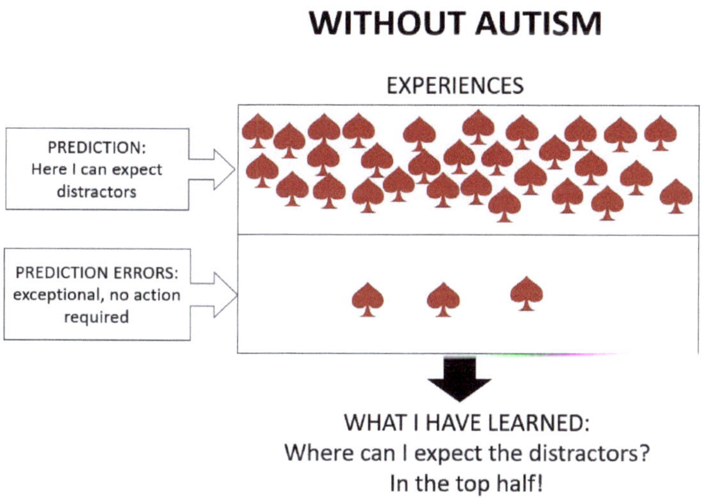

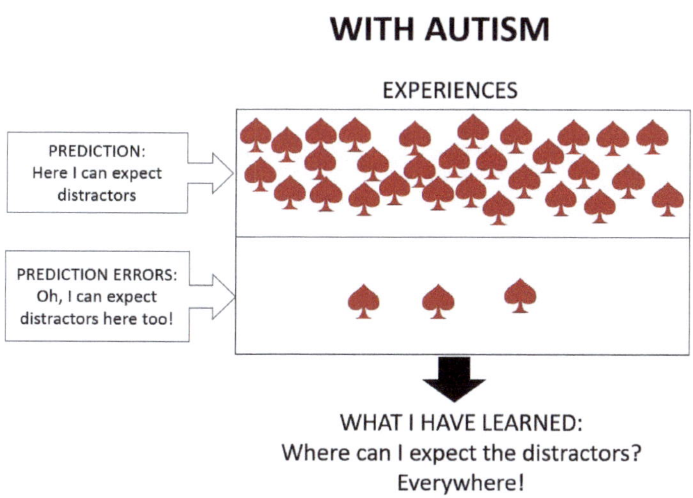

Autistische Gehirne neigen zu Überreaktionen auf Vorhersagefehler auch in Kontexten, in denen es besser wäre, sie zu ignorieren. Während andere Gehirne auf solche Fehler nach dem Motto reagieren: Na und? So etwas passiert immer mal wieder, aber wir brauchen uns keine Sorgen zu machen, reagiert ein autistisches

Gehirn eher panisch: Oh mein Gott! Eine Veränderung! Ich sollte besser etwas dagegen tun. Es könnte wichtig sein!

Dass es Unterschiede in den Reaktionen auf unerwartete Ereignisse zwischen autistischen und nicht-autistischen Menschen gibt, wurde auch in einem anderen Experiment deutlich, das Rebecca Lawson in ihrem Labor in London durchführte.[51] Sie ließ ihre Versuchspersonen einen hohen oder einen tiefen Ton hören. Nachdem sie den Ton gehört hatten, sahen sie auf einem Bildschirm entweder ein Haus oder ein Gesicht. Neben dem Bildschirm befanden sich zwei Tasten, eine für das Haus und eine für das Gesicht. Die Teilnehmenden sollten dann so schnell wie möglich die entsprechende Taste für das jeweilige Bild auf dem Bildschirm drücken. Zu Beginn des Experiments folgte auf den hohen Ton in fast allen Fällen das Bild eines Hauses. Nach einer Weile beginnt das Gehirn, dies als Muster zu erkennen: hoher Ton = Haus. Mit dem gehörten Ton kann das Gehirn nun vorhersagen, was es sehen wird. In diesem Fall kann die richtige Taste schneller gedrückt werden. Sobald dieses Stadium der Vorhersagbarkeit erreicht war, wurde die Verbindung zwischen dem Ton und dem Bild geändert. In der nächsten Phase des Experiments folgte das Bild mit dem Haus fast immer auf einen tiefen Ton. Die ersten paar Male, in denen dies geschieht, ändert sich für die Versuchspersonen ohne Autismus nichts. Sie halten dies für eine mehr oder weniger zufällige Variation, so wie die Distraktoren (Pik-Symbole) in der unteren Hälfte des Allenmark-Experiments. Aber wenn das Bild mit dem Haus dem tiefen Ton regelmäßiger folgt, wird die Reaktionsgeschwindigkeit dieser nicht-autistischen Testpersonen zunehmend langsamer. Sie wird noch langsamer in der folgenden Versuchsphase, bei der zwischen Ton und Bild kein regelmäßiger Zusammenhang mehr besteht (das Haus-Bild folgt nun in 50 % der Fälle dem Tiefton und in den anderen 50 % der Fälle dem Hochton). Mit anderen Worten: Sie sind nicht mehr in der Lage vorherzusagen, was passieren wird! Und die Versuchspersonen mit Autismus? Ihre Reaktionsgeschwindigkeit blieb während des gesamten Experiments gleich, sowohl in der „vorhersehbaren" als auch in der „unvorhersehbaren" Phase. Dr. Lawson hat auch die Größe der Pupillen ihrer Probanden gemessen. Wenn man überrascht ist, werden die Pupillen größer. Diese Messungen zeigten, dass Menschen mit Autismus während der gesamten Dauer des Experiments „leicht überrascht" waren. Damit ist gemeint, dass sie im Vergleich zu den nicht-autistischen Versuchspersonen zu wenig überrascht waren, wenn das vorhersehbare Muster „hoher Ton = Haus" durchbrochen wurde, und zu sehr überrascht waren, wenn ein klares Muster zwischen Ton und Bild vorgegeben wurde.

Neben der Reaktionsgeschwindigkeit und der Größe der Augenpupillen gibt es auch Reaktionen, die mit einem Elektroenzephalogramm (EEG) gemessen werden können, um zu zeigen, wie das Gehirn von Vorhersagefehlern überrascht wird.[52] Forschende[53] haben gezeigt, dass die Gehirnaktivität von Menschen mit Autismus bei unerwarteten Ereignissen viel höher ist. Das autistische Gehirn reagiert sehr stark auf diese Ereignisse und die dadurch verursachten Vorhersagefehler. Es scheint diese Fehler auch dann zu ernst zu nehmen, wenn es gar nicht nötig wäre, weil der Fehler auf etwas Zufälligem und Außergewöhnlichem beruht. Menschen ohne Autismus stufen diese Ereignisse als „nichts, worüber man sich Sorgen machen müsste", ein und ignorieren sie daher.

Menschen mit Autismus sehen darin einen Grund zur Besorgnis und zum Handeln, sie passen daher ihre internen Modelle entsprechend an.

Wenn Sie nun zur Seite 64 zurückkehren, werden Sie sehen, dass auf dem Mooney-Bild ein Koala zu sehen ist.

Alle oben erwähnten Vorgänge im Zusammenhang mit den Vorhersagen des Gehirns und seiner Reaktion auf Vorhersagefehler laufen unbewusst im Bruchteil einer Sekunde ab, tausende und abertausende Male pro Tag. Aber würde man zu denselben Schlussfolgerungen kommen, wenn man eine Person mit Autismus bitten würde, Vorhersagen bewusst zu treffen? Dieser Punkt wurde in meinem Buch *Autismus als Kontextblindheit* mehrfach erwähnt. Die Schlussfolgerungen aus den einschlägigen Experimenten auf diesem Gebiet zeigen, dass Menschen mit Autismus in Situationen, in denen der Kontext unbewusst einbezogen werden muss, weniger gut abschneiden. Dieser Leistungsunterschied zu nicht-autistischen Menschen verschwindet jedoch vollständig, wenn bewusstes Denken im Spiel ist. Der unbewusste, intuitive und kontextsensitive Umgang mit Vorhersagen und eventuellen Vorhersagefehlern ist etwas, das das autistische Gehirn nicht gut kann. Sobald jedoch der „Kontextknopf" im bewussten Gehirn gedrückt wird, verbessert sich die Situation ganz erheblich.

Ein Beispiel? Forschende[54] der University of Exeter (Vereinigtes Königreich) baten eine Gruppe von Testpersonen, unterschiedlich große Zylinder hochzuheben. Sensoren in den Zylindern maßen, wie fest sie angefasst wurden und wie viel Kraft aufgewendet wurde, um sie zu bewegen.

Es ist davon auszugehen, dass große Zylinder mehr wiegen als kleinere und daher einen festeren Griff und einen höheren Kraftaufwand erfordern. Bevor sie die Zylinder in die Hand nehmen durften, wurden die Versuchspersonen zunächst gebeten, das Gewicht der Zylinder einzuschätzen. Die Messungen ergaben später, dass bei allen Versuchspersonen, mit und ohne Autismus, das geschätzte Gewicht mit der Griffstärke und dem Krafteinsatz übereinstimmte. Mit anderen Worten: Wenn Menschen mit Autismus „wissen", dass etwas schwer ist, bestimmt auch diese Erwartung ihre motorische Reaktion. Sobald Reflexion und bewusstes Denken ins Spiel kommen, können Menschen mit Autismus genauso effektiv Vorhersagen treffen wie alle anderen.

Das Wichtigste im Überblick

- Das Vorhersagevermögen eines autistischen Gehirns unterscheidet sich von dem eines nicht-autistischen Gehirns.
- Der Vorhersageprozess und der Umgang mit Vorhersagefehlern ist bei Menschen mit Autismus viel weniger kontextsensitiv als bei Menschen ohne Autismus.
- Die Modelle, die das autistische Gehirn zur Vorhersage der Welt verwendet, sind absolut und daher zu wenig kontextbezogen.
- Das autistische Gehirn nimmt Vorhersagefehler ernst, auch wenn es keinen Grund dafür gibt. Unerwartete Abweichungen von Vorhersagen, die zufällig und ausnahmsweise auftreten, sodass sie von nicht-autistischen Menschen i.d.R. ignoriert werden können, werden von Menschen mit Autismus zum Anlass genommen, das Modell und damit die zukünftigen Vorhersagen, die sie auf der Grundlage dieses Modells treffen, anzupassen.
- Autistische Menschen scheinen in bestimmten Situationen, insbesondere wenn Ungewissheit eine Rolle spielt, ihrem Gehirn weniger zu vertrauen als der Information, die sie von ihren Sinnen erhalten. Ein autistisches Gehirn interpretiert die Sinneseindrücke als korrektere Information im Vergleich zu den Modellen, die ihm zur Verfügung stehen. Jeder Vorhersagefehler ermöglicht es dem Gehirn, mehr über die Welt zu lernen. Ein autistisches Gehirn verarbeitet solche Fehler nicht als relative Größen, sondern in absoluten Kategorien. Jede Abweichung vom Erwarteten wird als wichtig erachtet, zu jeder Zeit und an jedem Ort.
- Dadurch, dass Vorhersagefehlern ständig zu viel Gewicht beigemessen wird, werden die Vorhersagemodelle in einem autistischen Gehirn so spezifisch, dass sie für den Versuch, die Welt vorherzusagen, eigentlich unbrauchbar sind. Infolgedessen nimmt die Zahl der Vorhersagefehler systematisch zu, wodurch ein Teufelskreis entsteht, mit erhöhter Wachsamkeit und Alarmbereitschaft (Hypervigilanz) in einer Welt voller Unbeständigkeit und Unvorhersehbarkeit.

In den nächsten Kapiteln wird untersucht, welche Auswirkungen all diese Faktoren auf die allgemein bekannten Schwierigkeiten bei Autismus haben: sensorische Probleme, soziale Interaktion und Kommunikation und die Bewältigung von Veränderungen.

WUSSTEN SIE SCHON?

Der Gedanke, dass Menschen mit Autismus absolute Denker in einer relativen Welt sind, mag neu erscheinen, aber tatsächlich lässt sich diese Hypothese in embryonaler Form in verschiedenen Stadien der Autismus-Geschichte wiederfinden. Zum Beispiel habe ich vor Kurzem (fast zufällig) entdeckt, dass Leo Kanner auch über absolutes Denken geschrieben hat. Natürlich verwendete er nicht dieselbe Terminologie und ordnete die Idee auch nicht in den neueren konzeptionellen Rahmen des prädiktiven Gehirns ein. Stattdessen näherte er sich dem Thema aus der Perspektive dessen, was er als „insistence on sameness“ also das „Beharren auf Gleichartigkeit“ bei autistischen Kindern bezeichnete. In einem wenig bekannten, 1951 unter dem Titel „The conception of wholes and parts in early infantile autism“ veröffentlichten Artikel, führte Kanner eine Reihe aufschlussreicher Beispiele dafür an, wie Kinder mit Autismus bei winzigen Veränderungen, die für andere Kinder keine Bedeutung hatten, in Aufregung gerieten. Im Sinne des neueren Modells würden wir heute sagen, dass die betreffenden Kinder Vorhersagefehlern zu viel Gewicht verliehen, statt sie als Folge natürlicher Veränderungen in der Welt nicht weiter wichtig zu nehmen. In seinem Artikel zitiert Kanner die Mutter von Joseph C.: „Wenn ich ihm eine Geschichte in einem bestimmten Tonfall vorgelesen habe, muss mein Mann die nächste Geschichte in genau demselben Tonfall vorlesen, sonst wird Joseph unruhig.“ Über autistische Kinder im Allgemeinen schreibt Kanner: „Wenn man ein Kind über einen längeren Zeitraum beobachtet, und es nicht völlig allein ist, wird deutlich, dass der größte Teil seiner Aktivitäten der ernsten, pflichtbewussten und geradezu priesterlichen Aufrechterhaltung der Gleichartigkeit dient, einer absoluten Identität.“

3

Das prädiktive Gehirn und sensorische Verarbeitung bei Autismus

Elaine hat große Angst vor Geräuschen. Eigentlich fürchtet sie sich vor allem, was um sie herum passiert. Sie hat solche Angst vor dem Staubsauger, dass sie sich nicht einmal in die Nähe des Schranks traut, in dem er aufbewahrt wird. Immer wenn der Staubsauger in Betrieb ist, rennt sie in die Garage und hält sich die Ohren zu.

Wenn Richard einen Raum betritt, schaltet er ständig das Licht an und aus.

Donald liebt es, Dinge auf den Boden zu werfen und freut sich über das Geräusch, das dabei entsteht. Außerdem hat er eine Vorliebe für Spielzeuge, die sich drehen, und er singt immer wieder dieselbe Melodie aus drei Tönen.

Herbert springt vor Freude, wenn jemand ein Streichholz anzündet, aber er hat Angst vor fließendem Wasser.

Charles kann stundenlang mit sich drehenden Gläsern und Deckeln spielen. Er ist fasziniert von den dadurch entstehenden Lichtreflexionen.

Frederick will nicht, dass ich ihn anfasse oder gar meinen Arm um seine Schultern lege. Aber er kommt gerne zu mir und möchte mich berühren.

Frederick und Alfred haben Angst vor mechanischen Geräuschen wie z. B. bei Rolltreppen und Staubsaugern.

Ursprünglich war man davon ausgegangen, dass Richard, Barbara, Herbert, Virginia und Elaine taub seien, aber das war nicht der Fall.

Dies sind Auszüge aus einem 1943 veröffentlichten Artikel von Leo Kanner, einem der ersten, der sich mit Autismus beschäftigte. Kanner war ausgebildeter Kardiologe, aber auch ein vielseitig begabter Arzt, der sich schließlich zum ersten Kinderpsychiater der Welt entwickelte. In seinem Artikel beschrieb er seine Studie an 11 Kindern mit ungewöhnlichen Verhaltensweisen. Auch nach mehr als 75 Jahren sind seine Beschreibungen noch immer auf Anhieb zu verstehen und zeugen von seiner bemerkenswerten Beobachtungsgabe. Er identifizierte und registrierte sorgfältig die sensorischen „Merkwürdigkeiten" der Kinder und kam zu dem Schluss, dass sie einerseits eine Abneigung oder sogar Angst vor allen Arten von sensorischen Reizen (insbesondere Lärm, aber in einigen Fällen auch Nahrung) hatten, andererseits aber auch auf die Suche nach Reizen gingen und sie sogar selbst produzierten. Er war der Meinung, dass solche Auffälligkeiten aus dem Wunsch der Kinder nach – wie er es nannte – „Alleinsein" und „Gleichförmigkeit" resultierten.

Geräusche, Licht und Berührungen waren Eindringlinge in ihre sichere autistische Welt. Einige Kinder versuchten, sich von diesen Eindringlingen abzuschotten, was auch erklärt, warum fast die Hälfte von ihnen zunächst für taub gehalten wurde. Andere reagierten auf die Eindringlinge mit Angst und Stress.

Viele der Kinder griffen auch auf Verhaltensweisen zurück, die zu den gleichen, sich wiederholenden Sinneserfahrungen führten, wie z. B. das Drehen von Gegenständen oder das Erzeugen monotoner Geräusche (Summen, kurze Melodien, wiederholte Wörter und Geräusche), da sie auf diese Weise eine Umgebung mit weniger Variation und Veränderung schaffen konnten.

Leo Kanner wusste, was er gesehen hatte und zeichnete es detailgetreu auf. Bei der Interpretation seiner Beobachtungen war er jedoch auf die damals verfügbaren Erkenntnisse der Psychologie und Psychiatrie angewiesen. Dennoch waren einige seiner Erklärungen durchaus zutreffend. Mit der Entdeckung des prädiktiven Gehirns zu Beginn des 21. Jahrhunderts können wir jedoch jetzt diese sensorischen „Merkwürdigkeiten" viel besser verstehen.

Obwohl seit 1943 regelmäßig Artikel über sensorische Probleme im Zusammenhang mit Autismus veröffentlicht werden, blieb dieses Thema für eine breitere Öffentlichkeit lange Zeit unbemerkt.[55] Bis 2005 gab es weniger als 20 Veröffentlichungen pro Jahr zu diesem Aspekt des Autismus, das sind weniger als 2,5 % aller Veröffentlichungen. Die Wissenschaftler konzentrierten sich in erster Linie auf diejenigen Merkmale des Autismus, die sich negativ auf die Menschen im Umfeld der autistischen Person auswirken, wie z.B. seltsames, unerwartetes oder sozial unangemessenes Verhalten, Kommunikationsprobleme, sich wiederholendes und stereotypes Verhalten und – last but not least – Widerstand gegen Veränderungen. Diese Situation begann sich erst zu verbessern, als Menschen mit Autismus selbst begannen, Bücher und Artikel über ihren Autismus und ihr Erleben der Welt zu publizieren. Dadurch wurde vielleicht zum ersten Mal deutlich, dass die sensorische Umwelt für sie manchmal die Hölle auf Erden sein kann. Autistische Autoren schrieben über ihre Probleme mit Lärm, Licht, Gerüchen, Berührungen, dem Geschmack und der Beschaffenheit von Lebensmitteln, Kleidung, plötzlichen Bewegungen etc. Mit anderen Worten: Dinge, die für sie selbst problematisch waren und nicht für die Menschen um sie herum. Fachpersonen und Forschende begannen zu erkennen, dass sie einen entscheidenden Aspekt des Autismus übersehen oder ihm zumindest nicht die Aufmerksamkeit gegeben hatten, die er verdiente. Das Blatt begann sich zu wenden.

Zum Zeitpunkt der Erstellung dieses Buchs schlägt das Pendel genau in die entgegengesetzte Richtung aus. Vor allem in den sozialen Medien und in der populären Literatur über Autismus besteht die Gefahr, dass Autismus auf nichts anderes als Überempfindlichkeit oder Reizüberflutung reduziert wird. Die anderen Merkmale des Autismus (wie soziale und kommunikative Schwierigkeiten) werden zunehmend in den Hintergrund gedrängt.

In fast jeder Kampagne zur Aufklärung über Autismus werden wir von einer Lawine von Bildern und Geräuschen überrollt, die uns davon überzeugen sollen, dass die Welt für Menschen mit Autismus ein nicht enden wollendes sensorisches Inferno ist.

Selbsterfahrungsseminare, die Nicht-Autisten vermitteln wollen, wie sich Autismus anfühlt, konzentrieren sich ebenfalls fast ausschließlich auf Aktivitäten, bei denen die Teilnehmenden einem ununterbrochenen sensorischen Bombardement aus (unangenehmen) Geräuschen, Licht, Berührungen und Geschmack ausgesetzt sind.

Vor allem in den sozialen Medien und in der populären Literatur über Autismus besteht die Gefahr, dass Autismus auf Überempfindlichkeit oder Reizüberflutung reduziert wird.

Diese Tendenzen haben nicht nur zur Folge, dass die anderen wichtigen Verhaltensmerkmale des Autismus vernachlässigt werden, sondern auch, dass zwei andere entscheidende Faktoren aus dem sensorischen Bereich immer mehr in den Hintergrund gedrängt werden: nämlich die Schwierigkeit oder das Unvermögen, auf Reize zu reagieren (Hyporeaktivität) und die Suche nach bestimmten sensorischen Erfahrungen einschließlich Selbststimulation, die allgemein als Reizsuchverhalten bezeichnet werden. Natürlich ist es nicht einfach, diese beiden Aspekte (insbesondere die Hyporeaktivität) in Aufklärungskampagnen zu behandeln. Die Organisation einer Selbsterfahrungssitzung, bei der die Teilnehmenden nichts erleben, dürfte kaum auf großes Interesse stoßen. Das Gleiche gilt für Bilder von Menschen mit Autismus, die nicht auf Reize reagieren. Das käme auf YouTube nicht gut an … Aus demselben Grund ist es auch verständlich, dass Menschen mit Autismus vor allem über Reizüberflutung berichten. Das ist es, was sie bewusst erleben, und das macht ihnen das Leben schwer. Im Gegensatz dazu ist ihnen ihre Hyporeaktivität kaum (oder gar nicht) bewusst, und sie erleben sie nicht als schwierig. Zumindest nicht direkt.

Allerdings können die indirekten Folgen manchmal gravierend sein. Nicht oder nur unzureichend auf Schmerzen zu reagieren, kann dazu führen, dass ernsthafte Beschwerden und Erkrankungen manchmal unbemerkt bleiben oder es zu körperlichen Verletzungen kommt. Eine Frau mit Autismus sagte mir einmal: „Beim Kochen verbrenne ich mich manchmal, weil mein Gehirn gar nicht oder zu langsam auf Hitze und Schmerz reagiert. Ebenso erklärte mir einmal ein Mann mit Autismus, dass er regelmäßig am frühen Abend Kopfschmerzen bekam und sich unwohl fühlte. Später stellte sich heraus, dass er häufig vergessen hatte, tagsüber zu essen, weil sein Gehirn kein Hungergefühl empfinden konnte. Ein ähnliches Versagen bei der Wahrnehmung von Blasen- und Darmsignalen kann zu ernsthaften Problemen beim Toilettengang führen. Studien haben bereits gezeigt, dass diese Art von fehlender Stimulation oder Hyporeaktivität bei verschiedenen Sinnesempfindungen auftreten kann: Geruch, Berührung, Geschmack, Temperatur, Druck, Schmerz und Signale, die vom Verdauungssystem übertragen werden.

Zusammengefasst gibt es also drei Aspekte, die das sensorische Profil von Autismus kennzeichnen: zu stark auf Reize zu reagieren, nicht oder nicht stark genug auf Reize zu reagieren und Selbststimulation oder reizsuchendes Verhalten. Jeder Mensch mit Autismus zeigt dieses Profil auf seine eigene Art und Weise, aber in der Mehrzahl der Fälle sind alle drei Aspekte vorhanden. Dies erklärt, warum das weltweit am häufigsten verwendete Diagnosehandbuch, das DSM-5, nun alle drei Aspekte in seinen Diagnosekriterien für Autismus aufführt.

Wenn Sie diese Kriterien aufmerksam lesen, werden Sie etwas Ungewöhnliches feststellen. Anstelle der Begriffe, die man sonst fast überall hört, wenn von Autismus die Rede ist (Hyper- und Hyposensibilität), werden die Begriffe Hyperreaktivität und Hyporeaktivität verwendet. Dafür gibt es einen guten Grund: Es gibt nämlich keine ausreichende Evidenz (eigentlich gibt es überhaupt keine Evidenz) für die Existenz von Hyper- und Hyposensibilität bei Autismus.

Gibt es also wirklich einen Unterschied zwischen Sensibilität einerseits und Reaktivität andererseits? Ja, den gibt es. Und diese Unterscheidung ist wichtig, nicht zuletzt deshalb, weil sie etwas darüber aussagt, wie wir Menschen mit Autismus helfen können, mit den unangenehmen und manchmal beängstigenden Auswirkungen des sensorischen Erlebens umzugehen.

Die Sensitivität bezieht sich auf physiologische Schwellenwerte: Was ist die Schwelle, unterhalb derer ein bestimmter Reiz, z. B. eine Schallwelle, nicht mehr wahrgenommen werden kann? Wie „leise" muss ein Geräusch sein, damit der Mensch es nicht mehr hören kann? Oder wie viel Salz muss man in ein Glas Wasser geben, damit jemand einen salzigen Geschmack wahrnimmt? Mit solchen Fragen beschäftigt sich die Wissenschaft der Psychophysik. In dieser Disziplin messen die Forschenden Schwellenwerte entweder durch die Beobachtung und Aufzeichnung von Reaktionen („Heben Sie die Hand, wenn Sie das Geräusch hören") oder durch die Registrierung der Hirnaktivität in dem Bereich, der für die Wahrnehmung des betreffenden Reizes zuständig ist, wie z. B. der visuelle Kortex für Licht oder der auditorische Kortex für Schall.

Man kann von einer Hypersensitivität sprechen, wenn die Hörschwelle einer Person niedriger ist als die eines Durchschnittsmenschen. Das kann z. B. bedeuten, dass eine überempfindliche Person Geräusche hört, die die Mehrheit der anderen Menschen nicht hören kann. Bei der Hyposensitivität hingegen ist das Gegenteil der Fall. Diese Erfahrung machen immer mehr Menschen mit zunehmendem Alter. Zum Beispiel müssen Geräusche jetzt lauter sein, damit sie gehört werden können. Aus diesem Grund sprechen wir anderen oft lauter, wenn wir mit älteren Menschen zu tun haben, von denen viele aus demselben Grund ein Hörgerät tragen.

Reaktivität bezieht sich, wie das Wort schon sagt, auf die Reaktionen einer Person auf einen Reiz. Eine Reaktion kann verhaltensbezogen sein (z.B. die Hände über die Ohren halten, wenn man ein lautes Geräusch hört) und/oder sich emotional ausdrücken (Angst, Stress, Unlust etc.). Die Forschung in diesem Bereich versucht, diese Reaktionen in erster Linie mit Hilfe von Interviews und Fragebögen zu erfassen[56], obwohl die Messung der Gehirnaktivität – diesmal im limbischen System, dem Bereich des Gehirns, der sich mit emotionalem Erleben und nicht mit sensorischen Erfahrungen beschäftigt – ebenfalls wertvolle Erkenntnisse geliefert hat.

Sensitivität und Reaktivität sind keine völlig voneinander unabhängigen Phänomene. Wenn ein bestimmter Reiz vom Gehirn nicht erkannt wird, ist es zwar unwahrscheinlich, dass verhaltensbezogen oder emotional darauf reagiert wird. Dennoch können wir davon ausgehen, dass es einen direkten Zusammenhang zwischen beiden gibt. So ist es z.B. möglich, dass jemand übermäßig auf einen Reiz reagiert, weil sein Gehirn für diesen bestimmten Reiz überempfindlich (hypersensibel) ist. Die gleiche übermäßige Reaktion kann aber auch auftreten, wenn dieses Gehirn den Reiz auf dem gleichen Niveau aufnimmt wie andere Gehirne, sodass von Überempfindlichkeit keine Rede sein kann. Das erklärt, warum ein Kind, das nicht überempfindlich gegen Lärm ist, sich manchmal auch die Ohren zuhält.

Oder warum jemand ein Stück gesalzene Schokolade ausspuckt. Nicht, weil er überempfindlich auf Salz reagiert, sondern einfach, weil er den Geschmack von Salz nicht mag, schon gar nicht in Schokolade (was für mein Gehirn schwer zu verstehen ist, aber das ist jetzt wohl nebensächlich ...). Für einen Außenstehenden scheint das Verhalten dasselbe zu sein, aber die zugrunde liegende Ursache ist eine andere. Deshalb ist es nicht möglich, nur auf Grundlage unserer Beobachtung eindeutige Schlussfolgerungen über Hyper- oder Hyposensibilität bei Autismus zu ziehen. Das wiederum bedeutet, dass Fragebögen zum Ausmaß der Reizempfindlichkeit bei Menschen mit Autismus weitgehend Zeitverschwendung sind.

Die Wissenschaftlerin Samantha Schulz[57] von der University of Western Ontario im kanadischen London wollte herausfinden, ob es einen Zusammenhang zwischen der sensorischen Sensitivität von Menschen mit Autismus und den eingeschränkten Interessen und repetitiven Verhaltensweisen gibt, die diese Menschen manchmal zeigen. Es ist kein Zufall, dass die „sensorischen Merkwürdigkeiten“ von Kanner in den diagnostischen Kriterien für Autismus in diese zweite Gruppe von autistischen Merkmalen eingeordnet wurden, denn sensorische Probleme könnten tatsächlich eine mögliche Ursache für diese Verhaltensmerkmale sein (ich werde

Ihnen gleich sagen, warum). Um diese Möglichkeit zu untersuchen, konzentrierte sich Schulz auf die visuelle Wahrnehmung. Zur Messung der visuellen Sensitivität nutzte sie die Techniken der Psychophysik, indem sie ihren Versuchspersonen[58] eine visuelle Erkennungsaufgabe stellte, bei der zunehmend verschwommene diagonale Linien in einem Feld aus weißen und grauen Punkten erkannt werden mussten. Die Teilnehmenden wurden außerdem gebeten, zwei Fragebögen auszufüllen. Der erste enthielt eine Liste von Fragen zu ihrer Sinneswahrnehmung. Der zweite versuchte, die Neigung zu repetitivem Verhalten zu erfassen. Schulz fand keinerlei Zusammenhang zwischen der Leistung bei der visuellen Erkennungsaufgabe und den Ergebnissen des Sensorik-Fragebogens. Damit konnte sie die Annahme belegen, dass Sensitivität und Reaktivität zwei unterschiedliche Phänomene sind und Sensorik- Fragebögen nichts über die Empfindlichkeit einer Person gegenüber Reizen aussagen.

Die Ergebnisse des Fragebogens zum repetitiven Verhalten zeigten jedoch jeweils einen Zusammenhang mit der visuellen Erkennungsaufgabe und dem Sensorik-Fragebogen. Schulz vermutet, dass dieser Zusammenhang etwas mit einer erhöhten Irritierbarkeit des Gehirns zu tun hat – ein weiterer Punkt, auf den wir später noch eingehen werden.

Da Menschen mit Autismus am häufigsten über auditive Reize klagen, ist dieser Bereich in den letzten Jahren auch am meisten untersucht worden. Die Ergebnisse der ersten Studien schienen alle in die gleiche Richtung zu weisen, nämlich dass die Betroffenen überempfindlich gegenüber Lärm sind. Diese Studien stützten sich jedoch alle auf Fragebögen und Interviews (vor allem mit Eltern) und lieferten daher keine eindeutigen Beweise für die These der Überempfindlichkeit.

Aus diesem Grund wählte Jay Lucker[59] von der Howard University in Washington DC einen anderen Ansatz. Er führte eine Reihe von Hörtests bei Kindern mit und ohne Autismus durch, die jedoch alle als „überempfindlich gegen Geräusche" eingestuft waren. Anhand seiner Tests ermittelte Lucker ihre Schwellenwerte und Sensitivität für bestimmte Geräusche.

Er kam zu dem Schluss, dass alle 200 Kinder in seiner Studie ein normales Gehör hatten und in keiner Weise lärmempfindlich waren. Dazu gehörten auch die Kinder mit Autismus. Nach diesem Ergebnis wollte er wissen, warum diese sogenannten „lärmüberempfindlichen" Kinder dennoch Schwierigkeiten hatten, bestimmte Geräusche zu ertragen – denn das war in der Tat der Fall – und ob es in dieser

Hinsicht einen Unterschied zwischen den Kindern mit und ohne Autismus gab. Beim ersten Hörtest hatten die Kinder relativ leise Töne hören müssen. Danach teilte Lucker den Kindern mit, dass sie nun einen zweiten Test durchführen sollten, der sich vom ersten unterscheidet. Wieder bat er die Kinder, die Hand zu heben, sobald sie das Geräusch hörten. Das erste Geräusch hatte eine Stärke von 80 dB (Dezibel), das ist so laut, als würde man jemandem direkt ins Ohr schreien.

Verständlicherweise reagierten die Kinder alle überrascht und erschrocken, denn mit so einer Lautstärke hatten sie nicht gerechnet. Diese Reaktion trat jedoch nicht mehr auf, sobald sie das Geräusch drei- oder viermal gehört hatten. Mit anderen Worten, ihr Gehirn hatte sein Erwartungsmuster angepasst. Danach erhöhte Lucker systematisch die Lautstärke, bis ein Kind drei negative Reaktionen in Folge zeigte, was als Zeichen dafür gewertet wurde, dass das Kind das Geräusch nicht mehr ertragen konnte. Einige Kinder reagierten sehr deutlich, ja sogar dramatisch: Sie zogen die Kopfhörer ab, schrien, brüllten und fielen sogar rückwärts vom Stuhl. Dennoch waren die Ergebnisse, die Lucker sammeln konnte, verblüffend: 86 % dieser angeblich „lärmüberempfindlichen" Kinder konnten Geräusche von bis zu 110 dB ertragen, was dem Schallpegel einer Kettensäge oder eines Rockkonzerts entspricht! Mit anderen Worten: Lärm, der tatsächlich zu Hörschäden führen kann, wenn man ihm länger als fünf Minuten ausgesetzt ist! Obwohl mehr autistische Kinder zu der Gruppe gehörten, die solch extremen Lärm nicht ertragen konnten, verschwand dieser Unterschied bei Geräuschen bis zu 90 dB, was immer noch überdurchschnittlich laut ist (schreiende Menschen, vorbeifahrende Lastwagen, schnell laufende Küchenmaschinen etc.). Wie bewertete Lucker diese Ergebnisse? Seine erste Schlussfolgerung lautete, dass die Anzahl der autistischen Kinder, die laute Geräusche nicht ertragen können, viel geringer ist als allgemein angenommen (und von Lucker selbst erwartet). Seine zweite Schlussfolgerung war, dass die Ursache für die negativen Reaktionen auf Geräusche von einigen autistischen Kindern nicht in ihrem auditorischen System liegt, sondern auf andere Faktoren zurückzuführen ist, die nach Luckers Ansicht in ihrem emotionalen System verortet werden können. Diese Vermutung wurde inzwischen durch andere Studien erhärtet.

Eine dieser Studien wurde von Forschenden des Leo-Kanner-Hauses[60] in den Niederlanden durchgeführt. Sie interessierten sich für den Zusammenhang zwischen der Empfindlichkeit für und der Reaktion auf Geräusche bei Erwachsenen mit Autismus. Sie ließen ihre Probanden zwei verschiedene Geräusche hören. Das eine war ein neutraler Ton, das andere war die Sirene eines Krankenwagens. Anhand des Tons wurden die Schwellenwerte der Versuchspersonen ermittelt, und es wurde außerdem gemessen, wie schnell sie sich an das Geräusch gewöhnen. Darüber hinaus wurden die Versuchspersonen mit einem Fingersensor ausgestattet, der ihren Hautleitwert aufzeichnete, um das Ausmaß der Erregung oder des Stresses zu ermitteln, den sie beim Hören der Geräusche empfanden.

Anschließend wurden alle Teilnehmenden um eine Beschreibung gebeten, wie angenehm oder unangenehm sie die Geräusche fanden und wie entspannt sie sich beim Hören der Geräusche fühlten. Außerdem wurden sie gebeten, einen Standardfragebogen über ihr sensorisches Erleben während des Tests auszufüllen.

Die Zahl der Kinder mit Autismus, die laute Geräusche nicht ertragen können, ist viel geringer als allgemein angenommen.

Das Forscherteam fand keinen Unterschied zwischen den Schwellenwerten der Testpersonen mit und ohne Autismus. Menschen mit Autismus wiesen nicht generell niedrigere Werte auf, und es gab keine Hinweise darauf, dass sie eine größere Überempfindlichkeit gegenüber Lärm haben. Ebenso gab es zwischen beiden Gruppen keinen Unterschied in der Fähigkeit, sich an den Ton zu gewöhnen: Menschen mit Autismus gewöhnten sich nicht langsamer an den Ton als nicht-autistische Probanden. Die vielleicht erstaunlichste Schlussfolgerung aber war, dass es keinen Zusammenhang zwischen der Sensitivität (den Schwellenwerten und dem Gewöhnungsprozess) und der Reaktivität gab. Obwohl sie die gleichen Schwellenwerte und den gleichen Gewöhnungsprozess gezeigt hatten, berichteten die Versuchspersonen mit Autismus im Fragebogen, dass sie während der Tests wesentlich mehr sensorische Probleme erlebt hatten. Sie empfanden die Geräusche im Experiment unangenehmer und stressiger als die nicht-autistischen Teilnehmer, was auch durch die Ergebnisse der Fingersensoren bestätigt wurde. Kurzum, die niederländischen Forscher bestätigten, was Lucker vermutet hatte: Autistische Gehirne sind nicht lärmempfindlicher, sondern reagieren stärker und emotionaler auf Geräusche.

Angesichts dieser Befunde könnte man sich fragen, ob die vermeintlichen sensorischen Probleme bei Autismus überhaupt sensorisch sind. Sie wären nicht die erste Person, die sich diese Frage stellt. Auf der INSAR-Tagung 2016, der International Society for Autism Research, druckten Marla Zinni und ihr Team genau diese Worte (mehr oder weniger) in großen, fetten Buchstaben auf ihr Konferenzposter: „Sind sensorische Probleme bei Autismus wirklich sensorisch?“ Gestützt auf die Forschungsergebnisse aus ihrem Labor in San Diego (Kalifornien) gaben sie auch die Antwort: ein klares „Nein“!

Zu ihren Versuchspersonen gehörten Menschen mit Autismus, die über deutliche sensorische Probleme berichtet hatten. Sie nahmen an drei Experimenten teil, bei denen sie wiederum Geräusche hören mussten. Die Forschenden beobachteten die Reaktionen im Verhalten, im auditorischen Kortex und in der Herzfrequenz, nicht nur auf die Töne, sondern auch auf Veränderungen in der Lautstärke und auf das wiederholte Auftreten von Hintergrundgeräuschen. Die Reaktionen in den Gehirnen der autistischen Personen waren dieselben wie in den Gehirnen der Menschen ohne Autismus: Ihre Gehirne reagierten weder stärker noch passiver auf unterschiedliche Lautstärken. Wurde die Lautstärke erhöht, nahm die Gehirnaktivität entsprechend zu, aber das war auch bei den nicht-autistischen Versuchspersonen der Fall. Wurden zwei Töne kurz nacheinander abgespielt, waren die Reaktionen in beiden Gruppen beim zweiten Ton weniger ausgeprägt als beim ersten.

Ein Unterschied wurde im Grad der Erregung festgestellt, der durch die verschiedenen Geräusche verursacht wurde. Dies war deutlich an der Herzfrequenz zu erkennen. Bei kontinuierlichen Geräuschen war die Herzfrequenz der Testpersonen mit Autismus höher als die der Testpersonen ohne Autismus. Wenn ein Hintergrundgeräusch hinzukam und wiederholt wurde, konnten die Menschen ohne Autismus (so wie ihnen aufgetragen worden war) das Geräusch nach wenigen Minuten ignorieren, während die Menschen mit Autismus weiterhin eine Reaktion darauf zeigten. Es gab offensichtlich einen Faktor, der ihnen die Gewöhnung an das sekundäre Geräusch erschwerte, und dieser Faktor hing – wie den Herzfrequenzmessungen zu entnehmen war – irgendwie mit ihrem Erregungs- oder Stress-Level und ihrer Aufmerksamkeit zusammen.

Ähnliche wissenschaftliche Studien, in denen andere Sinne als das Gehör untersucht wurden, kamen im Großen und Ganzen zum gleichen Ergebnis, nämlich dass die sensorischen Probleme von Menschen mit Autismus ihren Ursprung nicht in Reizen und Sinnesorganen haben. Mit anderen Worten, die sensorischen Probleme des Autismus sind tatsächlich, wie Marla Zinna behauptet, nicht sensorisch, obwohl sie als solche erlebt werden. Sie können das, zumindest bis zu einem gewissen Punkt, damit vergleichen, wie ich die Arbeit meines Gehirns als Reiz-Reaktions-Prozess erlebe, auch wenn ich weiß, dass dies nicht der Fall ist.

An der Vanderbilt University in Nashville hat Carissa Cascio mehr als zwei Jahrzehnte lang den Tastsinn untersucht. Insbesondere interessierte sie sich für die Reaktionen des Gehirns autistischer Menschen auf verschiedene Formen des taktilen Inputs. Dazu führte sie ein Experiment durch, bei dem Menschen mit und ohne Autismus gebeten wurden, ihre Hand in drei undurchsichtige Beutel zu stecken, die ein Stück Plastiknetz, ein Stück Jutestoff und einen weichen Make-up-Pinsel enthielten. Während des gesamten Experiments befanden sich die Köpfe ihrer Versuchspersonen in einem fMRT-Scanner, sodass Cascio sehen konnte, welche Teile des Gehirns auf die verschiedenen taktilen Empfindungen reagierten. Anschließend bat sie alle Teilnehmenden zu beschreiben, wie rau und wie angenehm sie die drei verschiedenen Texturen empfunden hatten. Das Forscherteam wusste aus anderen Studien, dass Menschen im Allgemeinen weiche und glatte Oberflächen, in diesem Fall den Schminkpinsel, gegenüber harten und rauen, in diesem Fall das Kunststoffnetz, bevorzugen. Das Jutestück lag irgendwo dazwischen und diente daher als neutrales Element. Obwohl die Reaktionen in den Teilen des Gehirns, die für Berührungen zuständig sind, bei Menschen mit und ohne Autismus im Großen und Ganzen gleich ausfielen, bewerteten Menschen mit Autismus die Erfahrung sowohl mit dem „unangenehmen" Kunststoff als auch mit dem „angenehmen" Schminkpinsel extremer als die nicht-autistischen Testpersonen. Die Hirnscans zeigten auch, dass die limbischen Systeme der Menschen mit Autismus im Vergleich zu den nicht-autistischen Probanden weniger stark auf die angenehmen und neutralen Stimuli und viel stärker auf den unangenehmen Stimulus durch die Kunststoffnetze reagierten. Dies ist ein weiteres Beispiel dafür, dass das emotionale Gehirn autistischer Menschen anders reagiert als das von Menschen ohne Autismus, auch wenn das sensorische Gehirn beider Gruppen in gleicher Weise antwortet.

Dies untermauert das Fazit, dass die sensorischen Probleme, von denen Menschen mit Autismus so häufig berichten – und insbesondere die Schwierigkeiten, die sie mit Reizen haben –, nicht in den Reizen selbst begründet sind oder in der Art und Weise, wie sie ihren Weg in die Teile des Gehirns finden, die für ihre Verarbeitung zuständig sind. Die Probleme werden vielmehr durch die emotionale Reaktion des Gehirns auf diese Reize verursacht. Aber warum sollte das so sein?

Warum reagiert das autistische Gehirn stärker auf Reize, obwohl es nicht empfindlicher für sie ist? Die Theorie des prädiktiven Gehirns bietet uns eine Erklärung.

Aus verschiedenen Studien, aber auch aus den Schilderungen autistischer Menschen selbst, wissen wir, dass es für Menschen mit Autismus schwierig ist, sich an verschiedene Reize anzupassen oder sich an sie zu gewöhnen. Das hängt in erster Linie mit der Vorhersehbarkeit zusammen. Wenn ein bestimmter Reiz wiederholt auftritt, bezieht das Gehirn ihn in seine Vorhersagen über zukünftige Ereignisse ein. Kurz gesagt, es erwartet beim nächsten Mal denselben Reiz. Wenn der Reiz tatsächlich wieder auftritt, liegt kein Vorhersagefehler vor. Das Gehirn hat es richtig gemacht! In der Folge verliert das Gehirn diesen Reiz aus den Augen, es nimmt ihn nicht mehr wahr. Das erklärt z. B., warum Sie Ihre Kleidung nicht ständig auf Ihrer Haut spüren. Wann werden Sie sich Ihrer Kleidung bewusst? Wenn die Rückmeldung Ihrer Sinne nicht mehr mit der Vorhersage des Gehirns übereinstimmt, und etwas passiert, das Sie nicht erwarten und/oder sich nicht vertraut anfühlt. Wie z. B. damals, als der Schneider, der meine neue Hose gekürzt hat, eine Nadel vergessen hatte. Ein stechender Schmerz in meinem Knöchel war nicht Teil des taktilen Erwartungsmusters meines Gehirns für Hosen, und deshalb stieß ich einen Schrei der Überraschung aus.

Wenn sich Menschen mit Autismus nicht so gut an bestimmte Reize gewöhnen (oder mit ihnen umgehen) können, muss die Unvorhersehbarkeit eine wichtige Rolle spielen. Oder wie Sander Van de Cruys[61] und sein Team es ausdrücken: „Unvorhersehbarkeit ist der Kern der Reizüberflutung bei Menschen mit Autismus."

Warum reagiert das autistische Gehirn stärker auf Reize, obwohl es nicht empfindlicher für sie ist?

Haben Sie schon mal versucht, sich selbst zu kitzeln? Wahrscheinlich ist es Ihnen nicht gelungen.

Warum nicht? Weil der Prozess des Selbstkitzelns keinen Vorhersagefehler auslöst![62] Wenn Sie versuchen, sich selbst zu kitzeln, sagt Ihr Gehirn sofort voraus, dass ein taktiler Input zu erwarten ist. Folglich ist die vorhergesagte Empfindung gleich der tatsächlichen Empfindung. Es gibt keinen Unterschied und daher keine Überraschung. Wenn Sie jedoch von jemand anderem gekitzelt werden, kann das Gehirn die zu erwartenden Empfindungen nicht so genau vorhersagen, sodass viel mehr Möglichkeiten für Vorhersagefehler bestehen. In diesem Fall führt die Überraschung zu der Reaktion, die wir alle kennen, wenn jemand gekitzelt wird: Lachen und Belustigung. Einfach ausgedrückt: Sinnesreize, die wir selbst erzeugen, führen zu einer geringeren Gehirnaktivität, weil diese Reize besser vorhersehbar sind als Reize, die von unserer Umwelt erzeugt werden.

Dies führt zu einer interessanten Frage: Wenn das autistische Gehirn weniger effektive Vorhersagen trifft, bedeutet das dann, dass Menschen mit Autismus sich selbst besser kitzeln können als Menschen ohne Autismus?

Bislang ist dieses Thema noch nicht wissenschaftlich untersucht worden (wie schade!), aber es gibt zumindest eine andere Studie, die gezeigt hat, dass es bei autistischen Gehirnen im Gegensatz zu nicht-autistischen Gehirnen keinen Unterschied zwischen der Hirnaktivität infolge von selbst erzeugten Reizen und Reizen aus der Umwelt gibt.

Vorhersagefehler lassen sich anhand der Stärke der im Gehirn erzeugten elektrischen Aktivität erkennen. Dies wird als Hirnpotenzial bezeichnet und kann mit einem Elektroenzephalographen (EEG) gemessen werden. Wenn wir ein Geräusch hören, erscheint auf dem EEG nach 50 Millisekunden ein kleiner positiver Ausschlag, gefolgt von einem negativen Ausschlag nach 100 Millisekunden. Dieses Potenzial wird als N100 bezeichnet. Die Größe des N100-Peaks hängt davon ab, wie unerwartet das Geräusch war: Je unerwarteter das Geräusch war, desto größer die Überraschung und desto größer der Peak. Das bedeutet, dass Geräusche, die Sie selbst erzeugen, im Allgemeinen einen niedrigeren Peak haben als Geräusche, die von Ihrer Umgebung erzeugt werden.

Forschende an der Universität Tilburg[63] in den Niederlanden führten ein Experiment durch, bei dem sie Menschen mit und ohne Autismus baten, auf bestimmte Geräusche zu hören. Im ersten Test ertönte ein Geräusch unmittelbar nachdem die Teilnehmenden mit einer Maus geklickt hatten. Im zweiten Test gab es keine Maus und die Töne kamen automatisch. Bei den Versuchspersonen ohne Autismus war der N100-Peak für die Geräusche, die vorhersehbar waren (die Geräusche, die auf die Maus folgten), viel kleiner als für die Geräusche, die nicht vorhersehbar waren (die automatisch erzeugten Geräusche). Im Gegensatz dazu war der N100-Peak bei den Versuchspersonen mit Autismus sowohl bei den vorhersehbaren als auch bei den unvorhersehbaren Geräuschen gleich hoch. Obwohl sie auch die Maus benutzten, schienen ihre Gehirne das nachfolgende Geräusch nicht vorhersagen zu können, sodass es sie überraschte und zu einer stärkeren Reaktion veranlasste als die nicht-autistischen Probanden.

Warum können wir uns nicht selbst kitzeln?
Weil dabei kein Vorhersagefehler entsteht!

Die Schlussfolgerung ist auch hier eindeutig: Die Tatsache, dass viele Menschen mit Autismus Schwierigkeiten haben, mit Reizen wie Licht und Geräuschen umzugehen, wird zu einem erheblichen Teil durch die Unvorhersehbarkeit dieser Reize für das Gehirn verursacht. Oder wie es Temple Grandin in ihrem Buch *The Autistic Brain* ausdrückt:[64] „Ich bin empfindlich gegenüber Geräuschen. Laute Geräusche. Plötzliche Geräusche. Das Schlimmste von allem: laute und plötzliche Geräusche, die ich nicht erwarte."

Im März 2019 hielt ich in Birmingham auf der 10. *Autism Conference for Professionals*, die von der National Autistic Society organisiert wurde, einen Vortrag über sensorische Probleme bei Autismus. Danach entbrannte auf Twitter eine heftige Diskussion mit und zwischen Menschen mit Autismus. Einige von ihnen fanden es schwierig, ihre sensorischen Probleme mit Unvorhersagbarkeit in Verbindung zu bringen, aber viele andere nannten Beispiele dafür, wie wichtig die Rolle der Vorhersagbarkeit in diesem Zusammenhang ist:

- „Es können zu viele Reize für mich sein, wenn sich zwei Leute gleichzeitig unterhalten, aber ich fühle mich wohl bei einem Konzert mit 20.000 anderen. Ich denke, dass die Vertrautheit mit der Lautstärke und dass ich sie erwarte, wichtiger sind als die Lautstärke selbst."
- „Bei mir dreht sich alles um Unvorhersagbarkeit: Es sind die Dinge, die ich nicht vorhersehen kann, die mir Probleme bereiten. Wenn jemand in der Küche einen Löffel fallen lässt, fahre ich aus der Haut, aber nicht, wenn es mir selbst passiert (was oft vorkommt, denn ich bin der wahre Mr. Clumsy!)." Jemand anders sagte sofort das Gleiche: „Den Staubsauger selbst zu benutzen, ist kein Problem. Aber wenn ihn jemand anders benutzt ..."
- „Für mich geht es nicht einfach nur um laute Geräusche. Ich finde allmählich heraus, dass meine sensorischen Probleme kontextspezifisch sind. Ich habe kein Problem damit, wenn ein Rennwagen nur ein paar Meter entfernt seinen Motor aufdreht, aber mit einem Raum voller Menschen komme ich nicht klar."

Und was für Lärm gilt, gilt auch für Druck und Berührung:

- „Eine laute und wuselige Gruppe von Menschen in einem überfüllten Laden: geht gar nicht! Ein übervoller Moshpit bei einem Konzert: kein Problem!"
  (Für die Uneingeweihten: Ein Moshpit ist eine Gruppe von Leuten, die vor einer Hardrock- oder Heavy-Metal-Konzertbühne springen, hüpfen und aufeinander losgehen. Ich persönlich bekomme Kopfschmerzen, wenn ich mir die Fotos ansehe.)

Wie wir bereits gesehen haben, geht es bei der Vorhersagbarkeit um mehr als nur darum, dass wir bewusst wahrnehmen, was passieren wird. Das spielt sicherlich eine Rolle, aber wenn wir über Vorhersagefehler sprechen, geht es in erster Linie um Dinge, die unter dem Radar unseres Bewusstseins ablaufen: nämlich um Abertausende von unbewussten, superschnellen Vorhersagen, die das Gehirn jeden Tag trifft. Versuchen Sie folgendes Mini-Experiment: Stellen Sie zwei Schüsseln mit Wasser vor sich hin, eine lauwarm und die andere eiskalt. Halten Sie Ihre Hand eine Minute lang in die kalte Schale und wechseln Sie dann zur lauwarmen Schale. Obwohl Sie wissen, dass das Wasser in der zweiten Schale lauwarm ist, wird es sich heiß anfühlen. Dies ist wahrscheinlich eine sehr häufige Erfahrung von Menschen mit Autismus: eine (unangenehme) Überraschung trotz bewusstem Verständnis für den Sachverhalt. Die Versuchspersonen mit Autismus in der Tilburger Studie „wussten"[65] genauso gut wie die Menschen ohne Autismus, dass ein Ton folgen würde, sobald sie mit der Maus klicken, aber als der Ton tatsächlich kam, schien es, als ob ihr Gehirn ihn nicht erwartet hätte.

In dieser Tilburger Studie waren die Geräusche, die auf den Mausklick folgten, identisch mit den Geräuschen im Paralleltest ohne Maus. Mit anderen Worten: Die (Un-)Vorhersagbarkeit des Reizes bestimmte die Reaktion des Gehirns, nicht der Reiz selbst. Unsere sensorischen Reaktionen werden nicht von den Reizen bestimmt, sondern von unseren Erwartungen oder Vorhersagen. Das Gehirn verarbeitet keine Reize, sondern Vorhersagefehler.

Bei der Wahrnehmung geht es also darum, Vorhersagen mit sensorischen Daten abzugleichen. Wenn das der Fall ist, müsste das Gehirn auch dann stärker reagieren, wenn ein Reiz erwartet wird, aber nicht eintritt. Die folgende Abbildung gibt einen Überblick über die verschiedenen Möglichkeiten bei der Wahrnehmung von Geräuschen:

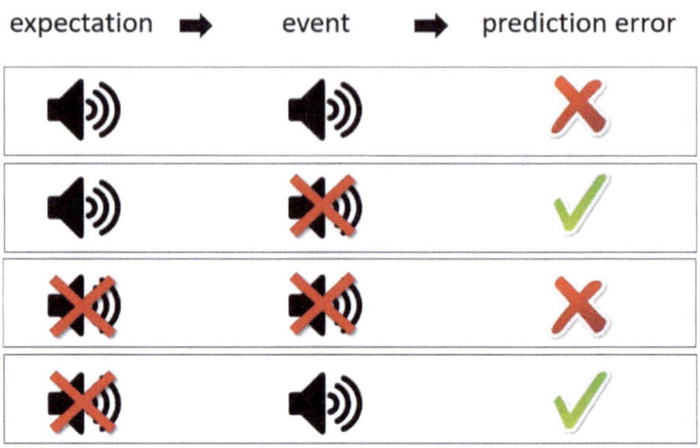

Wie Sie sehen können, tritt ein Vorhersagefehler auch dann auf, wenn Sie ein Geräusch erwartet haben, aber keines gekommen ist (die zweite Reihe im Bild). Unerwartete Stille kann genauso überraschend sein wie unerwartete Geräusche. Wie bereits erwähnt, klagen Menschen mit Autismus oft über die Belastung durch Geräusche. Aber wenn das Problem der Reizverarbeitung vor allem mit Unvorhersehbarkeit und Vorhersagefehlern zusammenhängt, müssten dann nicht Menschen mit Autismus auch stärker auf unerwartete Stille reagieren?

Das wollten die Forscher in Tilburg[66] überprüfen. Sie zeigten einer Gruppe junger Erwachsener mit und ohne Autismus wiederholt eine Reihe von Kurzfilmen. In den Filmen gab es immer jemanden, der klatschte, und in 90 % der Fälle gab es Ton und Bild. Wenn sich die Hände der Person(en) im Film berührten, hörten die Versuchspersonen alle ein Klatschgeräusch. In den restlichen 10 % der Fälle fehlte das Klatschen jedoch. Die „tonlosen" Filme wurden nach dem Zufallsprinzip mit den normalen Filmen gemischt, sodass die Reihenfolge nicht vorhersehbar war. Die Messung des N100-Potenzials der Versuchspersonen ergab, dass Jugendliche mit Autismus stärker auf das Ausbleiben des Klatschgeräusches reagierten als die nicht-autistischen Probanden. Obwohl die Stille für die jungen Menschen ohne Autismus genauso unvorhersehbar war, hatte ihr Gehirn ab einem bestimmten Punkt die Erwartung entwickelt, dass von Zeit zu Zeit eine unerwartete Stille anstelle des erwarteten Klatschgeräusches auftreten würde. Dies war bei den Jugendlichen mit Autismus nicht der Fall: Für sie kamen die gelegentlichen und zufälligen Phasen ohne Geräusch weiterhin überraschend und lösten eine starke mentale Reaktion aus. Ihr Gehirn schien diese zufälligen Variationen nicht als Rauschen/Interferenz zu interpretieren und sie daher ernster zu nehmen, als es nötig gewesen wäre.

Die Reaktionsstärke des Gehirns auf sensorische Reize hängt von der Bedeutung ab, die das Gehirn dem Unterschied zwischen seinen Vorhersagen und den empfangenen sensorischen Signalen zuordnet.

Diese Studie hat einmal mehr deutlich gezeigt, dass es Menschen mit Autismus schwerer als anderen fällt, sich sowohl an Reize als auch an deren Abwesenheit zu gewöhnen.

Infolgedessen ist ein autistisches Gehirn auch weiterhin überrascht, wenn dies bei einem nicht-autistischen Gehirn schon längst nicht mehr der Fall ist.

Manchmal wird Menschen mit Autismus der Rat gegeben, sich häufiger den problematischen Geräuschen auszusetzen, in der Annahme, dass sie sich dadurch besser an das betreffende Geräusch gewöhnen können. Ganz so einfach ist es leider nicht. Das ist auch logisch: Das Problem hängt nicht mit dem Reiz selbst zusammen, sondern mit dem Vorhersagefehler, den er verursacht. Wenn wir Menschen mit Autismus bei ihren sensorischen Problemen helfen wollen, müssen wir etwas gegen die Vorhersagefehler tun. Und wie soll das gehen? Das werde ich Ihnen später erklären.

Wie wir im vorigen Kapitel gesehen haben, fehlt dem autistischen Gehirn im Umgang mit Vorhersagefehlern die notwendige Kontextsensitivität. Die Reaktionsstärke des Gehirns auf sensorische Reize hängt von der Bedeutung ab, die das Gehirn dem Unterschied zwischen seinen Vorhersagen und den empfangenen sensorischen Signalen zuordnet. Und diese Bedeutung hängt vom Kontext ab.[67] Wenn das Gehirn allen Vorhersagefehlern, die im jeweiligen Kontext unwichtig sind, dennoch Aufmerksamkeit schenkt, kommt es zu einer Reizüberflutung.[68]

Daraus folgt, dass die Wiederholung eines Reizes nur in Kontexten, in denen das Gehirn Wiederholungen erwartet, zu weniger starken Reaktionen führt. Erwartet das Gehirn dagegen Abwechslung und Veränderung, führt eine solche Wiederholung zu Vorhersagefehlern und Überraschung. Wenn Ihnen im Zug jeden Tag eine andere Person gegenübersitzt, werden Sie überrascht sein, wenn es zwei Mal hintereinander plötzlich dieselbe Person ist.

Stellen Sie sich vor, ich zeige Ihnen mehrere Serien von zwei Karten. Bei der ersten Sitzung zeige ich Ihnen immer zuerst eine Karte mit dem Bild eines Fahrrads. In

75 % der Fälle ist auf der zweiten Karte, die ich Ihnen zeige, ebenfalls ein Fahrrad zu sehen. In den anderen 25 %, also in einem von vier Fällen, ist auf der zweiten Karte kein Fahrrad, sondern ein Löwe. In der zweiten Sitzung mache ich es anders. Auf der ersten Karte, die ich Ihnen zeige, ist jetzt eine Schildkröte. In 75 % der Fälle ist auf der zweiten Karte ein Auto. In den restlichen 25 % zeigt die zweite Karte eine zweite Schildkröte. Folgendes Diagramm soll dies verdeutlichen:[69]

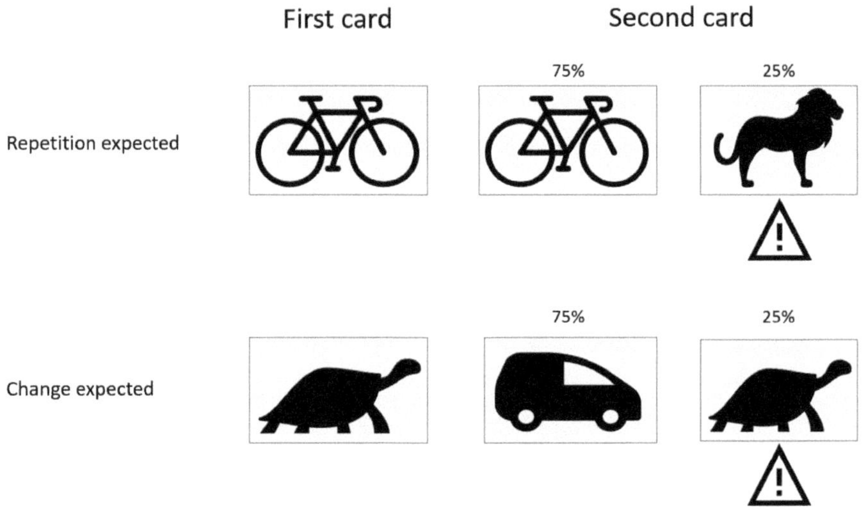

In der ersten Sitzung erwartet Ihr Gehirn Wiederholungen. Folglich ist der Löwe eine unerwartete Veränderung. Aber in der zweiten Sitzung wird Ihr Gehirn nach kurzer Zeit etwas anderes als eine Schildkröte erwarten. Wenn Sie also eine Schildkröte sehen, ist das eine unerwartete Wiederholung. Die Ausrufezeichen im Diagramm stehen also für Vorhersagefehler.

Dies war die Grundlage eines Experiments, das von Christian Utzerath[70] und seinem Team an der Radboud Universität in Nijmegen (Niederlande) durchgeführt wurde. Zu den Versuchspersonen gehörten junge Menschen mit und ohne Autismus. Die Reaktionen ihrer Gehirne auf die verschiedenen Karten und Bilder wurden mit einem fMRI-Scanner aufgezeichnet.

Die Forschung hat immer wieder gezeigt, dass die Reaktion des Gehirns auf einen bestimmten Reiz allmählich nachlässt, wenn er häufig wiederholt wird. Dies ist sowohl bei Menschen mit Autismus als auch bei Menschen ohne Autismus der Fall. Die Theorie des prädiktiven Gehirns sagt außerdem voraus, dass erwartete Ereignisse eine geringere Gehirnaktivität hervorrufen als unerwartete Ereignisse. Das war bei den jungen Menschen ohne Autismus im Nijmegen-Experiment auch der Fall, sowohl bei den erwarteten Wiederholungen als auch bei den erwarteten Veränderungen. Die Gehirnaktivität der jungen Menschen mit Autismus nahm jedoch nicht ab. Ganz im Gegenteil. In dieser Hinsicht erinnern die Ergebnisse von Nijmegen an die Schlussfolgerungen, zu denen Rebecca Lawson in ihrem Labor in London gekommen war: Autistische Gehirne sind weiterhin überrascht, auch wenn dies nicht (nicht mehr) notwendig wäre.

Im Rahmen ihres Promotionsstudiums führte Judith Goris[71] eine ähnliche Studie durch, bei der nicht Bilder, sondern Töne verwendet wurden. Sie bat eine Gruppe von Versuchspersonen mit und ohne Autismus, sich 100 kurze Klangfragmente von fünf identischen Tönen anzuhören. Gelegentlich war der fünfte Ton jedoch anders. Das Hören eines anderen Tons in einer Reihe identischer Töne löste natürlich einen Vorhersagefehler aus, der im Gehirn durch Messung des elektrischen Potenzials überwacht werden konnte, das automatisch und unbewusst erzeugt wird, wenn eine Veränderung in einem sich wiederholenden Klangmuster auftritt.[72] Wie sehr Ihr Gehirn unter diesen Umständen überrascht wird, hängt vom Kontext ab. Wenn der abweichende Ton nur selten vorkommt, reagiert das Gehirn stärker darauf, als wenn der abweichende Ton mit größerer Regelmäßigkeit angeboten wird, weil die Abweichung dann eher mit der Erwartung des Gehirns übereinstimmt. Dieser Unterschied zwischen mehr und weniger erwarteten Abweichungen ist etwas, das Judith Goris und ihr Team bei den Versuchspersonen ohne Autismus deutlich gesehen haben. Bei den Versuchspersonen mit Autismus war dieser Unterschied geringer. Auch hier hat das Gehirn seine Reaktionen auf unerwartete Reize nicht an den Kontext angepasst. Darüber hinaus muss angemerkt werden, dass es sich hier um unbewusste Reaktionen handelt, denn die Gehirnscans zeigten, dass es auch Menschen mit Autismus bewusst war, dass der Klang des Tons gelegentlich variieren konnte.

Das autistische Gehirn scheint, vor allem auf der unbewussten Ebene, auf mögliche Veränderungen und Abweichungen vom Erwarteten mit zu wenig Kontextsensitivität zu reagieren. Infolgedessen ist es zu wenig überrascht, wenn es überrascht sein sollte (hyporeaktiv), und vor allem zu sehr überrascht, wenn eine Ausnahme im Rahmen des Erwartbaren liegt (hyperreaktiv).

Diese Ausnahme kann entweder ein Reiz oder das Fehlen eines Reizes sein. Oder eine unerwartete Wiederholung oder eine unvorhergesehene Veränderung. Ich weiß, dass dies kompliziert klingt, aber es macht zumindest deutlich, dass die sensorischen Probleme bei Autismus nicht so direkt und einfach sind, wie sie manchmal dargestellt werden.

Ihre Schwierigkeit, die sensorischen Erwartungen flexibel auf den sensorischen Input abzustimmen, ist der Hauptgrund dafür, dass es Menschen mit Autismus schwerer fällt, sich an Reize zu gewöhnen, und dass viele autistische Menschen unter Reizüberflutung leiden: Ihr Gehirn befindet sich in einem ständigen Alarmzustand, weil es die Unvorhersehbarkeit der Welt zu ernst nimmt. Infolgedessen reagiert es systematisch zu stark auf Vorhersagefehler. Zufällige Ausnahmen und im jeweiligen Kontext irrelevante Unterschiede werden überbewertet und führen zu einer unnötigen Aktualisierung der hirneigenen Modelle von der Welt. Dies wiederum führt zu Modellen, die für die meisten Situationen zu spezifisch sind, sodass die Zahl der Vorhersagefehler weiter zunimmt, was zu einer immer stärkeren Überstimulation führt. Das nachstehende Diagramm veranschaulicht diesen Teufelskreis, dem Menschen mit Autismus jeden Tag ausgesetzt sind.

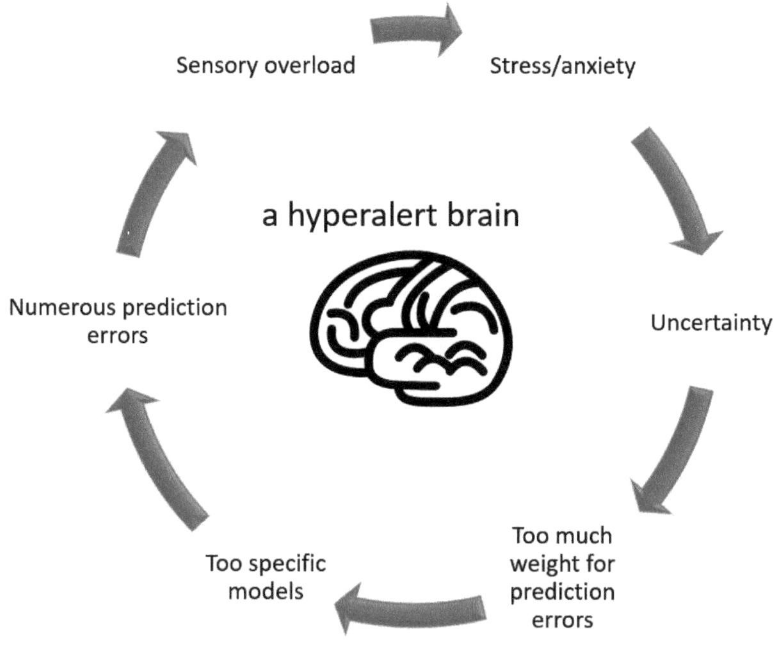

Angst, Stress und Verunsicherung sind Schlüsselelemente der Reizüberflutung in unvorhersagbaren Situationen.[73] Wenn wir Menschen mit Autismus bei der Bewältigung dieser Symptome unterstützen wollen, dürfen wir uns nicht in erster Linie auf die Reize selbst konzentrieren, sondern auf die Hyperreaktivität, die sie im Gehirn hervorrufen. Und da sich die sensorische Hyperreaktivität nicht in den sensorischen Arealen des Gehirns, sondern im limbischen System manifestiert, müssen wir unsere Aufmerksamkeit in erster Linie darauf richten.

Leider konzentriert sich der derzeitige Ansatz zum Umgang mit Reizüberflutung in erster Linie (fast ausschließlich) auf die Beseitigung und Reduzierung von Reizen. „Reizreduzierung" ist das neue Schlagwort in der Welt des Autismus. Und autismus- oder wahrnehmungsfreundlich ist gleichbedeutend mit reizfrei oder reizarm. Was Menschen mit Autismus angeblich brauchen, ist Ruhe, gedämpftes Licht und so wenig Menschen wie möglich um sie herum. Manche Supermärkte bieten jetzt „autismusfreundliche" Einkaufszeiten an, in denen die Hintergrundmusik abgestellt, das Licht gedämpft und die Kassierer angewiesen werden, nicht mit den Kunden zu sprechen. Reizarme Jahrmärkte, wahrnehmungsfreundliche Klassenzimmer, reizarme Partys. Denken Sie jetzt bitte nicht, dass ich gegen eine Reduzierung von Sinneseindrücken bin. Im Gegenteil: In der hektischen Welt, in der wir leben, sind die wenigen Momente des Tages, in denen wir nicht mit sensorischem Input bombardiert werden, ein Segen. Viele Menschen genießen Ruhe und Stille, gedämpftes Licht, weiche Texturen und weniger Trubel und Hektik. Nicht nur Menschen mit Autismus brauchen gelegentlich eine sensorische Feuerpause. „Low Stimulation" ist etwas, das wir alle von Zeit zu Zeit gebrauchen können. Aber es gibt auch eine Kehrseite dieser Medaille, derer wir uns bewusst sein müssen: Autismusfreundlich bedeutet nicht unbedingt und automatisch „reizarm". Ein Erwachsener mit Autismus antwortete einmal auf einen meiner Tweets zu diesem Thema mit den folgenden Worten: „Ich bin kein großer Fan von diesen autismusfreundlichen Einkaufszeiten. Okay, sie drehen das Licht runter und dämpfen die Musik, aber das bedeutet nur, dass ich jetzt die Schritte der anderen Kunden und das Summen der Kühltruhen hören kann. Ich glaube, ich mochte die Musik lieber; die war wenigstens entspannend!"

‚Reizreduzierung' ist das neue Modewort in der Welt des Autismus.

Zum Umgang mit Reizüberflutung wird derzeit am häufigsten folgende Vorgehensweise gewählt:

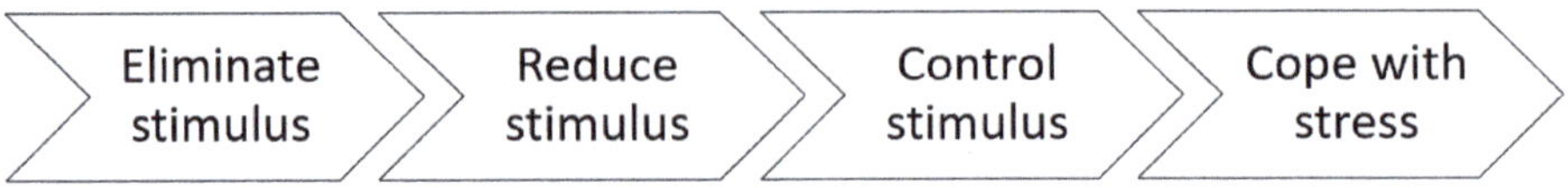

Versuchen Sie zunächst, den Reiz zu beseitigen. Wenn das nicht gelingt, versuchen Sie, ihn zu reduzieren. Wenn auch das scheitert, versuchen Sie, der Person mit Autismus eine gewisse Kontrolle über den Reiz zu geben. Wenn das immer noch nicht hilft, bringen Sie der Person bei, wie sie mit dem Stress, der durch den Reiz verursacht wird, besser umgehen kann. Leider bringt dieses Verfahren nur selten Erleichterung, denn es basiert auf der Computermetapher „Input-Verarbeitung-Output", von der wir heute wissen, dass sie nicht der Funktionsweise des Gehirns entspricht. Das Gehirn verarbeitet keine Reize, sondern es sagt sie voraus. Gleichzeitig ist es bestrebt, die Zahl seiner Vorhersagefehler zu minimieren, denn das schafft geistige Ruhe und Ausgeglichenheit. Mehr noch: Das Gehirn tut beides mit einem großen Kontextverständnis. Auf der Grundlage der Theorie des prädiktiven Gehirns müssen wir eine alternative und ganz andere Strategie für den Umgang mit sensorischen Problemen, insbesondere bei Hyperreaktivität, entwickeln.

Nicht nur Menschen mit Autismus brauchen gelegentlich eine sensorische Feuerpause.

Zuallererst dürfen wir nicht davon ausgehen, dass „reizarm oder reizfrei" automatisch „autismusfreundlich" bedeutet. Anna Remington vom Centre for Research in Autism and Education (CRAE) in London kam kürzlich zu dem Schluss, dass die Umwandlung von Klassenzimmern in reizarme Orte nicht unbedingt das ist, was Kinder mit Autismus brauchen, wenn sie in der Schule ihr Bestes geben sollen.[74] Entgegen der allgemeinen Erwartung scheinen Kinder mit Autismus sehr wohl in der Lage zu sein, ihre Aufmerksamkeit aufrechtzuerhalten, selbst wenn im Hintergrund irgendwelche irrelevanten Dinge vor sich gehen. Remington ist der Meinung, dass die Reduzierung des sensorischen Inputs sogar einen negativen Effekt haben könnte, weil Kinder mit Autismus eine größere Wahrnehmungskapazität haben und daher Input brauchen, um konzentriert zu bleiben.

Um Menschen zu helfen, die Schwierigkeiten haben, mit der sensorischen Umgebung klarzukommen, mag es naheliegend sein, Reize zu eliminieren oder zu reduzieren und ein reizarmes Umfeld zu schaffen, aber das ist nicht die beste Strategie. Wie bereits erwähnt, sind die Reize selbst nicht das eigentliche Problem. Die sensorischen Probleme bei Autismus haben nichts mit einer Überempfindlichkeit gegenüber Reizen zu tun und sind daher eigentlich gar nicht sensorischer Natur. Autistische Gehirne sind nicht – ich wiederhole: nicht – empfindlicher für Licht, Geräusche, Berührungen etc.

Zweitens sollten wir nicht vergessen, dass die Reduzierung der Reize, denen autistische Personen ausgesetzt sind, im Laufe der Zeit zu vermehrtem Auftreten von Reizüberflutung führen kann. Wenn jemand von einem bestimmten Reiz gestresst wird, kann die Reduzierung der Häufigkeit dieses Reizes eine unmittelbare Erleichterung in Form von größerer Ruhe im Gehirn dieser Person bringen, aber langfristig macht diese Reduzierung das Gehirn noch empfindlicher für diesen Reiz. Warum? Weil es sein Modell der Welt entsprechend anpasst.

Ein Beispiel: Kopfhörer mit Geräuschunterdrückung sind eine großartige Lösung für Menschen, die von bestimmten Geräuschen gequält werden. Sie werden nicht mehr von Vorhersagefehlern geplagt, weil sie keinen unerwarteten Geräuschen mehr ausgesetzt sind. Aber wenn sie die Kopfhörer zu oft und zu lange tragen, wird ihr Gehirn schließlich „lernen", dass die Welt ein ruhiger Ort ist, und wird dann sein Modell der Welt anpassen, um dieses neue „Wissen" abzubilden. Wenn sie dann in Zukunft wieder Lärm ausgesetzt sind (was auf die Dauer unvermeidlich ist), auch wenn es sich nicht um laute Geräusche handelt, wird ihr Gehirn durch den nun unverhältnismäßig großen Vorhersagefehler überrascht und sie werden dadurch überreizt.

Jedes Lebewesen auf der Erde besitzt ein Gehirn, das an seine Umgebung angepasst ist. Je tiefer beispielsweise ein Meerestier im Ozean lebt, desto weniger Fotorezeptoren, also Zellen in der Netzhaut, die auf Licht reagieren, hat es.

Dieser Anpassungsprozess vollzieht sich schnell, vielleicht nicht so sehr auf der Ebene der Entwicklung der Sinnesorgane, aber auf jeden Fall bei der Konstruktion neuer Modelle im Gehirn. Erinnern Sie sich an die „Gummihand"-Täuschung, bei der das Gehirn nur wenige Minuten brauchte, um dem Modell des eigenen Körpers ein neues Körperteil hinzuzufügen? Dies verdeutlicht einmal mehr, dass die Eliminierung von Reizen zwar kurzfristig eine beruhigende Wirkung haben mag, langfristig aber noch unangenehmere und schmerzhaftere Folgen haben kann, weil das Gehirn ein neues Modell der Welt konstruiert, das noch stärker von Ihrer tatsächlichen Umgebung abweicht. Kurz gesagt, es erschafft eine falsche Welt in Ihrem Kopf, die weniger laut, weniger hell, weniger überfüllt etc. ist, als es die reale Welt jemals sein kann. Dies erklärt, warum die sensorische Deprivation – das Abschneiden des Zugangs zu jeglicher sensorischer Information – als eine Form der Folter angesehen wird.

Die Gefangenen sind manchmal tagelang oder sogar wochen- oder monatelang in einer schallisolierten Zelle eingesperrt, in der alles entweder stockdunkel oder blendend weiß ist, sodass es keine Schatten gibt. Sie erhalten Nahrung ohne Geschmack, und in manchen Fällen werden sie sogar körperlich fixiert, damit sie sich nicht mehr bewegen und berühren können. Nach einiger Zeit sind die Auswirkungen furchtbar: Zusätzlich zu Angstzuständen, Halluzinationen und bizarren psychotischen Gedanken erleben sie die Welt, sobald ihre Sinne wiederhergestellt sind, als erschreckend wild und intensiv. Selbst gedämpftes Licht erscheint unerträglich stark, und Flüstern kann sich anhören, als würde einem jemand ins Ohr schreien. Ihr Gehirn kann kaum noch Sinneseindrücke ertragen, und jeder Reiz ist eine Quelle von Schmerz, Schmerz und nochmals Schmerz.

Autistische Gehirne sind nicht – ich wiederhole: nicht – empfindlicher für Licht, Geräusche, Berührungen etc.

Wenn Sie also nicht garantieren können, dass Sie den Rest Ihres Lebens in einer superruhigen Umgebung verbringen werden, ist das Tragen von Kopfhörern mit Geräuschunterdrückung für die meiste Zeit des Lebens keine gute Idee. Das Gleiche gilt für das ständige Tragen einer Sonnenbrille, was ich bei Menschen mit Autismus immer häufiger beobachten kann.

Wenn wir Menschen helfen wollen, ihre sensorischen Probleme zu lindern, ist es sinnvoll, über den Tellerrand zu schauen und zu sehen, wie die Welt jenseits des Autismus mit sensorischen Problemen umzugehen versucht.

Mindestens 3 % der Bevölkerung leiden an Hyperakusis. Die Betroffenen sind also überempfindlich gegenüber Geräuschen. Geräusche, die für andere Menschen

„normal" zu sein scheinen, sind für Menschen mit Hyperakusis störend, unerträglich oder sogar schmerzhaft. Die Betroffenen unterliegen demselben Teufelskreis, den wir bei der erhöhten Alarmbereitschaft gegenüber Reizen bei Menschen mit Autismus beschrieben haben. Da die meisten Geräusche zu einem unangenehmen Erleben führen, wird das Gehirn bei diesen Geräuschen aufmerksamer denn je. Infolgedessen misst es den vom auditorischen System übertragenen sensorischen Signalen mehr Gewicht bei. Dies führt zwangsläufig zu mehr Vorhersagefehlern, sodass eine Art unbewusster Reflex entsteht, eine Stressreaktion im limbischen System des Gehirns. Diesen Stress erleben Menschen mit Hyperakusis fast ständig, während er bei anderen Menschen nur dann auftritt, wenn ein unerwartetes und lautes Geräusch in der unmittelbaren Umgebung ausgelöst wird, wie z. B. bei einem Feueralarm.

Vor diesem Hintergrund wissen Hyperakusis-Experten, dass sie ihre Aufmerksamkeit auf das limbische System richten müssen, wenn sie die Beschwerden ihrer Patienten lindern wollen. Weil es die Situation nachweislich eher verschlimmert als verbessert, wird diesen Patienten nicht empfohlen, ständig einen Gehörschutz zu tragen oder zu versuchen, die störenden Geräusche und Klänge zu vermeiden. Die empfohlene Behandlung besteht stattdessen aus Entspannungsübungen und kognitiver Verhaltenstherapie. Um die Ängste der Betroffenen abzubauen, werden sie dazu angeleitet, anders über Geräusche zu denken. Eine der angewandten Techniken ist die akustische Therapie, bei der die Patienten mit „Rauschen" konfrontiert werden. Dabei handelt es sich nicht um irgendein Geräusch, sondern um die Art von Geräusch, die ein nicht richtig eingestelltes Radio erzeugt.[75] Geräusche ähnlicher Art werden auch bei der Behandlung von Tinnitus eingesetzt, einer Beeinträchtigung, bei der die Betroffenen Pfeifen, Summen, Zischen etc. hören, ohne dass tatsächlich ein äußerer Schall in ihre Ohren gelangt. Um diesen Zustand zu lindern, wird Tinnitus-Betroffenen oft geraten, in dem Raum, in dem sie sitzen, arbeiten, schlafen etc., eine Klimaanlage, einen Ventilator oder einen Diffusor einzuschalten, um das Geräusch in den Ohren zu überdecken.

Auf den ersten Blick erscheint diese Art der Behandlung seltsam. Warum sollte man jemandem Geräusche empfehlen, der bereits ernsthaft durch Geräusche beeinträchtigt wird? Und warum ausgerechnet „weißes Rauschen", das die meisten Menschen eher als störend und nicht als angenehm oder hilfreich empfinden? Auch hier bietet die Theorie des prädiktiven Gehirns eine Erklärung.[76] Weißes Rauschen ist ein sich ständig wiederholendes Geräusch, dem man (im Gegensatz zu Worten und Musik) nur schwer eine Bedeutung zuordnen kann. Wenn man diese

Art von Geräuschen hört, führt ihre monotone und vorhersehbare Natur nach einiger Zeit dazu, dass das Gehirn keine Vorhersagefehler mehr macht. Und das führt zu geistiger Ruhe. Vorhersehbarkeit und Gewissheit führen dazu, dass das Gehirn beginnt, sensorischen Informationen weniger Gewicht beizumessen, da ein Gehirn, das sich sicher ist, kein Feedback von den Sinnen benötigt. Das Gehirn wiederum schenkt dann den akustischen Signalen allmählich immer weniger Aufmerksamkeit. Es gibt jedoch noch einen zweiten, ebenso wichtigen Grund dafür. Da weißes Rauschen wenig oder keine Bedeutung hat, lernt das Gehirn, dass dieses Geräusch ignoriert werden kann, weil es nichts mitzuteilen hat und daher nur selten relevant ist. Es aktualisiert daher seine Modelle, um dieser Tatsache Rechnung zu tragen, was wiederum zu einer verminderten Aufmerksamkeit für Geräusche führt.

Da die Wahrnehmung eine Konstruktion des Gehirns ist, müssen wir unsere Bemühungen zur Lösung von Wahrnehmungsproblemen auf das Gehirn selbst und nicht auf externe Reize ausrichten. Dies gilt vielleicht noch mehr für Beschwerden wie den Tinnitus, der sich ausschließlich im Gehirn abspielt. Tinnitus ist vergleichbar mit dem sogenannten Phantomschmerz, bei dem es keinen sensorischen Input gibt, aber eine sehr deutliche und oft extreme Form der Sinneswahrnehmung.

Bevor wir uns näher mit diesem Thema befassen, sollten wir allgemein darauf hinweisen, dass die Welt des Autismus auch viel von den neueren Entwicklungen auf dem Gebiet der Schmerzbehandlung lernen kann, denn das Unbehagen, das Menschen mit Autismus durch Geräusche, Licht, Berührungen oder Druck erfahren, ist genauso unangenehm wie der eigentliche Schmerz.

Wie jede andere Form der Wahrnehmung findet auch der Schmerz im Gehirn statt. Chris Frith würde sagen, dass Schmerz eine Illusion ist.

Anil Seth würde ihn als Halluzination bezeichnen. Im alten Computermodell des Gehirns wurde Schmerz als die Erfahrung einer Schädigung oder Funktionsstörung irgendwo im Körper angesehen. Dieser Schaden wurde von den Schmerzrezeptoren des Körpers lokalisiert, und die notwendigen Schmerzsignale wurden an das Gehirn weitergeleitet.

Natürlich wissen wir alle, dass eine Schädigung unseres Körpers wahrscheinlich zu einer Schmerzerfahrung führt, aber das klassische „Input-Verarbeitung-Output"-Modell war nie in der Lage, drei damit zusammenhängende Schmerzphänomene zu erklären: Phantomschmerzen, die Tatsache, dass Schmerzen in hohem Maße kontextabhängig sind, und warum Placebos wirken.[77] Doch sobald wir beginnen, Schmerz als etwas zu betrachten, das sich ausschließlich im Gehirn abspielt und eng mit Vorhersagen und Erwartungen verbunden ist, gibt es für jedes dieser Phänomene plötzlich eine logische Erklärung. Wir müssen immer daran denken, dass das, was wir wahrnehmen, nicht die Welt ist, sondern unsere bestmögliche Vorstellung von der Welt und wie wir am besten auf sie reagieren können. Und das gilt auch für den eigenen Körper. Im Wesentlichen fragt sich das Gehirn: „Wird es diesem Körper noch eine Weile gut gehen oder nicht, und was muss ich tun, um vorherzusehen, was mit ihm und in ihm passieren könnte?"

Es sind die bewussten und vor allem die unbewussten Erwartungen, die wir an unseren Körper haben (insbesondere, ob wir Schmerzen zu erwarten haben und wenn ja, wie stark), die unser Schmerzerleben bestimmen. Dies wird sehr deutlich, wenn man sich die folgenden Geschichten zweier Bauarbeiter anschaut, die auf unterschiedliche Weise eine sehr intensive Begegnung mit einem Nagel hatten (mit einem spitzen Nagel aus Metall, nicht mit einem Fingernagel!).[78] Im Jahr 1995 wurde ein Mann von einer Baustelle in die Notaufnahme des Royal Infirmary in der englischen Stadt Leicester gebracht. Er war von einem Gerüst gesprungen und mit dem rechten Fuß auf einem 15 Zentimeter langen Nagel gelandet, der aus dem Boden ragte. Durch den Sprung drang der Nagel durch die Schuhsohle des Mannes und aus der Vorderkappe wieder heraus. Natürlich schrie er vor Schmerzen, und jeder Versuch, den Nagel zu entfernen, ließ ihn nur noch lauter schreien. Im örtlichen Krankenhaus konnte der Nagel dank einer großen Dosis Schmerzmittel schließlich entfernt und der Schuh ausgezogen werden. Und was stellte der behandelnde Arzt fest? Der Nagel war gar nicht durch den Fuß gegangen, sondern hatte sich zwischen die Zehen geschoben! Der extreme Schmerz, den der Mann erlebt hatte, war der Schmerz, den sein Gehirn unter den gegebenen Umständen erwartet hatte.

Zehn Jahre später schaffte es ein anderer Bauarbeiter, Patrick Lawler, mit seiner ebenso bemerkenswerten Geschichte in die amerikanische Presse. Nach einem anstrengenden Tag auf dem Bau, an dem er einige Stunden lang eine Nagelpistole bedient hatte, kam Patrick mit leichten Sehstörungen und vermeintlichen Zahnschmerzen nach Hause. Er dachte sich nichts dabei und ging am nächsten Morgen wieder zur Arbeit. Nach sechs Tagen waren die Zahnschmerzen jedoch immer noch da, und die Schmerzmittel wirkten nicht mehr.

Widerstrebend beschloss er, einen Termin bei seinem Zahnarzt zu vereinbaren. Der Zahnarzt konnte auf den ersten Blick an keinem seiner Zähne etwas feststellen und beschloss daher, ein Röntgenbild anzufertigen. Als er sich das Ergebnis ansah, konnte er kaum glauben, was er da sah. Patrick konnte es auch nicht: In seinem Kopf steckte ein drei Zentimeter langer Nagel! Die Nagelpistole musste versehentlich nach hinten losgegangen sein und einen zweiten Nagel nach oben statt nach unten geschossen haben, durch den offenen Mund in Patricks Gehirn, nur einen Zentimeter von seinem rechten Auge entfernt. Patrick hatte nichts von alledem mitbekommen, und sein Gehirn hatte die körpereigenen Signale von leichtem Schmerz und verschwommener Sicht gedeutet und „vermutet", dass es sich um Zahnschmerzen handeln musste ...

Brauchen Sie noch weitere Beweise? Schmerz ist, wie jede andere Form der Körper- und Sinneswahrnehmung, in erster Linie ein Produkt des Gehirns.

Bereits in den 1990er-Jahren entdeckten Forschende[79], dass man Schmerzempfinden durch einfache Informationen hervorrufen kann. Einer Gruppe sehr mutiger Versuchspersonen wurden zwei Elektroden auf den Kopf gesetzt. Die Elektroden waren mit einem Gerät (Stimulator) verbunden, und die Teilnehmenden informiert, dass das Gerät leichte elektrische Ströme durch ihr Gehirn leiten würde. Man versicherte ihnen, dass diese Ströme harmlos seien, aber vorübergehend Kopfschmerzen verursachen könnten. In Wirklichkeit erzeugte das Gerät lediglich ein brummendes Geräusch, wenn es Strom übertragen sollte. Der Stimulator war außerdem mit einer Drehscheibe ausgestattet, die die Versuchspersonen sehen konnten.

Die Forscher taten so, als würden sie den Stimulator aktivieren, und drehten die Scheibe allmählich höher und höher. Jedes Mal, wenn sie dies taten, wurde das Brummgeräusch lauter und lauter. Die Versuchspersonen sollten angeben, ob und wie stark sie Schmerzen verspürten, wenn der Regler eine Stufe höher gedreht wurde. Mehr als die Hälfte gab an, dass sie irgendwann während des Experiments Schmerzen verspürt hatten, obwohl ihnen körperlich nichts zugefügt worden war.

Diese und ähnliche Studien, die zeigen, dass Schmerz eine Konstruktion des Gehirns ist, veranlassten den australischen Neurowissenschaftler Lorimer Moseley, den klassischen Ansatz zur Schmerzbekämpfung aufzugeben. Er entwickelte eine Form der Schmerzbekämpfung 2.0, die ganz auf den Prinzipien des prädiktiven Gehirns beruht. In seinem TED-Talk[80] erklärte Moseley, dass Schmerzsignale kein Bottom-up-, sondern ein Top-down-Phänomen sind. Mit anderen Worten, sie werden nicht vom Körper zum Gehirn gesendet, sondern vom Gehirn (wo sie entstehen) zum Körper. Wenn man also Schmerzen einfach durch Information auslösen kann, kann man sie auch durch Information vermindern oder beseitigen; insbesondere durch Information, die dafür sorgt, dass die (unbewussten) Vorhersagen des Gehirns weniger Schmerzen erwarten lassen.

Moseley hatte beobachtet, dass viele Patienten, die an einer schmerzhaften Kniegelenksarthrose litten, nach einer explorativen Voruntersuchung bereits weniger Schmerzen verspürten, auch wenn diese Operation nichts zur Verbesserung ihrer Situation beigetragen hatte. Vor diesem Hintergrund beschloss Moseley, ein etwas genaueres Experiment durchzuführen[81], bei dem sich die Patienten entweder einer echten explorativen Operation (Arthroskopie) oder einer „Placebo"-Operation unterziehen sollten: Es würde ein Schnitt im Knie gemacht, aber keine eigentliche Operation oder klinische Untersuchung durchgeführt werden. Moseley's Erwartungen wurden bestätigt: Die Patienten, die sich der Placebo-Operation unterzogen hatten, berichteten über dieselbe Verbesserung wie die Patienten, die sich einer Arthroskopie unterzogen hatten. Mehr noch: Sie berichteten nicht nur über weniger Schmerzen, sondern auch über eine Verbesserung der Kniefunktion.

Dieses Experiment spiegelt wider, wie die Theorie des prädiktiven Gehirns Wissenschaftler und Ärzte veranlasst hat, die Wirksamkeit von Placebo-Effekten völlig neu zu beurteilen.

Früher war man oft der Meinung, dass Placebos nur bei naiven und leichtgläubigen Menschen wirken, die durch eine „vorgetäuschte" Behandlung „ausgetrickst" werden können. Seitdem jedoch klar geworden ist, dass das Erleben von Körperempfindungen, inklusive Schmerzen, größtenteils eine mentale Konstruktion ist, die auf den Erwartungen des Gehirns beruht, hat der Einsatz von Placebos bei der Behandlung vieler (vor allem chronischer) Erkrankungen einen höheren und respektableren Stellenwert erhalten.[82] Die Vorstellung, behandelt zu werden, verändert das Erwartungs- und Vorhersagemuster in Ihrem Gehirn: „Meine Schmerzen werden nachlassen und es wird mir besser gehen!" Und je besser der Arzt diese Erwartung verstärken kann, desto größer ist die Wirkung des Placebos, weil das Gehirn sein eigenes internes Modell höher einstuft als den Input, den es von den Sinnesorganen erhält. Das bedeutet im Grunde, dass der Arzt die Erwartungen etwas übertreiben muss, ohne dabei ins Reich der Fantasie abzugleiten: Ein optimistisches „Das ist ein neues, teures und superstarkes Schmerzmittel" wird mehr

Wirkung zeigen als ein trockenes „Manche Menschen haben weniger Schmerzen, wenn sie diese Pille nehmen".

Andere Faktoren wie die Größe und Farbe der Tablette spielen ebenfalls eine Rolle. Moseley würde noch einen Schritt weiter gehen. Die Schmerzerfahrung ist das Ergebnis einer sorgfältigen Abwägung und Bewertung von internen Vorhersagen gegenüber den vom Körper empfangenen Signalen. Dieser Bewertungsprozess verläuft unbewusst und blitzschnell. Wenn es jedoch möglich wäre, diese unbewussten Vorhersagen zu ändern, indem das Gehirn sein eigenes mentales Modell des Körpers verändert (vergleichbar mit der Gummihand-Illusion), könnte sich dies auf unser Schmerzempfinden auswirken? Zur Beantwortung dieser Frage entwickelte Moseley ein weiteres Experiment. Diesmal bat er Patienten mit schmerzhaften Hand- oder Fingergelenkbeschwerden eine Reihe von Bewegungen auszuführen, z. B. das Handgelenk zu drehen, die Finger abzuspreizen etc.

Dabei sollten die Patienten auch das betroffene Handgelenk, die Hand oder die Finger ansehen. Moseley wollte versuchen, diesen visuellen Input zu manipulieren. Zu diesem Zweck wurde im Experiment ein Binokular eingesetzt. Obwohl alle Patienten nach der erbetenen Hand-, Handgelenks- oder Fingerbewegung weiterhin über Schmerzen klagten, empfanden sie nach Betrachtung der Bewegung durch das Vergrößerungsglas mehr Schmerzen: Die Hand erschien größer, als sie tatsächlich war, und so fühlte sich auch der Schmerz größer an. Doch wenn sie das Binokular umdrehten, zeigte sich auch der gegenteilige Effekt: Die Hand wirkte nun kleiner und der Schmerz geringer! Aber das war noch nicht alles: Neben dem geringeren Schmerzempfinden ging auch die Schwellung der Hand zurück. Das „mentale Schrumpfen" des Problems wirkte sich nicht nur auf die Schmerzwahrnehmung des Gehirns aus, sondern auch auf die physischen Reaktionen des Körpers.[83]

An der University of Washington in Seattle (USA) steht das Gehirn im Zentrum der Behandlung von schweren Brandverletzungen, die besonders schmerzhaft sind. Die Professoren Hoffman und Patterson fanden heraus, dass Patienten, die während ihrer Behandlung ein Virtual-Reality-Spiel spielten – ein Spiel, bei dem sie Schneebälle auf Schneemänner und Pinguine warfen – weniger Schmerzen hatten als bei einer klassischen Behandlung.[84] Die Patienten wurden durch das Snow-World-Spiel abgelenkt und waren dadurch entspannter. Und ein entspannteres Gehirn misst den Sinneseindrücken weniger Bedeutung bei. Es gibt jedoch noch einen zweiten Grund, warum Snow World eine positive Wirkung hatte. Bei einem Spiel, das in einer kalten Umgebung stattfindet, selbst wenn es sich um eine virtuelle Umgebung handelt, erwartet das Gehirn, weniger Wärme/Hitze zu empfinden, und das spielt eine Rolle bei der Schmerzwahrnehmung nach Verbrennungen.

Die Behandlungsmethoden von Tinnitus, Hyperakusis und Schmerzen basieren auf den drei gleichen Grundpfeilern der Hirnfunktion:

- Sie orientieren sich an den Erwartungen des Gehirns – seinem eigenen Top-down-Feedforward – und nicht an sensorischen Reizen.
- Sie versuchen, die Bedeutung der sensorischen Information im Balanceakt des Gehirns zwischen erwartetem und tatsächlichem Input zu verringern.
- Sie fokussieren auf Stress und Ungewissheit und zielen daher in erster Linie auf das limbische System und nicht auf das sensorische System.

Vielmehr versuchen sie, den Teufelskreis, den wir auf S. 96 gesehen haben, zu durchbrechen und in einen positiven zirkulären Prozess zu verwandeln:

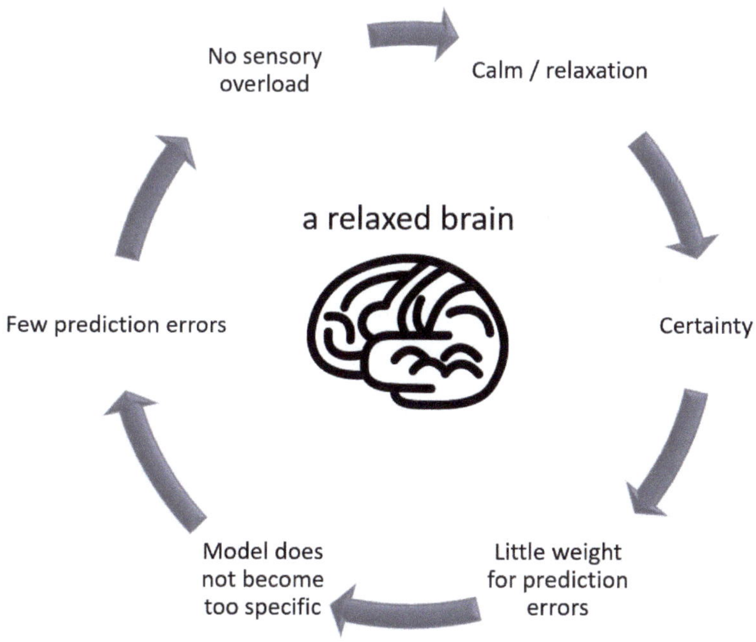

Was können wir daraus lernen, um unsere Methoden zur Bewältigung sensorischer Probleme, insbesondere sensorischem Overload, bei Autismus zu verbessern?

In erster Linie wird dadurch die Notwendigkeit eines radikalen Kurswechsels deutlich, vor allem bei unserer langfristigen Strategie. Wenn jemand unter dem Druck eines plötzlichen Tsunamis von Impulsen und Empfindungen psychisch zusammenbricht, ist es natürlich sinnvoll, sofort einen reiz- und erregungsarmen (low-arousal) Ansatz zu wählen. Für eine wirksame langfristige Hilfe ist jedoch mehr erforderlich als nur die Beseitigung oder Reduzierung von Reizen, denn letztlich ist es unmöglich, eine Welt ohne solche Reize zu erschaffen. Selbst wenn man es könnte, wäre dies nicht im Interesse der Menschen mit Autismus. Denn in einer Welt ohne Reize kann das Gehirn nichts lernen und niemals widerstandsfähiger werden.

Wir können jedoch das Gehirn im Umgang mit der sensorischen Umwelt widerstandsfähiger machen, indem wir versuchen, seine Vorhersagen und Modelle zu beeinflussen und das Stress-Problem anzugehen. Dies würde unsere Strategie in die folgende Schrittfolge umwandeln:

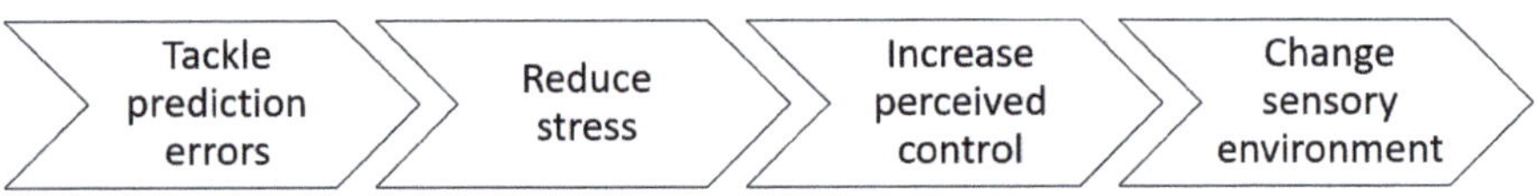

Da das Gehirn keine Reize, sondern Vorhersagefehler verarbeitet, müssen wir unsere Aufmerksamkeit zunächst auf diesen Aspekt richten. Das bedeutet, dass wir einen Weg finden müssen, um sowohl die Anzahl dieser Vorhersagefehler als auch die Bedeutung, die das Gehirn ihnen zuschreibt, von außen zu reduzieren. Wie genau können wir das konkret umsetzen?

Wir können dem autistischen Gehirn helfen, weniger Probleme mit Schwankungen des sensorischen Inputs zu erleben, wenn wir diese Schwankungen vorhersehbar und verständlich machen können, sodass das Gehirn ihnen nicht mehr unnötig viel Aufmerksamkeit widmen muss.

In einem ersten Schritt können wir die Anzahl der Vorhersagefehler reduzieren, indem wir die Kontext-Taste drücken. Aus den Untersuchungen bei Menschen mit Autismus, die wir in diesem und im vorigen Kapitel beschrieben haben, geht hervor, dass ein autistisches Gehirn mit Vorhersagefehlern in absoluten Größen umgeht. Es passt die Bedeutung, die es sensorischer Information zuordnet, nicht an den jeweiligen Kontext an. Wenn wir also die Reizüberflutung reduzieren wollen, müssen wir Menschen mit Autismus zunächst dabei unterstützen, Kontexte, insbesondere sensorische Kontexte, besser zu verstehen. Die Vermittlung von Vorhersagbarkeit für Menschen mit Autismus beschränkt sich i. d. R. darauf, ihnen zu sagen, was, wann, wo und mit wem passieren wird. Denken Sie z. B. an die klassischen Tagespläne, die oft verwendet werden, um Menschen beim Umgang mit Ereignisabläufen zu unterstützen. Solche Hilfsmittel bieten jedoch nur selten oder nie eine Vorhersagemöglichkeit in Bezug auf sensorische Aspekte.

Dinge wie:

„In der Klasse nebenan wird demnächst jemand Geburtstag feiern, wahrscheinlich hören wir dann die Leute lachen und singen."
„Neue Schuhe können sich anfangs etwas eng anfühlen, aber das lässt bald nach, wenn das Leder geschmeidiger wird."
„Wir sitzen direkt über der Kantine, es ist also gut möglich, dass Sie ab zehn Uhr Essensdüfte riechen werden."
„Wir werden bald mit dem Bus zum Museum fahren, und zu dieser Tageszeit könnte der Bus ziemlich voll sein."

Aber auch:
„Die Klasse von nebenan besichtigt heute eine Fabrik. Es wird also ruhiger sein als sonst."

Diese Beispiele machen deutlich, dass man bei der Vermittlung von Vorhersagbarkeit nicht versuchen sollte, genau vorherzusagen, welche Sinneseindrücke Menschen mit Autismus wahrscheinlich wahrnehmen werden. Das ist nicht möglich und auch nicht der Hauptgrund für das Drücken der Kontext-Taste. Die Kontext-Taste soll die unbewussten Erwartungen des Gehirns kontextsensitiver machen und damit verhindern, dass mögliche Variationen im Kontext nicht zu große Vorhersagefehler auslösen und in der Folge die Modelle des Gehirns zu präzise werden. Ähnlich wie bei den Tagesplänen geht es darum, Vorhersagbarkeit hinsichtlich möglicher Variationen zu schaffen. Notieren Sie in Ihrem Planer oder Tagebuch auch die Dinge, die jeden Tag passieren, wie Aufstehen, Frühstücken, Anziehen etc.? Nein, natürlich nicht! Für Menschen mit Autismus ist das auch nicht notwendig. Wir können dem autistischen Gehirn jedoch helfen, weniger Probleme mit Schwankungen im sensorischen Input zu haben, wenn wir diese Schwankungen vorhersehbar und erklärbar machen können, sodass das Gehirn ihnen nicht mehr unnötig viel Aufmerksamkeit widmen muss. Im Gegensatz dazu müssen Sie in Kontexten, in denen Variationen erwartet werden, das Gegenteil tun: nämlich die Tatsache vorhersagbar machen, dass sich nichts ändern wird („Die Playlist von heute wird die gleiche sein wie die von gestern.“).

Das Drücken der Kontext-Taste bedeutet auch, dass Sie so viel Klarheit wie möglich über den Kontext der Stimuli schaffen müssen. Stimuli verursachen bei Menschen mit Autismus Stress, weil sie nicht in der Lage sind, ihnen einen angemessenen Platz in ihrem mentalen Modell zuzuweisen. Und es sind nicht nur die unvorhersehbaren Reize, die zu Verunsicherung und Stress führen können; auch unklare, vage und mehrdeutige Reize können die gleiche beunruhigende Wirkung erzeugen.

Edward arbeitet ehrenamtlich für eine gemeinnützige Organisation, bei der er im Garten aushilft. Er wird oft durch das Bellen eines Hundes in einem der benachbarten Gärten gestört. Hunde kennen keine Uhrzeit und bellen den ganzen Tag über zu unregelmäßigen Zeiten. Das Bellen ist daher nicht vorherzusehen, was für Edward Stress bedeutet. Aufgrund der hohen Mauer, die die beiden Grundstücke voneinander trennt, kann er den Hund auch nicht sehen. Das macht die Situation noch unberechenbarer. Es bedeutet auch, dass Edward nicht weiß, warum der Hund bellt. Edwards Autismus-Coach geht mit ihm in den zweiten Stock des Hauses, in dem die Organisation ihren Sitz hat. Von dort aus kann er den Hund im Garten des Nachbarn sehen und erkennen, woher das Bellen kommt. Edward kann auch sehen, dass der Hund in einem Käfig gehalten wird, sodass er keine Bedrohung für ihn darstellt und ihn nicht gefährden kann. Der Autismus-Coach, der selbst einen Hund hat, erklärt Edward, warum Hunde bellen. Es bedeutet nicht immer, dass sie wütend sind oder jemanden angreifen wollen. Deswegen, so fügt der Coach hinzu, gibt es das bekannte Sprichwort: „Hunde, die bellen, beißen nicht.“

Dann erklärt er Edward weiter, dass der Hund vielleicht bellt, weil er ihn bei der Gartenarbeit hört und seinen Besitzer warnen will. Das ist die Aufgabe von Wachhunden.

Sie sind es nicht gewohnt, Geräusche im Nachbargarten zu hören, und deshalb bellen sie, um zu signalisieren, dass da jemand ist. Diese Erklärung, warum Hunde bellen, und die Tatsache, dass er sich nun selbst ein Bild von der Situation machen konnte, beruhigt Edward. Er mag zwar immer noch keine Hunde, aber zumindest stört ihn das Bellen des Nachbarhundes jetzt weniger bei der Arbeit.

Um die sensorische Umgebung vorhersagbar und verständlich zu machen, muss dies auf die richtige Weise und im richtigen Kontext geschehen. Es ist keine gute Idee, jemanden im Voraus auf Reize aufmerksam zu machen, vor denen er oder sie Angst hat oder fürchterlich findet. Unter diesen Umständen ist der Kontext nicht immer relevant oder nützlich. Wenn Sie darüber informiert werden, dass Sie in den nächsten Minuten Elektroschocks erhalten werden, trägt dies nicht gerade zu Ihrem Seelenfrieden bei. Wenn Sie Erbsen eklig finden, wird Sie die Nachricht, dass heute Abend Erbsensuppe auf dem Speiseplan steht, nicht in Vorfreude versetzen. Bei solchen Reizen, die bereits ein starkes negatives Image im Gehirn haben, ist es besser, sich auf Stressbewältigung zu konzentrieren als auf Vorhersage und Erklärung (siehe unten).

Wenn wir über das prädiktive Gehirn sprechen, meinen wir in erster Linie das unbewusste Gehirn. Beim Drücken der Kontext-Taste und dem Angebot von Vorhersagen und Erklärungen für Menschen mit Autismus, wie wir es oben beschrieben haben, geht es um das bewusste Gehirn. Doch selbst, wenn das bewusste Gehirn über die sensorische Umgebung informiert ist, heißt das nicht, dass das unbewusste Gehirn nicht mehr überrascht werden kann. Die autistischen Probanden bei den weiter oben in diesem Kapitel beschriebenen Experimenten waren sich i.d.R. der unerwarteten Geräusche und Bilder, die Teil dieser Experimente waren, im Voraus bewusst. Trotzdem reagierten ihre Gehirne mit Überraschung. Das bedeutet: Das Wissen um die bevorstehenden Ereignisse verhindert nicht immer die Entstehung von Vorhersagefehlern, die eine Reizüberflutung zur Folge haben können. Der langsamere und schwierigere Gewöhnungsprozess, den wir bei Menschen mit Autismus beobachten, hat in erster Linie mit dieser unbewussten Seite des Gehirns zu tun. Es wird die Kreativität von Forschern und Wissenschaftlern wie Moseley, Hoffman und Patterson erfordern, Strategien zu entwickeln, die es ermöglichen, sensorische Erwartungen und Vorhersagen auf dieser unbewussten Ebene zu verändern.

Als Antwort auf einen meiner Tweets über das prädiktive Gehirn und sensorische Probleme bei Autismus antwortete die Userin Samantha:
„Zu wissen, dass im Fitnesscenter Musik gespielt wird, reicht mir nicht. Die Musik überfordert mich weiterhin. Aber einmal haben sie „Irreplaceable“ von Beyoncé gespielt, und das war in Ordnung, weil ich das Lied so gut kenne und jeden Satz des Textes vorhersagen kann. Das zeigt, dass neben der Vorhersehbarkeit auch Vertrautheit und Vorliebe eine Rolle spielen. Und diese Faktoren sind in unserem unbewussten Gehirn verankert.“

Eines der Dinge, die wir aus Moseleys Experimenten lernen können, ist die Bedeutung von hoffnungsvollen Erwartungen. Es sind unsere Erwartungen in Bezug auf den Schmerz, die unsere Wahrnehmung des Schmerzes bestimmen. Wenn wir Schmerzen erwarten, empfinden wir Schmerzen und empfinden sie oft sogar stärker. Und wie bei anderen Formen der Stimulation, z.B. Lärm, findet die daraus resultierende Hyperaktivität hauptsächlich im limbischen System des Gehirns statt, also in unserem emotionalen Gehirn. Der Amerikaner Gil Sharvit und seine Schweizer Kollegen Vuilleumier und Corradi-Dell'Acqua[85] haben den Teil des limbischen Systems, der für die Schmerzverarbeitung zuständig ist, genau untersucht: die sogenannte Reilsche Insel, besser bekannt als Insula. Sie fanden heraus, dass nicht nur die spezifische Schmerzerwartung das tatsächliche Schmerzerlebnis verstärkt, sondern auch die allgemeinere Erwartung, dass etwas angenehm oder unangenehm sein wird. Dies ist nicht weiter verwunderlich, wenn man bedenkt, dass die Insula neben dem Schmerz auch an der Reaktion auf verschiedene andere, weniger angenehme Ereignisse und Reize beteiligt ist, wie z.B. Dinge, die uns empören oder vor denen wir uns ekeln. Das bedeutet, dass die Vorhersagen, die von der Insula[86] generiert werden, wahrscheinlich nicht schmerzspezifisch sind, d.h., „dies wird mir Schmerzen bereiten" führt zu derselben Vorhersage wie „dies wird nicht angenehm werden". Wenn wir das unter dem Gesichtspunkt positiver Erwartungen betrachten, könnte das bedeuten, dass der Placebo-Effekt nicht nur auf die Erwartung geringerer oder keiner Schmerzen beschränkt sein muss. Folglich kann es möglich sein, im emotionalen Gehirn eine allgemein positive Erwartung zu erzeugen („es wird gut werden", „es wird schon gut gehen" etc.), was wiederum die negativen Sinneserfahrungen in Grenzen hält. Gleichzeitig konnte in anderen Studien immer wieder ein Zusammenhang zwischen Optimismus und Schmerzwahrnehmung, vor allem auf der unbewussten Ebene, nachgewiesen werden.[87] Damit sich optimistische und positive Erwartungen positiv auf die Schmerzwahrnehmung auswirken können, müssen sie allerdings ausreichend glaubwürdig und realistisch sein,[88] ähnlich wie bei der Behandlung mit Placebos. Ein einfaches und übersteigertes „Hipp-hipp-hurra!" wird keine Auswirkungen auf unsere unbewussten Vorhersagen haben. Die Auswirkung optimistischer Erwartungen auf sensorischen Overload bei Menschen mit Autismus sind zwar bisher nicht wirklich erforscht worden. Es spricht jedoch nichts dagegen, dass die Effekte, die wir im Bereich der Schmerzwahrnehmung beobachten können, auch in anderen Bereichen der sensorischen Wahrnehmung gültig sein könnten. Der schwierigste Teil der Herausforderung besteht darin, das unbewusste Gehirn zu mehr Optimismus zu bewegen. Viele Menschen mit Autismus werden Ihnen einfach nicht glauben, wenn Sie Ihre mentale Unterstützung auf fadenscheinige Aussagen wie „Es wird schon gut gehen“ oder „Sie könnten es sogar angenehm finden“ beschränken. Sie müssen stattdessen einen Kontext schaffen, in dem eine Person mit Autismus entspannt ist, Vertrauen hat und ein Gefühl der Kontrolle empfindet (siehe weiter unten). Nur in einem solchen Kontext wird es möglich sein, den unbewussten Optimismus zu verstärken.

*Sie müssen einen Kontext schaffen,
in dem eine Person mit Autismus entspannt ist,
Vertrauen hat und ein Gefühl der Kontrolle empfindet.*

Verschiedene Studien haben gezeigt, dass sich auch autistische Gehirne an sensorische Reize gewöhnen können, auch wenn dies länger dauert. Wenn man einen autistischen Menschen dabei unterstützen will, sich an einen bestimmten Reiz zu gewöhnen – wenn man also das Modell des Gehirns aktualisieren will, sodass der Reiz nicht mehr so überraschend auftritt – muss man geduldig sein und einen (kleinen) Schritt nach dem anderen machen.

Als Kind hasste Temple Grandin Luftballons, weil sie plötzlich und unvorhersehbar platzen konnten. Rückblickend auf ihre Kindheit sieht sie heute eine bessere Möglichkeit, das Problem zu lösen: „Hätte ich damals selbst ein paar Luftballons zum Platzen bringen dürfen – zuerst einen halb aufgeblasenen, der nicht viel Lärm gemacht hätte, dann einen etwas größeren etc. – hätte ich wahrscheinlich Luftballons besser in meiner Nähe ertragen können.“[89]

„Aus Sicht der Theorie des prädiktiven Gehirns sind diese kleinen Schritte logisch. Indem man mit einem halb gefüllten Luftballon beginnt, der nur mit einem leichten „Knall“ platzt, hilft man einem autistischen Kind, dieses besondere Geräusch zu tolerieren und es „beherrschbar“ zu machen. Dieser Lernerfolg reduziert das Ausmaß der zukünftigen Angst. Weniger Angst bedeutet weniger Stress und mehr Selbstvertrauen, sodass das Gehirn der sensorischen Information weniger Gewicht verleiht. Kleinere Vorhersagefehler werden eliminiert und der Teufelskreis wird durchbrochen. Das wichtigste Element in Temples Geschichte ist jedoch die Tatsache, dass sie in der Lage sein wollte, den Ballon selbst zum Platzen zu bringen. Stimuli, die man selbst erzeugt, führen immer zu weniger (oder gar keinen) Vorhersagefehlern. Ebenso entscheidend ist, dass das Erzeugen eigener Stimuli ein Gefühl der Kontrolle vermittelt. Und wie wir auf den nächsten Seiten sehen werden, ist Kontrolle ein wichtiger Faktor im Kampf gegen sensorische Überlastung.

Autistische Gehirne können sich an sensorische Reize gewöhnen, auch wenn dies länger dauert.

Dies erklärt sofort, warum Selbststimulation oder „Stimming" bei Autismus so häufig beschrieben wird. Stimming ist eine Handlung oder Bewegung, die immer wieder mit dem Ziel wiederholt wird, eine bestimmte Art von Sinneswahrnehmung zu erzeugen. Zu den üblichen Stimming-Handlungen gehören das Schaukeln des Oberkörpers, Handbewegungen vor den Augen, Kaugummikauen, wiederholtes Summen derselben Melodie, Drehen von Münzen, Deckeln, Kreiseln etc. Während man früher versuchte, diese Verhaltensweisen abzutrainieren, weiß man heute, dass das keine gute Idee ist, denn die genannten Verhaltensweisen haben alle eine Funktion. In einer Welt voller Vorhersagefehler schaffen sie ein paar Momente der Vorhersagesicherheit. Sie sorgen für mentale Ruhe in Gehirnen, die sonst nur selten entspannt sind. Aus diesem Grund sollte Stimming, sofern es keinen Schaden anrichtet, als ein Element der Stressbewältigung bei Autismus akzeptiert werden.

Die Hyperreaktivität bei Autismus spielt sich weitgehend im limbischen System ab. Aus diesem Grund sollten wir uns auch auf diesen Bereich konzentrieren, wenn wir sensorische Probleme reduzieren wollen. Ungewissheit, Angst und Stress verursachen eine sensorische Überlastung.

Als Eltern kennen Sie wahrscheinlich auch hektische Tage, an denen Sie viel um die Ohren haben, alles schief läuft, und Ihre Kinder scheinbar mehr Lärm machen als sonst. Auch das ist eine Form der Reizüberflutung und man muss nicht unbedingt Autist sein, um sie zu erleben.

Ungewissheit, Angst und Stress verursachen eine sensorische Überlastung – und man muss nicht unbedingt Autist sein, um sie zu erleben.

Bei jedem Versuch, einer sensorischen Hyperreaktivität vorzubeugen, muss die Reduzierung von Stress ganz oben auf der Prioritätenliste stehen. Wie genau kann man das erreichen? Allein über dieses Thema könnte ich ein (weiteres) Buch schreiben, hier fehlt der Platz, um ins Detail zu gehen. Nur so viel: Anstatt zu versuchen, den Stress bei Menschen mit Autismus zu reduzieren, ist es wahrscheinlich klüger, eine andere und positivere Strategie zu verfolgen, nämlich einen Ansatz, der darauf abzielt, Glücksgefühle und Freude zu stärken.

Auch hier gibt es viele verschiedene Möglichkeiten, aber eine Verbindung zu den Interessen und Vorlieben der Betroffenen herzustellen, ist immer ein guter Ansatzpunkt. Wenn Sie sich die Reaktionen von Menschen mit Autismus auf meinen Vortrag in Birmingham in Erinnerung rufen, ist Ihnen dann irgendetwas an den Aussagen ungewöhnlich vorgekommen? Wenn Sie sich nicht erinnern können, gehen Sie ein paar Seiten zurück und lesen Sie sie noch mal.

Erkennen Sie es jetzt? Abgesehen davon, dass sie alle mit Unvorhersagbarkeit zu tun hatten, hatten die meisten von ihnen kein Problem mit Lärm, Druck und Berührung in Situationen, in die sie sich freiwillig begeben hatten, zur Pflege ihrer eigenen Interessen und Vorlieben. Niemand, und schon gar nicht jemand mit Autismus, würde zu einem Konzert mit 20.000 Menschen gehen, wenn er oder sie nicht Musik lieben würde und Fan der Band wäre, die dort spielt. Und es überrascht nicht, dass der Mann, der den Lärm eines aufheulenden Motors gut findet, auch ein großer Formel-1-Fan ist. Aktivitäten, die unseren Interessen und Vorlieben entsprechen, sind Tätigkeiten, die wir regelmäßig ausüben wollen. Dadurch werden wir mit ihnen vertrauter, und das macht sie vorhersagbarer. Aus der Sicht des prädiktiven Gehirns sind die Steigerung der Vorhersagefähigkeit und der Gewissheit im Kopf eines Menschen und die Verbindung mit seinen Interessen zwei Seiten derselben Medaille. Sie haben das wahrscheinlich noch nie so gesehen, aber das Angebot von Aktivitäten, die den Interessen einer Person mit Autismus entsprechen, führt auch dazu, dass das Gehirn dieser Person weniger auf Geräusche, Licht, Berührung etc. reagiert.

Eine weitere Möglichkeit, jemandem ein gutes Gefühl zu verschaffen, sind Tätigkeiten, die ihn in einen Flow-Zustand versetzen. Flow wurde als Konzept zuerst von dem amerikanischen Psychologen Mihaly Csikszentmihaly entwickelt und spielt in der positiven Psychologie eine wichtige Rolle. Sie befinden sich im Flow, wenn Sie so sehr in die Tätigkeit vertieft sind, dass Sie die Zeit und so gut wie alles andere aus den Augen verlieren. Eine Tätigkeit muss mehrere Voraussetzungen erfüllen, bevor sie Flow erzeugen kann: Spaß machen, selbst ausgesucht sein, einen klaren Zweck oder ein klares Ziel haben, Konzentration erfordern und anspruchsvoll sein, aber trotzdem erfolgreich erledigt werden können. Flow-Tätigkeiten sind ein ideales Mittel zur Ablenkung von einer unangenehmen und überwältigenden Sinneserfahrung. Deshalb hatte das Virtual-Reality-Spiel Snow World eine so positive Wirkung auf die Schmerzwahrnehmung von Patienten mit Brandverletzungen.

Zuvor sollten die Patienten von Hoffman und Patterson entspannende und angenehme Bilder betrachten. Damit konnte jedoch keine positive Wirkung auf das Schmerzempfinden erzielt werden. In diesem Kontext funktioniert die passive Entspannung nicht. Im Gegensatz dazu bietet Snow World eine aktive Form der Entspannung, die auch viele Flow-Kriterien erfüllt. Damit gelang, was die Bilder nicht schafften: Die Patienten waren so in das Spiel vertieft, dass die Schmerzen der Behandlung in den Hintergrund traten. Es mag seltsam klingen, aber die Fakten sprechen dafür: In jedem Konzept zur Bewältigung von Reizüberflutung und Missempfindungen bei Menschen mit Autismus sollten Flow-Aktivitäten enthalten sein.

Eine Welt ganz ohne unvorhersehbare Reize ist eine Illusion. Es gibt sie nicht und kann sie auch nicht geben. Und wenn es etwas Schlimmeres gibt als unvorhersagbare Reize, dann sind es unvorhersagbare und unkontrollierbare Reize.

Im Frühjahr 1969 spielten vier Kinder vor einem Wohnblock in der Bronx, einem der New Yorker Stadtbezirke. Plötzlich ertönte ein Schuss und eines der Kinder fiel tot um, während die anderen drei um ihr Leben rannten. Der Täter, ein Nachtschichtarbeiter, erklärte später bei der Polizei, der Lärm der Kinder habe ihn in den Wahnsinn getrieben und ihn am Einschlafen gehindert. Dieser tragische Vorfall veranlasste die beiden Psychologen David Glass und Jerome Singer, das Phänomen des urbanen Stresses zu untersuchen, d. h. Stress, der entsteht, wenn in Großstädten zu viele Menschen auf engem Raum zusammenleben. Dabei ist Lärm einer der entscheidenden Stressfaktoren. Glass und Singer führten eine Reihe von Experimenten durch und kamen zu dem beunruhigenden Ergebnis, dass Menschen durch unvorhersehbaren und unkontrollierbaren Lärm tatsächlich in den Wahnsinn getrieben oder zumindest sehr wütend werden können.

Sie setzten ihre Versuchspersonen einem nicht vorhersagbaren Geräusch mit einer Intensität von 108 dB aus, was sehr laut und unangenehm ist. Die Hälfte der Versuchspersonen hatte einen Knopf, den sie drücken konnten, um das schreckliche

Geräusch zu stoppen. Glass und Singer[90] baten sie, diesen Aus-Knopf so wenig wie möglich zu drücken, aber sie hatten zumindest die Möglichkeit, wenn der Lärm unerträglich wurde.

Die andere Hälfte der Versuchspersonen hatte keinen Aus-Knopf. Damit hatte die Gruppe mit dem Knopf ein gewisses Maß an Kontrolle über die Situation. Die Gruppe ohne den Knopf hatte keine Kontrolle. Aus den Berichten der Probanden der ersten Gruppe – von denen nur sehr wenige den Aus-Knopf tatsächlich benutzt hatten –, ging hervor, dass sie den Lärm als wesentlich weniger unangenehm empfunden hatten als die Probanden der zweiten Gruppe. Der Grad der Kontrolle hatte einen deutlichen Einfluss auf die Intensität der Wahrnehmung.

Menschen mit Autismus, die hyperreaktiv für Lärm, Licht, Berührung und Druck sind, benötigen keine ‚reizarme' Umgebung, sondern vor allem die Möglichkeit, die Reize in ihrer Umgebung zu kontrollieren.

In diesem Experiment hatte die erste Probandengruppe mit dem Aus-Knopf eine echte physische Kontrolle über ihre sensorische Umgebung. In einem späteren Experiment entdeckten Glass und Singer[91], dass diese Kontrolle nicht physisch sein muss: Allein die Vorstellung, über Kontrolle zu verfügen, kann sich ebenfalls positiv auf die Wahrnehmung auswirken. Diesmal wurden den Versuchspersonen beim Lösen von Rätsel-Aufgaben Elektroschocks verabreicht. Ihnen wurde gesagt, dass sie einen Schock erhalten würden, wenn sie ein Rätsel nicht lösen konnten. Aber bei jeder erfolgreichen Lösung würde ihnen der nächste Elektroschock erspart. Die Hälfte der Versuchspersonen bekam leichte Rätsel zu lösen, der anderen Hälfte wurden mehr oder weniger unlösbare Aufgaben gestellt. In Wirklichkeit erhielten alle Testpersonen die gleiche Anzahl von Schocks, unabhängig davon, ob sie die Rätsel gelöst hatten oder nicht. Aber die Probanden mit den leichten Rätseln hatten das Gefühl, dass sie die Anzahl der Schocks beeinflussen konnten (auch wenn das nicht der Fall war), und diese Illusion von „Kontrolle" hatte ein messbar niedrigeres Stresserleben zur Folge als bei der Gruppe mit den schweren Rätseln. In einem ähnlichen Experiment[92] erklärte sich eine Gruppe Studenten freiwillig (warum auch immer!) dazu bereit, zehn unangenehme Elektroschocks von jeweils sechs Sekunden Dauer zu ertragen. Im ersten Teil des Experiments wurden sie gebeten, einen Knopf zu drücken, sobald sie einen Schock spürten. Im zweiten Teil des Experiments wurde der Hälfte der Versuchspersonen gesagt, dass die Dauer des Schocks um 50 % auf nur drei Sekunden verkürzt würde, wenn sie den Knopf schnell genug drückten. Der anderen Hälfte wurde mitgeteilt, dass die Schocks im zweiten Teil nur noch drei Sekunden dauern würden. Mit anderen Worten: Alle erhielten Schocks von gleicher Dauer, aber die Hälfte der Gruppe glaubte, diese Dauer durch eigenes Handeln verkürzen zu können, wodurch sie wiederum deutlich weniger messbaren Stress (gemessen durch den Hautleitwert) erlebten.

Aus diesen Experimenten wird Folgendes ersichtlich: Wenn wir die sensorischen Probleme von Menschen mit Autismus reduzieren wollen, müssen wir ihnen, wo immer möglich, ein gewisses Maß an Kontrolle über ihre sensorische Umgebung geben. Und wo dies nicht möglich ist, müssen wir alles tun, um ihnen zumindest das Gefühl größtmöglicher Kontrolle zu vermitteln. (Und nein, ich sage nicht, dass wir Menschen mit Autismus bewusst „austricksen" sollten, wie es bei vielen Experimenten in den 1970er-Jahren der Fall war). Wie wichtig diese Kontrolle ist, wurde durch die Arbeit von zwei Forschern der Universität Glasgow deutlich.[93] Sie veranstalteten Sitzungen, in denen sechs Erwachsene mit Autismus eingehend zu ihrem sensorischen Erleben befragt wurden. Dabei wurde u. a. der Aspekt der Kontrolle angesprochen. Nach Ansicht der Teilnehmenden war das Vorhandensein oder Fehlen von Kontrolle ausschlaggebend dafür, ob Reize als positiv oder negativ empfunden wurden. Eine Frau drückte dies folgendermaßen aus: „Wenn ich unerwartet berührt werde oder wenn ich keine Kontrolle über die Situation habe, z. B., weil die andere Person größer und stärker ist als ich, empfinde ich diese Berührung viel unangenehmer, als wenn ich eine gewisse Kontrolle habe." Ein anderer Teilnehmer berichtete, dass er an seinem Arbeitsplatz zwar nicht die totale Kontrolle über die Umgebung habe, aber zumindest weniger Stress empfinde und bessere Leistungen erbringe, wenn er seine Kopfhörer aufsetzen und seine Lieblingsmusik hören könne, was sein Arbeitgeber erlaubt. Ein autistisches Gehirn will und braucht keine Welt ohne Vorhersagefehler. Es will eine Welt, in der es diese Fehler kontrollieren und bei Bedarf ihre Anzahl reduzieren kann.

Kurz gesagt, Menschen mit Autismus, die hyperreaktiv auf Lärm, Licht, Berührung und Druck reagieren, brauchen keine „reizarme" Umgebung, sondern vielmehr die Möglichkeit, die Reize in ihrer Umgebung zu kontrollieren.

Vor einiger Zeit wurden ich und einige Kollegen und Kolleginnen von einem Museum in der belgischen Stadt Gent kontaktiert, dem Haus von Alijn. Es handelt sich um eine Art Volkskundemuseum, das das Leben im Flandern des 20. Jahrhunderts zeigt. Mit allen Sinnen kann man eine Hochzeitszeremonie und einen Empfang im alten Stil erleben, sehen, wie die Menschen Weihnachten und Neujahr feierten, wohin sie gingen, was sie in den Ferien machten und wie sie ihre Freizeit verbrachten. Das Museum wollte die geplanten Renovierungsarbeiten zum Anlass nehmen, seine Ausstellungen autismusfreundlicher zu gestalten. Sie kannten die sensorischen Probleme autistischer Menschen und befürchteten, dass das Herzstück ihres Museums – die Präsentation von Sinneserlebnissen – nicht besonders autismusfreundlich sei. Im Ausstellungsraum, wo gezeigt wird, wie die Menschen früher ihr Frühstück aßen, riecht es z. B. stark nach Kaffee; bei der Hochzeitsfeier gibt es eine Auswahl von Musikstücken für den Eröffnungstanz der Brautleute etc. Lässt man all dies weg, gehen Herz und Seele des Museums verloren. Aber wenn man nichts ändert, wäre das Museum auch weiterhin für autistische Besucher nicht barrierefrei. Die Lösung bestand darin, Menschen mit Autismus die Kontrolle über ihre eigenen Sinneserfahrungen zu geben. Im Frühstücksraum gibt es jetzt einen Diffusor, der nur dann Kaffeeduft verströmt, wenn man die Nase dicht daranhält und draufdrückt. Ebenso kann man auf der Hochzeitsfeier nur Musik hören, wenn man einen bestimmten Knopf drückt. Da auch andere Personen diese Knöpfe drücken können, erhalten autistische Gäste auf Wunsch eine Tasche mit Noise-Cancelling-Kopfhörern und anderen Hilfsmitteln und Materialien, die den Museumsbesuch vorhersehbarer machen können.

Es gibt viele verschiedene Möglichkeiten, Menschen die Kontrolle über Situationen zu ermöglichen, und das gilt auch für Menschen mit Autismus und kognitiver Beeinträchtigung. Wenn jemand z. B. nicht mehr in der Lage ist, sich selbst zu waschen, können Sie ihn bei der Pflege entscheiden lassen, mit welchem Fuß Sie beginnen. Oder Sie können ihn an den verschiedenen Duschgels riechen lassen und ihn entscheiden lassen, welches er benutzen möchte. Sie können ihm auch die Wahl lassen, welche Kleidung er tragen möchte und mit welchen Texturen. Wenn es Dinge gibt, die die Betroffenen noch selbst tun können wie das Kämmen oder Bürsten der Haare lassen Sie sie das tun. Jede Handlung, die sie selbst ausführen können, gibt ihnen ein vorhersehbares sensorisches Feedback. Und keine Vorhersagefehler bedeutet keinen Stress …

Zusammengefasst: Beim Umgang mit Hyperreaktivität bei Autismus geht es in erster Linie darum, den Menschen ein gutes Gefühl, Vorhersehbarkeit und ein Gefühl der Kontrolle zu vermitteln.

2016 hatte ich die Ehre, auf der allerersten Konferenz von AsIAm zu sprechen, einer irischen Autismus-Organisation, die von meinem guten Freund Adam Harris geleitet wird. Bei Adam wurde ebenfalls Autismus diagnostiziert, und so war es kaum verwunderlich, dass er und sein Team alles taten, um die Konferenz so autismusfreundlich wie möglich zu gestalten.

Eine der vielen Neuerungen in dieser Hinsicht war die Einführung des „Flapplause", einer Form des Applauses, die ihren Ursprung in der Gehörlosen-Kultur hat und bei der man mit den Händen nicht klatscht, sondern wedelt und winkt. Es ist eine leise Form des Beifalls und schien daher für eine Veranstaltung mit vielen lärmempfindlichen Anwesenden sinnvoll. Ich persönlich war davon nicht überzeugt. Es mag zwar keinen Lärm machen, aber wenn zweihundert Leute mit den Händen fuchteln, ist das für Menschen mit visueller Überempfindlichkeit sicher eine große Menge an potenziell schwierigem Input! Dann gab es da auch noch die Frage der Vorhersehbarkeit. Als Adam den Flapplause ankündigte, äußerte der Mann, der neben mir saß, sofort seine Bedenken. Als ich ihn fragte, warum er als Autist mit der Idee des stillen Applauses nicht einverstanden sei, antwortete er: „Ich mag normalen Applaus. Das ist es, was ich bei Aufführungen und Konferenzen erwarte ..." Während der Mittagspause gab es einen Ruheraum für die autistischen Tagungsteilnehmer. Da dort Leute waren, die ich kannte, ging ich ebenfalls hinein. Nach ein paar Minuten startete ich eine informelle Umfrage über die Meinung von Menschen mit Autismus zum Klatschen oder Nicht-Klatschen.

Die (natürlich nur begrenzt aussagekräftigen) Ergebnisse zeigten, dass nur wenige Menschen mit Autismus ein Problem mit dem traditionellen Klatschen der Hände haben. Bei denjenigen, die das Klatschen als problematisch empfanden, war nicht das Geräusch selbst der entscheidende Faktor. Ganz im Sinne der Theorie des prädiktiven Gehirns bezog sich ihr Haupteinwand auf die schiere Unvorhersehbarkeit des Applauses: Er konnte jeden Augenblick einsetzen. Für die meisten war der Beifall am Ende eines Vortrags akzeptabel, sie hatten jedoch größere Schwierigkeiten mit spontanem Beifall in der Mitte des Vortrags, wenn der Redner beispielsweise etwas Besonderes oder Amüsantes gesagt hatte. Außerdem wussten sie nie, wie lange der Beifall dauern würde. Zehn Sekunden? Fünfzehn Sekunden? Länger? Und würden alle sitzen bleiben oder würden einige Leute aufstehen?

Ausgestattet mit diesen Informationen beschloss ich, mein eigenes Experiment zu autismusfreundlichem Beifall durchzuführen, ohne jedoch das traditionelle Klatschen mit den Händen abzuschaffen. Meine Lösung sah wie folgt aus:

- Mit ein wenig Humor und ein paar Scherzen sorgte ich für eine lockere und entspannte Atmosphäre, bevor der Moment kam, in dem die Leute applaudierten. Auf diese Weise habe ich das limbische System der Anwesenden angesprochen.
- Ich sagte ihnen, dass ich ein Experiment machen wolle und die einzige Person sei, die dabei scheitern könne. Ich fügte hinzu, dass ich genügend Vertrauen in die Belastbarkeit der Menschen mit Autismus im Auditorium habe, und mir sicher sei, dass sie mein Experiment überleben würden. Auf diese Weise versuchte ich, auf der unbewussten Ebene mehr Selbstvertrauen und Optimismus zu schaffen.
- Ich machte den Applaus vorhersehbar, indem ich genau sagte, wann er beginnen und wie lange er dauern würde, nämlich sechs Sekunden. Ein Zeitbalken auf der letzten Folie meiner PowerPoint-Präsentation sollte dies visuell verdeutlichen. Auf diese Weise gab ich den Menschen mit Autismus im Publikum das notwendige Maß an Vorhersehbarkeit, sodass sie wussten, was sie zu erwarten hatten, in der Hoffnung, dass dies ihre Vorhersagefehler minimieren würde.
- Ich teilte ihnen mit, dass jeder bei Bedarf gern die Ohrstöpsel benutzen könne, die in der Tragetasche waren, die wir alle zu Beginn der Konferenz erhalten hatten. Finger in die Ohren stecken war auch in Ordnung (aber vorzugsweise die eigenen Finger in die eigenen Ohren!), das habe ich mit einigen lustigen Bildern auf meinen Folien visualisiert, ebenfalls mit der Absicht, ein gutes Gefühl zu vermitteln.

Im Zweifel könne auch jeder den Saal verlassen, bevor der Beifall einsetzt. Mit dieser Ansage versuchte ich, bei jedem ein Gefühl der Kontrolle über den Beifall zu erzeugen. Obwohl viele Menschen mit Autismus im Auditorium waren, hat sich niemand entschieden, den Saal zu verlassen. Aber das hatte ich auch mehr oder weniger erwartet. Die überwiegende Mehrheit war neugierig auf das Ergebnis des Experiments, und alle Augen waren auf mich gerichtet, als der Moment des Applauses nahte (womit ich meine eigene Snow World-ähnliche Ablenkung erzeugte). Als der Applaus einsetzte, brachen die meisten auch in Gelächter aus und mussten sich zurückhalten, ein zweites Mal zu applaudieren (was ich verboten hatte, um die vereinbarte Vorhersehbarkeit nicht zu gefährden). Alles in allem war das Experiment ein großer Erfolg, und seither haben Adam und sein Team bei nachfolgenden Konferenzen stets autismusfreundlichen Applaus anstelle von Flapplause verwendet. Allerdings gab es an diesem Tag mindestens eine autistische Person im Auditorium, die eine kleine Kritik an der Verfahrensweise hatte. Er kam hinterher auf mich zu und sagte mit lauter Stimme, dass der Applaus 5,85 Sekunden gedauert habe und nicht die versprochenen sechs Sekunden! Er hatte es mit seinem iPhone gemessen ...

In diesem Kapitel ging es fast ausschließlich um Hyperreaktivität. Hierfür gibt es zwei Gründe. Erstens klagen Menschen mit Autismus sehr viel häufiger über Überstimulation als über Hyporeaktivität. Der zweite Grund ist, dass die Faktoren, die Hyporeaktivität verursachen, auch heute noch nicht vollständig verstanden werden.

In persönlichen Berichten von Menschen mit Autismus fällt immer wieder auf, dass ihre Hyperreaktivität in erster Linie die Sinne betrifft, die auf die Außenwelt gerichtet sind: Sehen, Hören, Fühlen, Berühren. Dies sind die exterozeptiven Sinne, und der Prozess des Erkennens und Interpretierens von Außenreizen wird als Exterozeption bezeichnet. Der Prozess des Erkennens und Interpretierens von Signalen wie Hunger, Durst, Stimmung, Druck, Schmerz, Körpertemperatur etc., die aus dem Körperinneren übertragen werden, wird als Interozeption bezeichnet. Diese interne Wahrnehmung wird allgemein am häufigsten in Verbindung mit der Hyporeaktivität autistischer Menschen genannt. Manche Menschen mit Autismus können beispielsweise nur schlecht erkennen, wann sie Schmerzen haben oder hungrig oder durstig sind. Andere wissen nicht, ob sie einen zusätzlichen Pullover anziehen sollten, weil sie nicht wissen, ob sie sich warm oder kalt fühlen.

Wie die Exterozeption ist auch die Interozeption eine prädiktive Aktivität. Um unser Überleben zu sichern, muss unser Gehirn dafür sorgen, dass wir alles haben, was wir brauchen, um effektiv zu funktionieren.[94] Und es versucht, dies proaktiv zu machen, anstatt auf Probleme zu warten und sie dann zu korrigieren. Das Gehirn versucht vielmehr vorherzusagen, welche Probleme auf den Körper zukommen könnten, damit es rechtzeitig Gegenmaßnahmen ergreifen kann. Es wäre z.B. nicht sinnvoll, mit dem Trinken zu warten, bis wir völlig dehydriert sind.

Mit anderen Worten: Durst ist keine Reaktion auf einen Wassermangel im Körper, sondern eine Vorhersage: „Wenn ich jetzt nicht etwas trinke, werde ich bald dehydriert sein." Nach dem Trinken dauert es mindestens fünf Minuten, bis das Wasser in Ihren Blutkreislauf gelangt. Aber das Durstgefühl verschwindet gleich nach dem Trinken. Würden wir erst dann aufhören zu trinken, wenn das benötigte

Wasser unsere Zellen erreicht, würden wir im wahrsten Sinne des Wortes ertrinken! Glücklicherweise ist die Möglichkeit eines Vorhersagefehlers ausgeschlossen, sobald wir trinken: Das Gehirn sagt jetzt voraus, dass unser Wasserhaushalt wieder voll funktionsfähig ist, und befiehlt deshalb dem Körper, mit dem Trinken aufzuhören. Diese Fähigkeit zur Vorhersage, die Lisa Feldman Barrett[95] als „Körperbudget" bezeichnet hat, funktioniert bei Menschen mit Autismus oft nicht so gut. Ein autistisches Gehirn scheint die möglichen Engpässe oder Überschüsse bei der Verwaltung der körpereigenen Ressourcen weniger gut vorhersehen zu können.

Als mögliche Erklärung dafür wurde u. a. vorgeschlagen, die Hyporeaktivität sei für körpereigene Signale eine Folge der Hyperreaktivität für Signale aus der Außenwelt. Ein Gehirn, das für Vorhersagefehler in der sensorischen Außenwelt hyperalert ist, hat keine freien Kapazitäten für Vorhersagen und den Umgang mit Vorhersagefehlern in der Innenwelt. Aufgrund der vielen sensorischen Bedrohungen der Außenwelt steht die Interozeption einfach nicht ganz oben auf der Aufgabenliste des Gehirns. Das verunsicherte und gestresste autistische Gehirn ist so stark auf die Außenwelt fokussiert, dass es kaum Zeit, Energie und Spielraum hat, um das Innenleben des Körpers zu überwachen. Infolgedessen werden seine Vorhersagen darüber, was mit dem Körper passieren könnte und welche Probleme auf ihn zukommen könnten, nicht aktualisiert. Dadurch entsteht eine neue Art von Teufelskreis, der sich nun aber in die entgegengesetzte Richtung bewegt. Da diese unkorrigierten Vorhersagen nun nicht mehr präzise genug sind, werden viele der unerwarteten inneren Signale, die es nun empfängt, vom Gehirn als Rauschen oder Interferenzen abgetan und daher nicht ernst genommen. Das hat zur Folge, dass die Vorhersagen weiterhin unverändert bleiben und nach und nach immer weniger Vorhersagefehler registriert werden. Mit der Zeit bekommt das Gehirn also immer weniger mit, was im Körper passiert.

Das verunsicherte und gestresste autistische Gehirn ist so stark auf die Außenwelt fokussiert, dass es kaum noch Kapazitäten hat, um den Zustand des Körpers zu überwachen.

Ein autistisches Gehirn scheint den Signalen aus der Außenwelt durchweg ein größeres Gewicht beizumessen als seinen eigenen Vorhersagen, vor allem weil es bei diesem Abwägungsprozess den Kontext zu wenig berücksichtigt. Ein ähnlicher

Prozess findet wahrscheinlich bei internen Signalen und Vorhersagen statt, aber in diesem Fall fällt die Abwägung zugunsten der Vorhersagen des Gehirns über den Körper aus und nicht zugunsten der Signale, die der Körper ihm sendet. Um die Sache noch komplizierter zu machen: Darüber hinaus fällt es Menschen mit Autismus auch schwer, das Gleichgewicht zwischen ihrer Aufmerksamkeit für die Außenwelt und ihrer Aufmerksamkeit für die Innenwelt an den jeweiligen Kontext anzupassen.[96]

Das ist zumindest die Theorie. Zurzeit gibt es nicht viele stichhaltige Beweise, die sie untermauern könnten. Bisher haben die Wissenschaftler der Hyperreaktivität viel mehr Aufmerksamkeit gewidmet als der Hyporeaktivität. Dennoch scheinen die Forschungen von Sarah Garfinkel und ihren britischen Kollegen[97] diese Hypothese zu stützen. Sie wollte mit einem Fragebogen herausfinden, für wie kompetent sich Menschen mit Autismus halten, wenn es darum geht, die Signale ihres eigenen Körpers zu erkennen, und verglich diese Ergebnisse dann mit den Ergebnissen eines Tests, mit dem der tatsächliche Grad ihrer Kompetenz ermittelt werden sollte. Bei dem Test handelte es sich um einen klassischen Test, bei dem die Teilnehmenden gebeten wurden, die Anzahl ihrer eigenen Herzschläge zu zählen und dann zu sagen, ob diese Anzahl mit einer Reihe von Geräuschen, auf die sie achten sollten, synchron war oder nicht. Was zeigten die Ergebnisse? Menschen mit Autismus gaben sich auf dem Papier durchweg eine bessere Note für die Interozeption, als sie in der Praxis erreichen konnten: Die meisten fanden es schwierig, ihre Herzfrequenz genau zu verfolgen.[98] Es scheint also, dass Menschen mit Autismus im Allgemeinen ihre Fähigkeit überschätzen, wenn es um die Wahrnehmung körpereigener Signale geht. Das ist vielleicht eine etwas überraschende Schlussfolgerung, wenn man bedenkt, wie viele Berichte über Menschen mit Autismus in Bezug auf ihre eigene Hyporeaktivität für solche Signale vorliegen.

Es gibt jedoch eine mögliche Erklärung für diese Diskrepanz. Wie wir bereits bei der Hyperreaktivität gesehen haben, sagen Fragebögen oft etwas anderes aus als das, was tatsächlich im Gehirn vor sich geht – und das ist möglicherweise auch bei Garfinkels Experiment zur Hyporeaktivität der Fall gewesen. Um einen Fragebogen zu beantworten, müssen Sie bewusst über Ihre Antworten nachdenken. Dabei spielen verschiedene Faktoren eine Rolle, z. B. Selbsterkenntnis, frühere Erfahrungen, die Frage richtig zu verstehen etc. Wenn man daran denkt, dass viele Menschen mit Autismus sich selbst als überempfindlich beschreiben, ist es dann nicht plausibel, dass sie sich in einem Fragebogen zur Empfindlichkeit gegenüber körpereigenen Reaktionen auch als empfindlicher einschätzen, als es tatsächlich der Fall ist?

Eine andere mögliche Erklärung bezieht sich auf den Zusammenhang zwischen Stress/Angst und der Fähigkeit, die eigenen Körpersignale und Emotionen zu erkennen. Sarah Garfinkel kam zu dem Schluss, dass die Menschen mit Autismus mit der größten Diskrepanz zwischen ihrer geschätzten und tatsächlichen interozeptiven Wahrnehmungsfähigkeit auch diejenigen waren, die während des Experiments eindeutig am ängstlichsten waren. Es ist seit Langem bekannt, dass Menschen mit Depressionen und Ängsten nicht in der Lage sind, tief in ihr Inneres zu schauen, trotz ihrer erhöhten Aufmerksamkeit körpereigenen Signalen und Emotionen gegenüber. Obwohl sie keine Belege für eine Selbst-Überschätzung fanden, kamen Eleanor Palser und ihr Team vom University College in London in einer Studie mit autistischen Kindern ebenfalls zu dem Schluss, dass es einen Zusammenhang zwischen Stress und der Diskrepanz zwischen dem geschätzten und dem tatsächlichen Ausmaß der Interozeption gibt.

Zum jetzigen Zeitpunkt ist nicht klar, ob Angst die Ursache oder die Folge davon ist, dass man die Signale des Körpers nicht angemessen wahrnehmen kann. Aber eines ist klar: Stress ist wieder ein Faktor im Gesamtkomplex, der berücksichtigt werden muss. Wenn es tatsächlich so ist, dass Menschen mit Autismus manchmal zu wenig darauf achten, was im Inneren des Körpers vor sich geht, weil ihr Gehirn zu viel Aufmerksamkeit auf die Geschehnisse in der Außenwelt richtet, dann sollte jede Reduzierung des Stressniveaus in der Außenwelt auch dazu führen, dass sie besser mit sich selbst in Kontakt treten können. Sollte das nicht so sein? Wie dem auch sei, es ist sicher lohnend, autistischen Menschen dabei zu helfen, ihre körpereigenen Signale besser zu erkennen und zu lesen, und sei es nur aus dem Grund, dass damit die Basis geschaffen wird für die Fähigkeit, die inneren Signale anderer Menschen zu lesen, was allgemein als Theory of Mind bezeichnet wird.[99]

Selbst wenn jemand mit Autismus körpereigene Signale wahrnehmen kann, gibt es natürlich keine Garantie dafür, dass diese Signale auch richtig interpretiert werden. Wie bei den Signalen, die über die Sinne von der Außenwelt empfangen werden, können auch die Signale, die von den körpereigenen Sensoren empfangen werden, unterschiedliche Ursachen haben. So kann eine erhöhte Herzfrequenz auf Stress oder Angst hinweisen, aber auch das Ergebnis sexueller Erregung sein. Wenn Sie zwei Minuten lang hüpfen, erhöht sich Ihre Herzfrequenz ebenfalls. Auch hier muss das Gehirn vorhersagen, was ein bestimmtes internes Signal im jeweiligen

Kontext bedeuten könnte, und dann entscheiden, ob und wie darauf reagiert werden muss. Wenn Sie beim Seilspringen eine erhöhte Herzfrequenz verspüren, kann Ihr Gehirn vorhersagen, dass dieser Anstieg nicht durch sexuelle Erregung, sondern durch körperliche Anstrengung verursacht wird, sodass es seinem mentalen Modell der erregenden Aktivitäten keine Springseile hinzufügen muss. Gleichzeitig sagt es auch voraus, dass es eine gute Idee sein könnte, eine kurze Verschnaufpause einzulegen.

Wie bei den Sinnen für die Außenwelt können wir auch Menschen mit Autismus helfen, sich in ihrer inneren Welt zurechtzufinden, indem wir ihnen Vorhersehbarkeit schaffen, mehr Klarheit bieten und die Kontext-Taste drücken.

Wenn Sie nicht in der Lage sind, die von Ihrem Körper ausgehenden Signale in den entsprechenden Kontext einzuordnen, kann dies sowohl zu Hypo- als auch zu Hyperreaktivität führen. In einem ihrer vielen Bücher spricht Donna Williams[100] von „under-firings" und „over-firings". Wenn ihr Gehirn mit der Verarbeitung anderer Dinge beschäftigt war, nahm es wichtige Signale, wie z. B. Hunger, nicht wahr. Das waren die „under-firings". Ihr Gehirn war auch in der Lage, in übersteigerter Weise zu reagieren: Sie konnte eine kleine Stimmungseintrübung als ernsthafte Depression und eine leichte Vorliebe für jemanden als regelrechte Leidenschaft erleben. Das waren die „over-firings". Am schlimmsten waren die von ihr so bezeichneten „mis-firings": wenn ihr Gehirn die Signale des Körpers im betreffenden Kontext falsch interpretierte. Sie gab folgendes Beispiel:

> Bei mis-firings bringt das Gehirn die Botschaft durcheinander. Das kann passieren, weil das Gehirn den Kontext der gefühlten Emotion nicht verarbeitet hat, sodass es nicht richtig zwischen verschiedenen Emotionen unterscheiden kann. Wenn ich tiefe Gefühle für jemanden empfinde, den ich sehe, könnte mein Körper mit einer erhöhten Herzfrequenz, tieferer Atmung etc. reagieren.
>
> Wenn mein Gehirn jedoch die Formel „erhöhter Herzschlag + tiefes Atmen etc. = Terror" gespeichert hat, und dass „Terror durch Vermeidungsverhalten zu beantworten ist", dann könnte mein Gehirn mich dazu bringen, instinktiv, aber fälschlicherweise, so zu reagieren, als ob ich in Gefahr wäre, und alle Nachrichten an Körperteile, Augen, Gesicht und Stimme weiterzugeben, um die Quelle der Gefühle zu meiden, wegzurennen oder sogar anzugreifen. Stellen Sie sich

vor, wie es ist, wenn Sie jemanden sehen, über dessen Anblick Sie sich wirklich freuen, der was mit Ihnen macht und bei dem Sie sich sicher fühlen, aber Sie werden dazu getrieben, von ihm wegzuschauen oder vor ihm wegzulaufen, sich mit allerlei anderen Dingen abzulenken, übermäßig förmlich zu sein oder ihn von sich zu stoßen ...

Donnas Gehirn stellte eine fixe Verbindung zwischen einem körperlichen Signal und einer Erklärung für die Ursache dieses Signals her: Schneller Herzschlag und tiefes Atmen bedeuten immer Furcht und Schrecken. Bei dem Versuch, eine emotionale Bedeutung zu konstruieren, griff ihr Gehirn immer wieder auf diese Art der absoluten Interpretation zurück. Die Theorie des prädiktiven Gehirns ist ja auch (und vielleicht vor allem) eine Theorie, die erklärt, wie wir Dinge über die Welt und uns selbst lernen. In dieser Hinsicht führt eine Hyporeaktivität für die internen Signale des Körpers und die Unfähigkeit, diese Signale in den richtigen Kontext einzuordnen, unweigerlich zu einem atypischen Bild dieses Körpers, und, sofern wir Karl Friston[101], einem der Gründerväter der Theorie, Glauben schenken wollen, zu einem atypischen Bild des Selbst. Das erklärt auch, warum die emotionalen Reaktionen autistischer Menschen manchmal anders sind als die von Menschen ohne Autismus, wofür die Geschichte von Donna Williams ein gutes Beispiel ist. Körpersignale sind, genauso wie die Sinnesempfindungen aus der Außenwelt, sehr mehrdeutig. Was wir als Emotionen bezeichnen, sind in Wirklichkeit die Erklärungen des Gehirns zu den Ursachen der verschiedenen Körpersignale, basierend auf dem Kontext und den Erwartungen, die wir mit diesem Kontext verbinden.[102] Nehmen wir z.B. einen Anstieg der Herzfrequenz. Dabei handelt es sich um eine Abweichung von Ihrer normalen Herzfrequenz. Mit anderen Worten: ein Vorhersagefehler. Wenn Sie gerade erfahren haben, dass Sie den Jackpot im Lotto gewonnen haben, wird Ihr Gehirn diesen Fehler als Folge Ihrer Freude und Aufregung über diese fantastische Nachricht erklären und nicht als Reaktion auf etwas, vor dem Sie sich fürchten, was eine andere mögliche Erklärung für einen schnelleren Herzschlag wäre. In Wirklichkeit erhöht sich Ihr Herzschlag jedoch nicht, weil Sie glücklich oder aufgeregt sind.

Die Nachricht lässt Ihr Herz schneller schlagen, und sobald das Gehirn diese Nachricht registriert hat, führt sie zu Glücksgefühlen und Aufregung, weil das Gehirn vorhersagt, dass Sie sich in diesem speziellen Kontext so fühlen sollten. Das bedeutet, dass Emotionen, wie auch die Wahrnehmung von Farben, die wir weiter oben in diesem Buch besprochen haben, ein Fantasieprodukt des Gehirns sind. Oder etwas anders ausgedrückt: Emotionen sind die Vorhersagen des Gehirns darüber, wie wir unter bestimmten Umständen am besten reagieren sollten. Gehirne, die dazu neigen, in absoluten Kategorien zu denken und nicht ausreichend kontextsensitiv sind, werden jedoch eine andere Erklärung für dasselbe körperliche Phänomen geben, wodurch eine ganz andere emotionale Erfahrung entsteht.

Für die Außenwelt kann dies manchmal wie Gleichgültigkeit („Er ist ein kalter Fisch") oder Affektiertheit („Sie ist eine Drama-Queen") aussehen. In Wirklichkeit hat dies nichts mit emotionaler Über- oder Unterempfindlichkeit zu tun, sondern ist das Produkt eines Gehirns, das Signale des Körpers absolut interpretiert und nicht in der Lage ist, diese Signale in einen Kontext einzuordnen.

Wie bei den Sinnen in der Außenwelt können wir auch Menschen mit Autismus helfen, sich in ihrer inneren Welt besser zurechtzufinden, indem wir ihnen Vorhersehbarkeit bieten, mehr Klarheit schaffen und die Kontext-Taste drücken. 2019 hat Kelly Mahler, Ergotherapeutin und gute Freundin von mir aus Pennsylvania, ein Lernprogramm entwickelt, mit dem Kinder ihren eigenen Körper kennenlernen und ihn selbst regulieren können. Eine erste Studie[103] deutet darauf hin, dass dieses unter dem Namen *Interoception Curriculum* laufende Programm positive Ergebnisse erzielt.

Man muss jedoch nicht immer spezielle Kurse anbieten, um Menschen mit Autismus in dieser Hinsicht zu helfen. Wenn Sie sehen, dass eine autistische Person Schwierigkeiten hat, die Signale ihres Körpers zu interpretieren und in den richtigen Kontext einzuordnen, können Sie ihr mit einfachen Erklärungen ermöglichen, die Kontext-Taste zu drücken.

David, ein junger Mann mit Autismus, nimmt von Montag bis Freitag an einem Kurs teil. Nach den ersten beiden aufeinanderfolgenden Tagen beklagt er sich darüber, dass ihm am Ende des Vormittags alles ein bisschen zu viel wird. Er erlebt dann einen mentalen Einbruch und fühlt sich ein wenig „niedergeschlagen". Das verursacht bei ihm ein unangenehmes Gefühl und sein Herz beginnt schneller zu schlagen.

Gleichzeitig fühlt er sich geistig abgeschlagen und kann sich nur schwer konzentrieren. Er kann sich jedoch nicht erklären, warum das so ist. Unter diesen Umständen beschließen wir, ihn auf sein Zimmer gehen zu lassen. Am Nachmittag sehen wir dann einen völlig anderen Menschen: einen schelmischen und lebhaften David, der mit großer Begeisterung an allen Aktivitäten teilnimmt. Seine „Mini-Depression" scheint verschwunden zu sein wie Schnee, der in der

Sonne schmilzt. Einer meiner Kollegen, der an Diabetes leidet, vermutet, dass David vielleicht hungrig ist und eine kleine Unterzuckerung erlebt. Am dritten Tag klagt David über dieselben Probleme. Diesmal beschließen wir, ihm einen Energieriegel zu geben.

Nach einer Viertelstunde teilt er uns mit, dass er sich langsam besser fühle. Bis vor Kurzem befand sich David in psychiatrischer Behandlung. In den Gruppensitzungen hatte er gelernt, dass psychische Probleme wie Depressionen oft zu körperlichen Problemen führen können und ein Unwohlsein daher eine psychische Ursache haben kann. Da David als Autist eher in absoluten als in kontextuellen Kategorien denkt, hatte er die Formel „körperliche Signale des Unbehagens = psychologischer Ursprung" gelernt. Wir erklären ihm, dass das, was er im Kontext des „späten Morgens" in seinem Körper spürt, einfach damit zu tun hat, dass er hungrig ist und einen niedrigen Blutzuckerspiegel hat. Das meinen wir mit „Drücken der Kontext-Taste": Wenn Menschen die Zusammenhänge nicht selbst einschätzen können, helfen Sie ihnen, sie einzuschätzen. In den verbleibenden Tagen des Kurses fragt David jeden Morgen gegen 11 Uhr regelmäßig nach seinem „Energieriegel gegen Depressionen".

Die Bedeutung der eigenen Körpersignale richtig einschätzen zu können, ist ein Eckpfeiler der emotionalen Intelligenz. Deshalb ist der Umgang mit diesem Aspekt eine wichtige Herausforderung für alle, die mit autistischen Kindern, Jugendlichen und Erwachsenen zu tun haben. Es ist von entscheidender Bedeutung, den Kontext der Signale aus ihrem Körper zu verdeutlichen und zu erklären. Bringen Sie ihnen bei, wie sie die Kontext-Taste drücken können, nicht nur für die Außenwelt, sondern auch für ihre eigene Innenwelt. Je besser sie Vorhersagen darüber treffen können, was in ihnen selbst vorgeht, desto besser können sie auch vorhersagen, was in anderen vorgeht. Dies wird das Thema des nächsten Kapitels sein.

Das Wichtigste im Überblick

- Es gibt einen Unterschied zwischen Sensibilität (der Schwellenwert für Reize) und Reaktivität (die Stärke der Reaktion auf Reize).
- Ein autistisches Gehirn ist weder mehr noch weniger empfindlich für Reize als ein nicht-autistisches Gehirn, aber es reagiert stärker auf diese Reize. Streng genommen sind die sensorischen Besonderheiten bei Autismus nicht sensorisch, da sie sich im limbischen System des emotionalen Gehirns abspielen.

- Ein autistisches Gehirn ist nicht ausreichend in der Lage, unerwartete Sinneseindrücke in den richtigen Kontext einzuordnen. Stattdessen geht es absolut mit Vorhersagefehlern um. Infolgedessen reagieren Menschen mit Autismus manchmal zu stark (Hyperreaktivität), manchmal aber auch zu schwach (Hyporeaktivität) auf Sinneseindrücke.
- Reizarmut ist nicht gleichbedeutend mit Autismusfreundlichkeit. Die Vermeidung von Reizen kann auf lange Sicht die Hyperreaktivität sogar noch verschlimmern. Stattdessen muss eine angemessene Exposition gegenüber Reizen angestrebt werden.
- Der sensorische Overload, den Menschen mit Autismus häufig erleben, ist das Ergebnis eines Teufelskreises, in dem sich ihr Gehirn befindet und in dem Ungewissheit und der damit verbundene Stress eine wichtige Rolle spielen.
- Um Hyperreaktivität zu begegnen, muss man versuchen, diesen Teufelskreis zu durchbrechen. Dabei sind nicht die Reize, sondern das Gehirn selbst der Ansatzpunkt. Mit dem Ziel, die Vorhersagefehler zu reduzieren, müssen Reize vorhersehbarer gemacht werden. Dazu müssen wir die Kontext-Taste drücken, damit das Gehirn die Relevanz und die Bedeutung von unerwarteten sensorischen Informationen richtig einschätzen kann. Vor allem muss versucht werden, den autistischen Menschen mehr Sicherheit und Ruhe zu geben. Das kann durch gezielte Ablenkung (über Flow-Aktivitäten) erreicht werden und dadurch, dass man ihnen ein gutes Gefühl für sich selbst gibt und ihren Optimismus und ihr Selbstvertrauen im Umgang mit Reizen stärkt. Dies verspricht langfristig einen größeren Nutzen als eine oberflächliche Symptombehandlung durch die Reduzierung oder Beseitigung von Reizen.
- Es ist nicht notwendig, die Umwelt der Person mit Autismus in eine reizarme Umgebung zu verwandeln. Viel wichtiger ist es, autistischen Menschen die Kontrolle über ihre eigene sensorische Umgebung zu verschaffen.
- Selbststimulation oder Stimming ist funktional: Es ist die Reaktion des Gehirns auf eine sensorische Überlastung. Solange die Selbststimulation dem autistischen Menschen selbst oder seiner Umwelt keinen Schaden zufügt, gibt es keinen Grund, diese Aktivität zu reduzieren oder zu unterbinden. Im Gegenteil, es ist wichtig, ihr einen Platz in der sensorischen Strategie der betroffenen Person einzuräumen.
- Im Allgemeinen reagiert das autistische Gehirn nur schwach (Hyporeaktivität) auf die Signale seines eigenen Körpers (Interozeption). Dem autistischen Gehirn fällt es schwer, diese Signale zu erkennen und ihren Kontext richtig zu interpretieren. Möglicherweise gibt es hier einen Zusammenhang mit Stress und Angst und ein Problem, das richtige Gleichgewicht zwischen der Aufmerksamkeit für

die Außenwelt und der Innenwelt der Person zu finden. Um mit dieser Situation umzugehen, empfiehlt es sich, Stress zu reduzieren und Menschen mit Autismus zu helfen, die Signale ihres eigenen Körpers lesen zu lernen und zu wissen, wann sie die Kontext-Taste drücken müssen.

WUSSTEN SIE SCHON?

Im April 1968 wurde an der *University of Indiana* in Indianapolis ein Kolloquium über Autismus veranstaltet, eine der ersten Tagungen zu diesem Thema. Die *American Autism Association* war erst zwei Jahre zuvor gegründet worden und zwei ihrer führenden Wissenschaftler, der Psychologe Eric Schopler und der Psychiater Robert Reichler, wurden eingeladen, auf dem Kolloquium Vorträge zu halten. Vier Jahre später entwickelten sie das viel gelobte TEACCH-Programm an der Universität von North Carolina. In ihren Vorträgen sprachen Schopler und Reichler ausführlich über Hyperreaktivität und Hyporeaktivität bei Kindern mit Autismus. Sie betonten insbesondere die Schwierigkeiten dieser Kinder, den sensorischen Input zu erfassen, zu organisieren und zu integrieren, sowohl für hohe als auch für niedrige Schwellenwerte der sensorischen Information.

Dennoch sollte es noch ein halbes Jahrhundert dauern, bis sensorische Verhaltensmerkmale in die offiziellen Kriterien für Autismus aufgenommen wurden. Das ist erstaunlich, wenn man bedenkt, dass Eric Schopler bereits 1965 schrieb: „Eine Sichtweise zum Autismus, die sich derzeit durchsetzt, charakterisiert ihn als eine kognitive Störung, bei der eine Unfähigkeit besteht, sensorische Erfahrungen mit dem Gedächtnis zu verknüpfen." Das bedeutet: Jahrzehnte vor der Entstehung der Theorie des prädiktiven Gehirns beschrieb Schopler die Natur der Wahrnehmung mit einem Konzept der prädiktiven Kodierung, nämlich dem Abgleich interner Modelle mit sensorischen Daten. Damit war er einer der ersten, der darauf hinwies, dass die Erklärung für Autismus im Gehirn zu suchen ist. Eric Schopler starb im Jahr 2006 im Alter von 79 Jahren.

4

Das prädiktive Gehirn und die soziale Navigation

Wie wir gesehen haben, ist das Gehirn in der Lage, den Flug eines Tennisballs vorherzusagen, der mit 250 km/h unterwegs ist. Das mag zwar eine beeindruckende Leistung des prädiktiven Gehirns sein, aber nichts im Vergleich zu dem, was das Gehirn vorhersagen muss, damit wir im Alltag schnell und angemessen auf das Verhalten der Menschen um uns herum reagieren können. Die Komplexität des menschlichen Verhaltens ist gigantisch, wenn man es mit dem Verhalten eines durchschnittlichen Tennisballs vergleicht. Ein Tennisball kann z.B. nicht auf halber Strecke seiner Flugbahn beschließen, plötzlich den Kurs zu ändern und aus Jux und Tollerei was ganz anderes zu machen. Wenn Sie noch nicht viel Erfahrung im Tennis haben, kann ein Tennisball auch nicht aus Mitleid mit Ihnen das Tempo drosseln. Und im Gegensatz zu einem Tennisspieler kann ein Tennisball keinen schlechten Tag haben, nur weil er gerade nicht in der richtigen Stimmung ist. Ob er will oder nicht, ein Tennisball unterliegt immer denselben physikalischen Gesetzen. Okay, auch der Mensch unterliegt diesen Gesetzen (wenn Sie mir nicht glauben, versuchen Sie mal, auf Wolken zu schweben!), aber die Gesetze des menschlichen Verhaltens sind viel komplexer und weit weniger absolut. Und genau dieser Umstand macht Menschen wie Sie und mich zu den unberechenbarsten Stimuli auf diesem Planeten. Und um mit diesen wankelmütigen, unbeständigen und unberechenbaren Kreaturen fertig zu werden, musste das Gehirn im Laufe seiner Evolution seine Vorhersagekraft auf ein noch nie dagewesenes Niveau entwickeln.

Um das Verhalten eines Tennisballs vorherzusagen, genügt es, eine Reihe von Naturgesetzen und Formeln anzuwenden, wie z.B. das Gravitationsgesetz. Dabei handelt es sich um die Beschleunigung, die ein Objekt im freien Fall erreicht, wenn es aus einer bestimmten Höhe fällt. In Zahlen ausgedrückt, beträgt sie 9,81 Meter pro Sekunde zum Quadrat. Die Flugbahn eines Tennisballs lässt sich ebenfalls in einer Formel ausdrücken (die allerdings relativ kompliziert ist, sodass ich Sie hier nicht mit den Details behelligen möchte), die ebenso wie die Schwerkraftbeschleunigung einen absoluten Wert angibt. Egal, ob ich den Tennisball schlage oder mein 80-jähriger Nachbar, die Formel bleibt immer dieselbe. Es macht auch keinen Unterschied, ob der Tennisball gelb oder grün ist. Oder ob der Ball auf einer Wiese oder in einem Grand-Slam-Finale in Wimbledon geschlagen wird. Wenn Nadal gut gelaunt ist, macht das keinen Unterschied. Wenn Nadal schlecht gelaunt ist, macht es auch keinen Unterschied. Der Einfluss der Schwerkraft auf jeden Ball, den Nadal in welcher Stimmung auch immer schlägt, wird immer konstant bleiben. Aus diesem Grund wird die Welt der Physik oft als ein Beispiel für ein geschlossenes System bezeichnet. Geschlossene Systeme sind in hohem Maße vorhersehbar, weil sie durch feststehende, allgemeingültige und klar definierte Gesetze und Regeln gesteuert werden: Führt man auf den Input A die Operation B aus, erhält man immer den Output C. Konkret bedeutet das: Wenn man einen Tennisball in der Hand hat (Input A) und ihn fallen lässt (Operation B), sorgt das Gesetz der Schwerkraft dafür, dass er sich immer nach unten und nie nach oben bewegt. Das Ergebnis (Output C) wird immer und überall gleich sein (es sei denn, Sie spielen Tennis im Weltraum).

Im Gegensatz dazu ist die soziale Welt ein offenes System.[104] Natürlich haben auch offene Systeme ihre eigenen Gesetze, aber die sind selten starr und geradlinig. Das bedeutet, dass die Ergebnisse in einem offenen System weit weniger vorhersehbar sind, weil das System für alle möglichen Einflüsse und Variationen „offen" ist. Soziale Situationen haben immer ein offenes Ende, weil Interpretationen, Absichten und tausend andere Kontextfaktoren eine Rolle spielen.

Für ein Gehirn mit einer Tendenz zum absoluten Denken ist die Ergebnisvorhersage in einem offenen System eine große Herausforderung. Bei der Vorhersage des menschlichen Verhaltens geht es nicht um Berechnungen nach (starren) Formeln und Gesetzen. Es ist eine Frage des kontextsensitiven Vermutens.

Wenn jemand z.B. ein Geschenk bekommt, denken wir automatisch, dass er oder sie sich darüber freuen wird. Aber das ist nicht immer der Fall. Das „System" der Geschenke ist ein offenes System, denn der Vorgang des Schenkens kann im Gegensatz zu physikalischen Gesetzen (theoretisch) zu unendlich vielen verschiedenen

Ergebnissen führen. Das liegt daran, dass offene Systeme viel stärker von kontextuellen Einflussgrößen abhängen.

Übertragen auf soziale Situationen bedeutet dies, dass der Output oder das Ergebnis, die Reaktion einer Person, von unzähligen verschiedenen Elementen im Kontext abhängt.

Wenn jemand ein Geschenk bekommt, könnten es folgende Elemente sein: Was ist es für ein Geschenk? Was hat der Empfänger erwartet zu bekommen? Wer ist der Schenkende? Warum wurde das Geschenk überreicht? Hat der Beschenkte das Geschenk bereits ...? Dies ist nur eine kleine Auswahl der vielen möglichen Faktoren, die bei der Reaktion des Beschenkten eine Rolle spielen können.

Offene Systeme sind daher komplexer und weniger vorhersagbar als geschlossene Systeme. Um das Ergebnis in einem offenen System zu verstehen und vorherzusagen, ist ein viel größeres Gespür für den Kontext erforderlich. Für ein Gehirn mit einer Tendenz zum absoluten Denken ist die Ergebnisvorhersage in einem offenen System eine große Herausforderung. Bei der Vorhersage des menschlichen Verhaltens geht es nicht um Berechnungen nach (starren) Formeln und Gesetzen. Es ist eine Frage des kontextsensitiven Vermutens.

Verschiedene Studien haben gezeigt, dass Menschen mit Autismus sehr gute Vorhersagen machen können, wenn der Output deterministisch bewertet werden kann, d.h., wenn es feste Gesetze und Regeln gibt, die bei der Vorhersage angewandt werden können. Autistische Gehirne mögen geschlossene Systeme und machen darin eine gute Arbeit. Sobald das System jedoch offen ist, beginnt ein autistisches Gehirn zu schwächeln und findet es viel, viel schwieriger, Ergebnisse korrekt vorherzusagen. Menschliches Verhalten vorherzusagen, ist daher für Menschen mit Autismus oft ein Albtraum.

Eine Gruppe französischer Forscher[105] zeigte Kindern und Jugendlichen eine Reihe von Kurzfilmen, in denen mehrere vertraute und weniger vertraute Tätigkeiten gezeigt wurden. Beispiele für vertraute Tätigkeiten waren: ein Sandwich essen, sich anziehen oder ein Buch lesen. Zu den für Kinder und Jugendliche weniger vertrauten Tätigkeiten gehörten das Rasieren, Bügeln und Anlassen eines Autos. Unmittelbar vor dem letzten Schritt der betreffenden Tätigkeit wurde der Film angehalten. Dann wurden den Kindern und Jugendlichen vier verschiedene Bilder gezeigt, auf denen jeweils eine Möglichkeit zu sehen war, was als Nächstes passieren könnte.

Eine dieser abgebildeten Möglichkeiten folgte logisch auf das, was sie gerade gesehen hatten und konnte daher als die „erwartete“ Möglichkeit angesehen werden (z. B. das Anziehen eines T-Shirts im Film „Anziehen“), während die anderen drei Möglichkeiten sehr viel unwahrscheinlicher waren (z. B. das T-Shirt auf den Kopf legen).

Die Forscher wollten herausfinden, ob Kinder und Jugendliche mit Autismus den nächsten Schritt im Verhalten der Personen, die sie in den Filmen gesehen hatten, vorhersagen konnten. Die Ergebnisse zeigten, dass die autistischen Kinder und Jugendlichen häufiger als ihre nicht-autistischen Altersgenossen auch Handlungen auswählten, die im gegebenen Kontext unwahrscheinlich waren. Sie schnitten auch weniger gut ab als Kinder und Jugendliche mit einer kognitiven Einschränkung. Und im Gegensatz zu den Kindern und Jugendlichen ohne Autismus zeigten sie bei den vertrauten Tätigkeiten keine besseren Resultate als bei den weniger vertrauten Handlungen. Das alles verdeutlicht, dass es für ein autistisches Gehirn schwierig ist, aus einer Situation heraus vorherzusagen, was eine Person als nächstes tun wird. Und je mehr Kontextfaktoren beteiligt sind, desto schwieriger wird es.

Judith Pijnacker und ihr Team von der Radboud-Universität[106] in den Niederlanden baten eine Gruppe von Menschen mit und ohne Autismus, das Verhalten eines Kindes vorherzusagen. Die Erwachsenen mit Autismus waren in der Lage, genauso gute Vorhersagen zu treffen wie die Erwachsenen ohne Autismus, wenn das Verhalten auf der Grundlage der klassischen „Wenn-dann“-Logik vorhergesagt werden konnte wie im folgenden Beispiel:

Wenn Marie eine Prüfung hat, lernt sie in der Bibliothek.

Marie hat morgen eine Prüfung.

Wird sie in der Bibliothek lernen?

Zur richtigen Beantwortung dieser Frage reicht klassisches logisches Denken – und diese Art des Denkens ist nicht kontextgebunden. Wenn Marie eine Prüfung hat, wird sie in der Bibliothek lernen. Punkt, aus, Ende der Geschichte. Erwachsene mit Autismus hatten kein Problem mit dieser Art von Fragen.

Das war jedoch anders, wenn die Situationen nicht so offensichtlich waren:

Wenn Marie eine Prüfung hat, lernt sie in der Bibliothek.

Wenn die Bibliothek geöffnet ist, lernt sie in der Bibliothek.

Marie hat morgen eine Prüfung.

Wird sie in der Bibliothek lernen?

Die Antwort auf diese Frage ist nicht mehr einfach „ja". Sie hängt davon ab, ob die Bibliothek geöffnet ist oder nicht. Die Antwort wird also durch den Kontext beeinflusst. Die Erwachsenen mit Autismus hatten viel mehr Schwierigkeiten mit dieser Art von Fragen.

In diesem Experiment wird erneut bestätigt: Je mehr der Kontext bei der Vorhersage menschlichen Verhaltens eine Rolle spielt, desto schwieriger ist es für Menschen mit Autismus, dieses Verhalten angemessen vorherzusagen. Stellen Sie sich vor, dass Marie nur dann in der Bibliothek lernt, wenn zu Hause zu viel los ist und ein schwieriges Thema ihre volle Konzentration erfordert. In diesem Szenario gibt es sofort mehr kontextbezogene Faktoren, die berücksichtigt werden müssen. Hier beginnen die Schwierigkeiten für das autistische Gehirn.

Je mehr der Kontext bei der Vorhersage menschlichen Verhaltens eine Rolle spielt, desto schwieriger wird es für Menschen mit Autismus, dieses Verhalten angemessen vorherzusagen.

Um herauszufinden, was es für Menschen mit Autismus so schwierig macht, Verhalten zu verstehen und vorherzusagen, haben die argentinischen Forscher Sandra Baez und Agustin Ibanez[107] eine Testbatterie zur Untersuchung verschiedener Aspekte der sozialen und emotionalen Intelligenz zusammengestellt. In den Tests ging es neben der emotionalen Intelligenz auch um Einfühlungsvermögen, Vorkenntnisse über soziale Normen, die Fähigkeit, moralische Urteile zu fällen sowie die Fähigkeit, soziales Fehlverhalten zu erkennen. Jeweils fünfzehn Erwachsene mit und ohne Autismus absolvierten die Tests. Bei einigen Tests schnitten beide Gruppen gleich gut ab, aber bei anderen war die Leistung der Gruppe ohne Autismus besser. Worin lagen die wichtigsten Gemeinsamkeiten und Unterschiede?

Wenig Unterschiede gab es bei den Tests, in denen die soziale Situation klar beschrieben war und die richtige Antwort durch die Anwendung abstrakter und allgemeiner Regeln gefunden werden konnte. Dies war z. B. bei dem Test der Fall, in dem entschieden werden musste, ob ein bestimmtes Verhalten moralisch korrekt war oder bei dem Test zur Ermittlung des Kenntnisstands über die gängigen sozialen Normen. Wenn man die Regel kennt, wie z. B. „Diebstahl ist schlecht", dann weiß man, dass diese Handlung nicht korrekt ist, sobald es um Diebstahl geht.

Autistische Menschen beherrschen diese Art von Schlussfolgerung genauso gut wie alle anderen.

Sie waren jedoch weniger erfolgreich in Tests, bei denen man schnell, unbewusst und automatisiert mehrere kontextuelle Hinweise verwerten musste, um eine soziale Situation richtig einzuordnen. Ein Beispiel hierfür war der sogenannte „Fauxpas"-Test. Ein Fauxpas (frz. „falscher Schritt") ist ein sozialer Fehltritt, wie ihn John im folgenden Beispiel begeht.

John ist zu Besuch bei seiner Freundin Susan. Weil John Geburtstag hat, hat Susan ihm einen Apfelkuchen gebacken. Sie sagt: „Ich habe extra einen Kuchen für dich gebacken. Er steht auf dem Tisch in der Küche." Daraufhin antwortet John: „Er riecht köstlich und ich liebe Kuchen – außer Apfelkuchen, den hasse ich."

Es gibt keine allgemeine Regel dafür, wann etwas ein Fauxpas ist oder nicht. Das heißt, es ist nicht möglich zu sagen: „Es ist sozial unangemessen, keinen Apfelkuchen zu mögen."

Eigentlich kann man gar nicht sagen, dass es so etwas wie sozial unangemessenes Verhalten überhaupt gibt. Was in dem einen Kontext angemessen ist, ist in einem anderen Kontext oft unangemessen. Zur Bestimmung sozial angemessenen Verhaltens ist also ein schnelles und unbewusst kontextsensitives Gehirn erforderlich. Genau dies ist bei Menschen mit Autismus das Problem.

Chris Frith und seine Frau Uta, beide hoch angesehene Neurowissenschaftler, haben jahrzehntelang das soziale Gehirn erforscht. Sie sind zu dem Schluss gekommen, dass in unseren Köpfen zwei verschiedene Arten von Prozessen ablaufen.[108]

Erstens gibt es die impliziten Prozesse. Das sind schnelle Prozesse, die automatisch und unbewusst ablaufen. Daher hat unser bewusstes Gehirn keine Kontrolle über diese Abläufe. Zweitens gibt es die expliziten Prozesse. Dabei handelt es sich um Prozesse, die dem Gehirn bewusst sind und über die es ein gewisses Maß an Kontrolle hat. Sie sind daher mit einer gewissen geistigen Anstrengung verbunden und benötigen mehr Zeit.

Einfach ausgedrückt: Auf der einen Seite gibt es die soziale Intuition (unbewusstes Empfinden), auf der anderen Seite das soziale Reasoning (bewusstes Denken). Diese Prozesse sind voneinander getrennt und können manchmal sogar gegeneinander arbeiten. So können beispielsweise Menschen, die beim Ausfüllen eines Fragebogens zu rassistischen Vorurteilen eine niedrige Punktzahl erreichen und daher auf bewusster Ebene nicht rassistisch sind, dennoch negativ auf Fotos von People of Colour reagieren, die ihnen so kurz gezeigt werden, dass sie sie nicht bewusst wahrnehmen können.

Vergleichbares gilt für Menschen, denen ein Aufklärungsvideo über Autismus gezeigt wird. Manche Menschen nehmen auf bewusster Ebene eine positivere Haltung gegenüber Menschen mit Autismus ein, während Tests aber zeigen, dass sie auf unbewusster Ebene Autismus weiterhin mit seinen weniger attraktiven Merkmalen assoziieren.[109]

Einen weiteren Beleg lieferte in diesem Zusammenhang der vielleicht bekannteste Test zur Bewertung von Empathie (Theory of Mind): der Sally-Anne-Test. Mit diesem Test wird überprüft, ob jemand in der Lage ist, eine falsche Annahme bei einer anderen Person zu erkennen. Der Test erzählt die Geschichte von Sally, die ihre Murmel in einem Korb versteckt und dann weggeht. Während sie weg ist, nimmt ein anderes Mädchen (Anne) die Murmel aus dem Korb und legt sie in eine Schachtel. Wo wird Sally ihre Murmel suchen, wenn sie zurück ins Zimmer kommt? Kinder im Alter von fünf Jahren können i. d. R. bei diesem Test die richtige Antwort geben: Sally wird im Korb nachsehen. Sie können auch sagen, warum: weil Sally nicht gesehen hat, dass die Murmel bewegt wurde, und deshalb fälschlicherweise denkt, dass sie immer noch dort liegt, wo sie sie hingelegt hat. Mit anderen Worten: Fünfjährige Kinder wissen, was Sally weiß und was sie nicht weiß. Bei dreijährigen Kindern ist das nicht der Fall: Sie antworten, dass Sally in der Schachtel nachsehen wird.

Aber wenn sie antworten, schauen sie gleichzeitig in den Korb. Ihr unbewusstes Gehirn sagt das Verhalten von Sally richtig voraus, während ihr bewusstes Gehirn die Dinge falsch versteht. Das ist auch im späteren Leben keine Seltenheit: Unser Unterbewusstsein weiß oft Dinge, die unser bewusstes Gehirn nicht weiß. In dieser Hinsicht ist unser unbewusstes Gehirn viel schlauer als unser bewusstes Denken.

Die Theory of Mind bei Menschen mit Autismus ist Gegenstand zahlreicher Forschungsarbeiten. Begabte Menschen mit Autismus schneiden selbst bei den anspruchsvolleren Tests zur Theory of Mind oft bemerkenswert gut ab.

Doch wie Baez und Ibanez herausfanden, bezieht sich diese hervorragende Leistung vor allem auf Tests, die auf explizite und bewusste Prozesse im Gehirn abzielen. Wenn soziale Gegebenheiten durch bewusstes, logisches Denken und durch die Anwendung allgemeiner Regeln und Gesetze vorhergesagt werden können, unterscheiden sich Menschen mit Autismus nicht von Menschen ohne Autismus. Aber im Vergleich zum nicht-autistischen Gehirn schneidet das autistische Gehirn weniger gut ab, wenn es um schnelle, unbewusste und kontextabhängige Vorhersagen geht. Und genau diese letztere Art von Vorhersagen brauchen wir, um uns reibungslos und flexibel in der sozialen Welt zurechtzufinden. Es ist einfach nicht praktikabel, ständig innezuhalten und zeitaufwendig über das Innenleben der anderen nachzudenken. Im täglichen Leben ist einfach keine Zeit dafür. Was für unser Tennisball-Beispiel gilt, gilt auch für das Verhalten anderer. Würde unser Gehirn erst tätig werden, wenn es alle notwendigen Sinneseindrücke erhalten hat, könnten wir nie schnell genug auf andere Menschen reagieren, so wie wir auch den Tennisball nicht mehr treffen können, wenn er schon an uns vorbeigeflogen ist. Mit anderen Worten: Wir können nicht erst das Verhalten anderer beobachten, um herauszufinden und zu entscheiden, wie wir reagieren sollen. Vielmehr müssen wir dieses Verhalten vorhersagen, um rechtzeitig und (hoffentlich) effizient und angemessen reagieren zu können. Kurz gesagt, ist die Wahrnehmung des Verhaltens anderer im Wesentlichen eine prädiktive Tätigkeit: Wir sagen voraus, was andere Menschen tun werden, wann, wo, wie und wie lange.

Auf einer sehr grundlegenden Ebene bedeutet dies z. B., dass wir die Bewegungen der Menschen um uns herum vorhersagen können. Wenn wir das nicht könnten, würden wir uns im wahrsten Sinne des Wortes ständig in die Arme laufen.

Menschen mit Autismus haben kein Problem damit, Körperbewegungen wahrzunehmen.[110] Sie sind auch durchaus in der Lage, verschiedene Formen dieser Bewegungen zu unterscheiden, wie z. B. Kämpfen, Tanzen etc.[111] So weit, so gut. Aber können sie auch Körperbewegungen vorhersagen?

Mehrere Studien deuten darauf hin, dass die Vorhersage von Bewegungen an sich für Menschen mit Autismus kein wirkliches Problem darstellt. Forscher der Universität Oxford[112] zeigten Kindern mit Autismus einen Film, in dem ein Auto einen Weg entlangfuhr. An einem bestimmten Punkt verschwand das Auto hinter einer längeren Mauer und war nicht mehr zu sehen. Die Kinder sollten durch Drücken eines Knopfes vorhersagen, wann das Auto am Ende der Mauer ankommen würde. Die Kinder mit Autismus schnitten genauso gut ab wie ihre nicht-autistischen Altersgenossen.

In diesem Experiment spielt der Kontext bei der Vorhersage keine Rolle. Erforderlich ist lediglich die gedankliche Fortsetzung der Fahrzeugbewegung. Sowohl die Geschwindigkeit als auch die Richtung sind absolute Faktoren. Sie ändern sich nicht und sind daher nicht kontextabhängig. Für autistische Kinder mit absolutem Denken war das kein Problem.

Aber das gilt nicht für die menschliche Bewegung. Die Geschwindigkeit, Richtung und Art und Weise, in der sich Menschen bewegen, sind abhängig vom jeweiligen Kontext. Es gibt nichts Absolutes an diesen Faktoren, sie sind alle sehr variabel. Und das ist es, was dem autistischen Gehirn Probleme bereitet, wie Lucia Amoruso und ihr Team an der Universität von Udine in Italien herausgefunden haben.[113]

Amoruso zeigte einer Gruppe von Kindern mehrere Kurzfilme, in denen zwei Kinder an einem Tisch sitzen. Zwischen ihnen liegt ein Apfel auf einem Teller.

Das Kind auf der linken Seite bewegt seine Hand in Richtung des Apfels. Lag der Apfel auf einem grünen Teller, wurde er in neun von zehn Fällen mit der Hand von der Seite angefasst, was darauf schließen lässt, dass das Kind den Apfel essen wollte. Wenn der Apfel auf einem schwarzen Teller lag, griff die Bewegung mit der Hand in neun von zehn Fällen von oben nach dem Apfel, was darauf hindeutet, dass das Kind ihn dem anderen Kind geben wollte.[114]

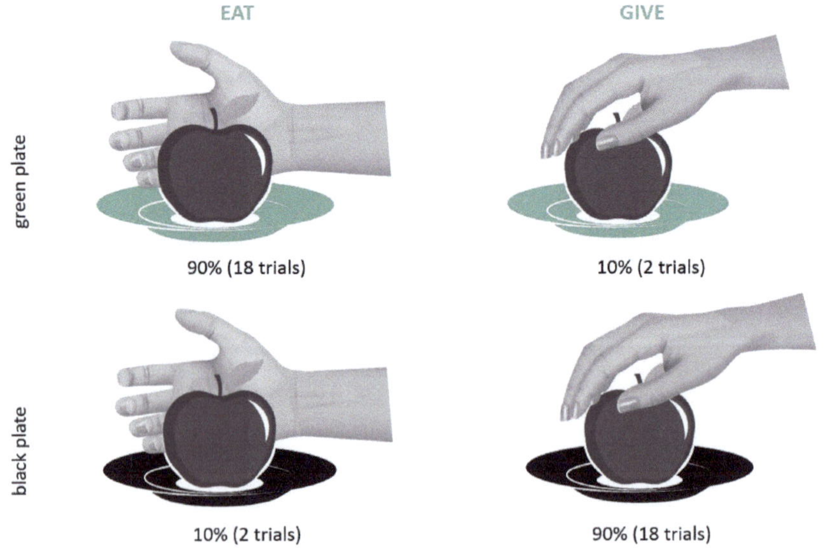

Den Kindern gelang es recht schnell, dieses Muster zu erkennen. Schon nach wenigen Filmen konnten alle Kinder (mit und ohne Autismus) erkennen, ob das Kind den Apfel nehmen oder geben wollte.

In einer zweiten Filmreihe wurde den Kindern im Wesentlichen dasselbe Szenario gezeigt, diesmal jedoch mit einem Glas auf einem Tischset unterschiedlicher Farbe zwischen den beiden Kindern. Stand das Glas auf einer weißen Unterlage, nahm das Kind in sechs von zehn Fällen das Glas, als ob es daraus trinken wollte. Stand das Glas auf einem blauen Untersetzer, griff das Kind in sechs von zehn Fällen so, als wollte es das Glas dem anderen Kind geben.

Nach dieser Lernphase des Experiments wurden den Kindern dieselben Filme noch einmal gezeigt, aber diesmal wesentlich kürzer: Jeder Film wurde angehalten, wenn die Hand in der Bewegung noch ein Stück von dem Apfel oder dem Glas entfernt war. Die Kinder sollten dann sagen, was das Kind im Film tun würde: geben oder nehmen? Da sich die Hand noch in einiger Entfernung vom Objekt befand, konnten die Versuchskinder den Handgriff (von der Seite oder von oben) im Film nicht mehr sehen. Ihre Vorhersage musste daher auf der Grundlage dessen getroffen werden, was sie über die kontextuellen Einflussfaktoren gelernt hatten: die Farbe des Tellers und der Unterlage. Kinder ohne Autismus konnten dies bei dem Teller besser als bei der Unterlage.

Und das ist logisch: die Verbindung mit dem Kontext war im Fall des Tellers mit dem Apfel stärker (90 %) als im Fall der Unterlage mit dem Glas (60 %). Bei den Kindern mit Autismus gab es jedoch keinen solchen Unterschied. Ihr Gehirn hatte nicht gelernt, den Kontext zu nutzen, um die Bewegung der Hand vorherzusagen. Mit anderen Worten, die Kinder mit Autismus waren in der Lage, die Dinge richtig wahrzunehmen (wie in der ersten Filmreihe, in der es einen Unterschied im Griff beim Geben und Nehmen gab), aber sie waren nicht in der Lage, diese beiden Handlungen auf der Grundlage des Kontexts vorherzusagen. Eine weitere Schlussfolgerung dieses Experiments ist erwähnenswert: Aus der Befragung der Kinder zu ihren Entscheidungen wurde deutlich, dass sich keines der Kinder, ob mit oder ohne Autismus, der kontextuellen Hinweise (Farbe des Tellers und des Tischsets) bewusst war, was wiederum zeigt, dass Kontextfaktoren unbewusst wirken.

In dieser Studie wurden den Kindern die Filme mehrmals gezeigt. Natürlich hilft es bei der Vorhersage des Verhaltens einer Person, wenn man dieselbe Handlung mehrfach wiederholt sieht. Das heißt aber nicht, dass dies zwingend notwendig ist: Es ist immer auch möglich, ein Verhalten vorherzusagen, ohne es vorher mehrfach gesehen zu haben. Nämlich indem wir den Kontext nutzen und das, was wir in diesem Kontext zu erwarten haben. Wenn Sie Robert in der Küche mit einem Ei in der Hand und einer heißen Pfanne auf dem Herd sehen, können Sie vorhersagen, dass er das Ei in die Pfanne schlagen wird. Wenn Robert an einem Tisch mit Malutensilien sitzt und ein Ei in der Hand hält, können Sie vorhersagen, dass er das Ei nicht aufschlagen, sondern als Osterei bemalen wird. Mehr noch: Sie können dieses Verhalten vorhersagen, obwohl Sie Robert noch nie mit einem Ei in der Hand gesehen haben.

Was wird die Hand mit der Tasse machen?

In der Situation links scheint „nehmen und trinken" die wahrscheinlichste Option zu sein. Die Situation auf der rechten Seite deutet eher auf „nehmen und wegräumen" hin.

Lucia Amoruso[115] zeigte ihren Probanden eine Reihe von Filmen, in denen sie eine Hand sehen konnten, die sich auf eine Tasse zubewegt. Manchmal stimmte die Position der Hand mit der Handlung überein, die man in diesem Kontext vernünftigerweise erwarten konnte, z.B. eine bestimmte Art des Greifens, die in einem Kontext mit einer vollen Tasse Kaffee und einem Teller mit Keksen auf „Essen und/oder Trinken" hindeutete, oder eine andere Art des Greifens, die bei einem Kontext mit leerer Tasse und leerem Teller auf „Abräumen" schließen ließ. In einigen Filmen entsprach der Handgriff aber nicht den Erwartungen im jeweiligen Kontext. Zum Beispiel konnte der Griff „Abräumen" von oben mit der vollen Tasse und dem Teller kombiniert werden oder der Griff „Trinken" mit der leeren Tasse und dem Teller. Diese Filme erzeugten jede Menge Vorhersagefehler, die im Gehirn der Versuchspersonen beobachtet werden konnten. Amoruso und ihr Team kamen zu dem Schluss, dass die Gehirne von Personen mit einer hohen Punktzahl in einem Fragebogen zu Autismusmerkmalen anders auf die Filme mit der „unerwarteten" Handlung reagierten als die Gehirne von Personen mit einer niedrigen Punktzahl in diesem Fragebogen. Worin bestand der Unterschied? Sie schienen weniger überrascht zu sein. Dies zeigt einmal mehr, dass Menschen mit Autismus nur eine begrenzte Kontextsensitivität für die Vorhersage von Verhalten zur Verfügung steht.

Wenn wir das Verhalten einer Person vorhersagen, stützen wir unsere Einschätzungen auf zwei Quellen:

- Das Verhalten, das wir gerade zuvor bei der Person gesehen haben.
- Das Verhalten, das wir im entsprechenden Kontext erwarten, in dem dieses Verhalten gezeigt wurde.

Der französische Kognitionspsychologe Valerian Chambon[116] fand heraus, dass sich Menschen mit Autismus weniger auf ihre Erwartungen, sondern mehr auf das verlassen, was sie sehen, insbesondere in Bezug auf soziales Verhalten. Es ist nicht so, dass Menschen mit Autismus per se nicht in der Lage sind, die Absichten anderer zu erkennen, aber im Bereich des Sozialverhaltens ist es für sie schwieriger, angemessene Vorhersagen zu treffen, wenn die Menge der verfügbaren Informationen begrenzt ist. Dies steht im Einklang mit dem, was wir zuvor im Zusammenhang mit der Vorhersagefähigkeit bei Autismus gesehen haben: Ein autistisches Gehirn scheint sensorischen Informationen größeres Gewicht beizumessen als seinen eigenen Modellen und Erwartungen. Bei der Einschätzung dessen, was andere Menschen tun werden, ist es fast so, als ob das autistische Gehirn das Prinzip „das glaube ich erst, wenn ich es sehe" anwendet. Menschen mit Autismus brauchen mehr Informationen, bevor sie das Verhalten anderer vorhersagen können, insbesondere in sozialen Kontexten.

Bisher ging es nur um Verhaltensvorhersagen auf der Grundlage nicht sozialer Kontextfaktoren, wie z. B. der Farbe eines Tellers oder dem Füllzustand einer Tasse. In der sozialen Welt spielt aber auch der soziale Kontext zwangsläufig eine wichtige Rolle: Was eine Person macht, hat eine Auswirkung auf die Reaktion, die wir von einer anderen Person erwarten können. Das menschliche Gehirn muss nicht nur in der Lage sein, einzelne Reaktionen vorherzusagen, sondern auch verschiedene Interaktionen.

Bei der Einschätzung dessen, was andere Menschen tun werden, ist es fast so, als ob das autistische Gehirn das Prinzip ‚das glaube ich erst, wenn ich es sehe' anwendet.

Um herauszufinden, ob ein autistisches Gehirn dies ebenso gut kann wie ein nichtautistisches, hat eine europäische Forschergruppe[117] sogenannte Lichtpunktdarstellungen verwendet, eine Technik, die seit den 1970er-Jahren zur Untersuchung der Wahrnehmung menschlicher Bewegungsabläufe eingesetzt wird. Anstatt den Versuchspersonen einen sich bewegenden Körper zu zeigen, werden ihnen nur die Bewegungen einiger Orientierungspunkte des Körpers, meistens der Gelenke, in Form von weißen Lichtpunkten vor einem dunklen Hintergrund gezeigt. Die folgenden Bilder[118] verdeutlichen das: Bei solchen Experimenten werden den Probanden Filme gezeigt, die dem rechten Bild ähneln, auf denen die eigentliche Person nicht mehr zu sehen ist.

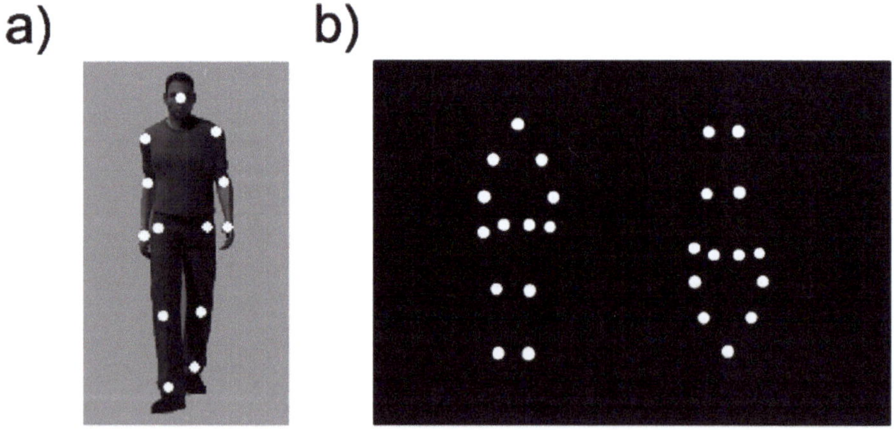

In der europäischen Studie wurden die Versuchspersonen gebeten, sich kurze Filme anzusehen, die die Lichtpunktdarstellungen von zwei Personen enthielten: Person A und Person B. In manchen Filmen gab es eine Andeutung von Kommunikation. Zum Beispiel eine Bewegung, in der es schien, als würde Person A etwas zu Person B sagen und auf den Boden zeigen, als würde sie Person B auffordern, etwas aufzuheben. Oder eine Bewegung, bei der A zu B „Stopp“ zu sagen schien. In anderen Filmen gab es keine Andeutung von Kommunikation. Stattdessen führten die beiden „Personen“ einzelne Handlungen aus, wie z.B. Springen, Trinken oder Niesen. Die Versuchspersonen wurden gebeten, die verschiedenen Handlungen im Film zu beschreiben und zu sagen, ob es eine Kommunikation zwischen A und B gab. Bei den Ergebnissen gab es keine Unterschiede zwischen den Personen mit und ohne Autismus. Dies bestätigt erneut, dass Menschen mit Autismus in der Lage sind, menschliches Verhalten und menschliche Interaktion richtig einzuordnen, und dass ihre Fähigkeit, soziales Verhalten wahrzunehmen, intakt ist.

Obwohl sie das kommunikative Verhalten von Person A erkennen konnten, waren autistische Probanden jedoch nicht in der Lage, dieses Verhalten in ihre Vorhersage, was Person B als Reaktion darauf tun würde, einfließen zu lassen. Den Versuchspersonen wurde zweimal eine Reihe von kurzen Filmfragmenten mit zwei Lichtpunktdarstellungen gezeigt. In einigen dieser Filme war neben A auch B zu sehen, in anderen nur eine Folge sich zufällig bewegender weißer Punkte neben A. Nach der zweiten Betrachtung der Filmfragmente wurden die Versuchspersonen gefragt, ob sie B gesehen hätten oder nicht. Auch diesmal gab es Filme mit und ohne Kommunikation. In den Filmen mit Kommunikation lässt sich das Verhalten von B anhand der kommunikativen Handlung von A vorhersagen. Wenn A nach unten schaut, kann man erwarten, dass B eine Bewegung in Richtung Boden macht. Dies wiederum erleichtert die Entscheidung, ob man die Bewegung einer Person (B) oder nur eine Ansammlung von sich zufällig bewegenden Punkten gesehen hat oder nicht. Wenn A jedoch kein kommunikatives Verhalten zeigt, wird es schwieriger, zwischen B und den zufälligen Punkten zu unterscheiden. Diese Effekte waren bei den Teilnehmenden ohne Autismus sehr deutlich: Sie nutzten das kommunikative Verhalten von A, um vorherzusagen, was passieren würde, sodass sie auch B besser erkennen konnten. Den Teilnehmenden mit Autismus fiel es viel schwerer, B zu erkennen. Es schien, dass ihr Gehirn das Verhalten von A nicht als Informationsquelle nutzte, um eine Prognose über das darauffolgende Verhalten zu erstellen.

Fazit: Menschen mit Autismus können (soziales) Verhalten erkennen und beschreiben, wenn sie es sehen, aber ihr Gehirn nutzt diese Informationen nicht, um vorherzusagen, was auf dieses Verhalten folgen wird.

Wir haben bereits mehrfach erwähnt, dass die Vorhersageprozesse des Gehirns schnell und weitgehend unbewusst ablaufen. Und das ist bei den prädiktiven Prozessen und Fähigkeiten unseres sozialen Gehirns nicht anders. Leider ist es genau dieser Aspekt des unbewussten Vorhersagens, bei dem das autistische Gehirn nicht gut abschneidet. Dies wurde u. a. durch Untersuchungen zur „gemeinsamen Aufmerksamkeit“ gezeigt.

Von gemeinsamer Aufmerksamkeit spricht man, wenn zwei Personen ihre Aufmerksamkeit auf ein und dasselbe Objekt, Person oder Ereignis richten. Wenn Sie mit einem Freund in einer Kneipe sitzen und er sagt: „Schau mal, wer da kommt!“, drehen Sie sich zur Tür und folgen seinem Blick: Das ist ein Beispiel für gemeinsame Aufmerksamkeit. Zu wissen, wohin jemand schaut, ist eine wichtige Voraussetzung für Empathie. Außerdem ist seit einiger Zeit bekannt, dass sich die gemeinsame Aufmerksamkeit bei Kindern mit Autismus nur sehr langsam oder gelegentlich gar nicht entwickelt. Sie ist sogar eines der ersten Anzeichen für die Diagnose Autismus. Aus diesem Grund sind die Forscher besonders daran interessiert, wie dieser Prozess der gemeinsamen Aufmerksamkeit tatsächlich funktioniert.

Die Vorhersageprozesse des Gehirns verlaufen schnell und weitgehend unbewusst. Und das ist bei den prädiktiven Prozessen und Fähigkeiten unseres sozialen Gehirns nicht anders.

Ein Forscherteam der Universität Kyoto[119] in Japan hat eine Computerversion der gemeinsamen Aufmerksamkeit entwickelt. Jungen Menschen mit und ohne Autismus wurde auf einem Bildschirm die einfache Zeichnung eines neutralen Gesichts gezeigt.

Die Augen des Gesichts konnten sowohl nach links als auch nach rechts schauen. Die Blickrichtung des Gesichts stimmte mit der Position überein, in der ein Ball auf dem folgenden Bildschirm erscheinen würde.[120] Wenn das Gesicht nach links blickte, befand sich der Ball auf dem folgenden Bildschirm ebenfalls links (und umgekehrt, wenn das Gesicht nach rechts blickte). Die Richtung, in die das Gesicht blickte, sagte also voraus, wo etwas bald zu sehen sein würde. Bei jeder neuen Bildschirmseite sollten die Jugendlichen so schnell wie möglich angeben, ob der Ball auf der folgenden Bildschirmseite links oder rechts erscheinen würde. Dies war für alle Teilnehmer relativ einfach: Beide Gruppen (mit und ohne Autismus) nutzten die Blickrichtung, um erfolgreich vorherzusagen, was passieren würde. Als Nächstes verkürzten die Forscher die Zeitspanne, in der die Jugendlichen das Gesicht sehen konnten. Nun war die Zeit sogar so kurz, dass die Jugendlichen sagten, sie könnten überhaupt kein Gesicht mehr sehen! Zumindest waren sie sich dessen nicht bewusst, aber in diesem Sekundenbruchteil wurde dennoch ein Bild des Gesichts auf ihre Netzhaut projiziert. Die Forscher waren neugierig, ob die Jugendlichen unter dieser Bedingung immer noch die Richtung vorhersagen konnten, in der der Ball anschließend erscheinen würde. Die Ergebnisse zeigten, dass dies den jungen Menschen ohne Autismus immer noch recht gut gelang. Obwohl sie nicht in der Lage waren, eine Blickrichtung auf bewusster Ebene wahrzunehmen, hatte ihr unbewusstes Gehirn die Informationen aufgenommen und sie für eine korrekte Vorhersage verwendet. Bei den jungen Menschen mit Autismus war dies jedoch nicht der Fall.

Diese japanische Studie zeigte, dass Menschen mit Autismus kein Problem mit der bewussten gemeinsamen Aufmerksamkeit haben, aber sehr wohl ein Problem mit der unbewussten gemeinsamen Aufmerksamkeit. Zu diesem Ergebnis kamen auch Chris und Uta Frith, die davon ausgehen, dass die unbewusste gemeinsame Aufmerksamkeit nur einer von vielen schnellen und impliziten Prozessen ist, die in einem autistischen Gehirn nicht angemessen funktionieren. Dies ist auch der Grund dafür, dass Menschen mit Autismus in vielen verschiedenen Tests zur Theory of Mind manchmal gut abschneiden, es ihnen aber dennoch schwerfällt, das Verhalten anderer im „echten“ Leben, also außerhalb des Forschungslabors, fehlerfrei vorherzusagen. Oder warum Kinder und Jugendliche mit Autismus in einer Coaching-Sitzung problemlos alle möglichen Fragen zum Sozialverhalten beantworten können, aber außerhalb des Coachingraums, in einem für sie unberechenbaren sozialen Dschungel, hoffnungslos verloren sind. Trotz ihrer bewussten Kenntnis der sozialen Welt gelingt es ihrem Gehirn nicht, diese Welt schnell und unbewusst vorherzusagen.

Ein weiteres wichtiges Kontextelement zur Vorhersage des Verhaltens einer anderen Person besteht darin, dass das Gehirn weiß oder zu wissen glaubt, was diese Person will. Unser eigenes Verhalten ist immer davon abhängig, was wir wollen. Hinter allem, was wir tun, steckt immer eine Absicht. Es ist diese Absicht, die uns dazu motiviert, unser Verhalten in einer bestimmten Weise zu gestalten. Sie setzt uns in Bewegung – im wahrsten Sinne des Wortes. Und was für uns gilt, gilt auch für andere Menschen.

Sie wollen einen Beweis? Darf ich vorstellen: Floris, die Schildkröte. Floris liebt Salat. Er kann einfach nicht genug davon bekommen und will so schnell wie möglich so viel wie möglich davon essen. Also ...

... welchen Weg wird Floris nehmen, um an den Salat zu kommen?

Diese Aufgabe stellten Tobias Schuwerk und sein Team von der Ludwig-Maximilians-Universität in München[121] einer Gruppe von Kindern und Erwachsenen mit und ohne Autismus. Sie sahen einen Film, in dem Floris einen Weg zu drei leckeren Salatköpfen zurücklegte. Jedes Mal, wenn Floris an eine Kreuzung kam, verschwand er kurz hinter einer (ellipsenförmigen) Abdeckung. Dabei wurden die Augenbewegungen der Versuchspersonen beobachtet. Die Forschenden wollten herausfinden, ob die Teilnehmer der verschiedenen Gruppen vorhersagen konnten, auf welcher Seite der Abdeckung Floris auftauchen würde. Schon an der ersten Kreuzung zeigte sich, dass die nicht-autistischen Versuchspersonen ihren Blick sofort auf nur einen der beiden möglichen Ausgänge richteten, nachdem Floris aus dem Blickfeld verschwunden war. Kurz gesagt, sie machten eine Vorhersage. Bei den Kindern und Erwachsenen mit Autismus war diese Tendenz deutlich geringer. Es schien eher so, als würden sie darauf warten, dass Floris wieder auftaucht und erst dann ihren Blick in seine Richtung wenden.

Wenn man weiß, dass Floris Salat liebt und einen riesengroßen Hunger hat, kann man davon ausgehen, dass er den kürzesten Weg zu seinem Lieblingsessen nehmen wird. Seltsamerweise gab es jedoch bei den Testpersonen, sowohl mit als auch ohne Autismus, keine eindeutige Präferenz für diesen kürzeren Weg, zumindest nicht an der ersten Kreuzung. Dies deutet darauf hin, dass nicht-autistische Menschen nicht unbedingt ihr „bewusstes“ Hintergrundwissen nutzen, um vorherzusagen, was jemand tun wird. Auf den ersten Blick erscheint das seltsam: Es bedeutet, dass wir das Verhalten anderer nicht immer auf der Grundlage dessen vorhersagen, was wir für effizient und wahrscheinlich halten.

Möglicherweise hat das mit unserem intuitiven Wissen zu tun, dass Menschen nicht immer auf die logischste und effizienteste Weise handeln. Im Gegenteil, wir wissen, dass sie höchst unberechenbar sind. Menschen sind keine Tennisbälle: Sie können sich aussuchen, was sie tun und wohin sie gehen wollen, und sie tun dies auf eine Weise, die nicht gesetzmäßig, logisch und effizient sein muss.

Floris war kein Mensch, sondern eine Schildkröte, und so folgte er immer dem kürzesten und logischsten Weg.

An der zweiten Kreuzung wurde dies auch für die nicht-autistischen Versuchspersonen deutlicher, und es gab nun einen größeren Unterschied zwischen ihrer Blickrichtung und der Blickrichtung der autistischen Versuchspersonen. Ab diesem Punkt begannen die nicht-autistischen Kinder und Erwachsenen konsequenter den Ausgang auf der kurzen Seite der Ellipsenabdeckung zu beobachten, bevor Floris auftauchte. Dies zeigt, dass wir lernen, das künftige Verhalten anderer auf der Grundlage von Mustern vorherzusagen, die wir (weitgehend) unbewusst in ihrem aktuellen Verhalten wahrnehmen. Vielleicht ist das gar nicht so überraschend: Die spontane, unbewusste und implizite Vorhersage der Handlungen anderer Menschen ist viel schneller und viel einfacher als der bewusste Versuch, einzuschätzen, was sie tun oder nicht tun werden.[122] Erinnern Sie sich an den Sally-Anne-Test? Selbst Kinder im Alter von nur drei Jahren haben unbewusst erkannt, wo Sally ihre Murmel suchen würde, gaben aber die falsche Antwort, als sie gebeten wurden, „bewusst“ zu sagen, was Sally tun würde.

Die Kinder und Jugendlichen mit Autismus in Schuwerks Experiment schauten deutlich weniger auf den kürzesten Weg als ihre nicht-autistischen Altersgenossen. Die Beobachtung, dass Floris bei den ersten Malen diesen kurzen Weg genommen hat, half ihnen nicht, ein Muster für sein zukünftiges Verhalten zu erkennen.

Dies führt jedoch zu einer Anschlussfrage: Haben sie nichts aus ihrer Beobachtung von Floris' Verhalten gelernt oder war für eine Mustererkennung einfach zu wenig Zeit? Letzteres war möglich, denn alle Probanden hatten Floris nur viermal bei seiner Entscheidung gesehen. Folglich konnten Tobias Schuwerk und sein Team diese Frage nicht eindeutig beantworten.

Diese Antwort wurde später nicht von einer Schildkröte, sondern von einem Schwein gegeben. Dies war das Tier, das Kerstin Ganglmayer[123], eine Kollegin von Tobias Schuhwerk, in einem späteren Experiment verwendete. Sie bat Gruppen von Kindern, Jugendlichen und Erwachsenen mit und ohne Autismus, sich eine Reihe von zehn Filmen anzusehen, in denen ein Schwein auf dem Weg zu seinem Ziel (einem Haus oder einem Wald) zu sehen war. Wie bei Floris gab es auch für das Schwein unterwegs eine Kreuzung. Das Ziel war in jedem der zehn Filme dasselbe, aber manchmal befand sich dieses Ziel am oberen Rand des Bildschirms, dann musste das Schwein nach links abbiegen, und manchmal befand sich das Ziel am unteren Rand des Bildschirms, dann musste das Schwein nach rechts abbiegen. Wie bei Floris verschwand das Schwein aus dem Blickfeld, sobald es die Kreuzung erreichte, und wie zuvor wurden die Augenbewegungen der Versuchspersonen aufgezeichnet: Würden sie vorhersagen können, wo das Schwein wieder auftaucht? Würden sie das Ziel des Schweins aus ihrer Beobachtung ableiten und daraus schließen können, ob das Schwein nach links oder nach rechts abbiegen wird?

Bereits nach drei Filmen konnten die Kinder, Jugendlichen und Erwachsenen ohne Autismus vorhersagen, welche Richtung das Schwein einschlagen würde. Die Versuchspersonen mit Autismus konnten das schließlich auch, aber es dauerte länger als drei Filmsequenzen, bis sie das Muster verstanden hatten.

Ganglmayer und ihr Team kamen daher zu dem Schluss, dass Menschen mit Autismus durchaus lernen können, was andere Menschen wollen und auf dieser Grundlage deren Verhalten vorhersagen können, aber es ist ein Prozess, der mehr Zeit in Anspruch nimmt und mehr Wiederholungen erfordert als bei nicht-autistischen Menschen.

Ein weiteres Experiment von Tobias Schuwerk[124] in seinem Münchner Labor zeigte, dass diese Art des Lernens ein unbewusster Prozess ist, der nichts mit dem bewussten Nachdenken darüber zu tun hat, was in den Köpfen anderer Menschen vor sich gehen könnte. Seine Studie ergab, dass Menschen mit Autismus bei Tests zur Erfassung der expliziten Theory of Mind (durch bewusstes Nachdenken herausfinden, was andere denken, fühlen und wollen) recht gut abschneiden, ihr Gehirn aber mehr Wiederholungen und mehr Zeit benötigt, bevor es implizit (ohne bewusstes Nachdenken) vorhersagen kann, was andere denken, fühlen und wollen. Dieses Ergebnis untermauert die Schlussfolgerung, zu der u. a. Sandra Baez und Agustin Ibanez gelangt sind und die wir bereits diskutiert haben. Es bestätigt auch, was Chris und Uta Frith vor mehr als einem Jahrzehnt vermuteten: Menschen mit Autismus lernen nicht schnell und spontan, die Motive anderer Menschen zu verstehen. Und wenn dafür zu wenig Zeit und kein wiederholendes Lernen zur Verfügung steht, bleibt nur eine Alternative: den Mangel an schneller Intuition durch den Einsatz von Intellekt und bewusstem Denken zu kompensieren, um das Verhalten anderer zu verstehen. Doch trotz einer vollkommen intakten Fähigkeit, mentale Prozesse bei anderen Menschen zu erkennen, ist es für Menschen mit Autismus schwierig, schnell und genau vorherzusagen, was diese anderen Menschen tun werden. Und das macht es für sie schwierig, schnell und reibungslos auf diese Menschen zu reagieren.[125]

Unbewusste Vorhersagen sind das eigentliche Problem bei Autismus.

Dies erklärt auch, warum das sogenannte Theory-of-Mind-Training nur selten wirkliche Auswirkungen auf die soziale Kompetenz von Menschen mit Autismus hat.[126] Theory-of-Mind-Training schult nur das bewusste, explizite soziale Gehirn. Es geht dabei um Aufgaben, bei denen Kinder und Jugendliche überlegen müssen, was jemand denken, fühlen oder erwarten könnte. Natürlich ist das nicht schlecht – ganz im Gegenteil –, wenn autistische Menschen aller Altersgruppen etwas über das Innenleben anderer Menschen lernen und über die Art und Weise, wie dies ihr Verhalten steuert. Aber „Wissen" und „Kenntnisse" sind nicht das Problem: Unbewusste Vorhersagen sind das eigentliche Problem bei Autismus. In meinem Buch *Autismus als Kontextblindheit* habe ich es bereits ausführlich erklärt: Der entscheidende Punkt ist nicht die Fähigkeit autistischer Menschen, zu lernen, was andere Menschen denken, fühlen, erwarten und wollen, sondern die Schwierigkeit, dieses Wissen flexibel im jeweiligen Kontext einzusetzen.

Darüber hinaus nutzt das Gehirn den Kontext nicht nur, um zu vermuten, was andere tun oder sagen werden, sondern auch, um deren wahrscheinliche emotionale Reaktion einzuschätzen. In dieser Hinsicht ist Theory of Mind im Wesentlichen eine vorhersagende Aktivität.[127]

Auch heute noch denken viele Menschen, dass wir Emotionen bei anderen Menschen an deren Gesichtsausdruck erkennen. Das ist jedoch ein Irrglaube, der auf der inzwischen überholten Computer-Metapher für die Funktionsweise des Gehirns beruht.

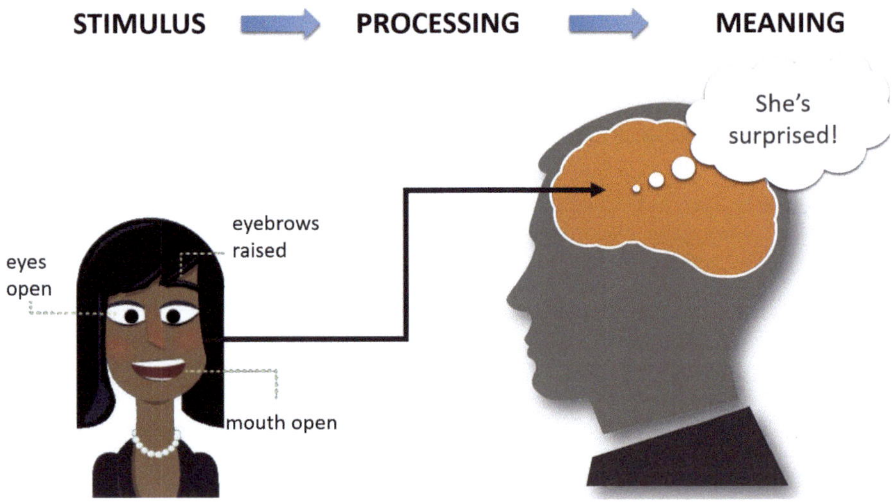

So funktioniert es aber nicht. Das Gehirn ist nicht der passive Empfänger der von anderen Menschen ausgedrückten Emotionen und Gefühle. Vielmehr sagt das Gehirn die Emotionen anderer voraus. Und dabei spielt – wie Sie jetzt vielleicht schon selbst voraussagen können – der Kontext eine wichtige Rolle.

Im Gegensatz zu dem, was viele Menschen denken, sind die meisten, wenn nicht alle Gesichtsausdrücke mehrdeutig. Mehrheitlich gehen wir davon aus, dass wir Emotionen schnell und genau aus den Gesichtern anderer ablesen können. Als Forschende jedoch Anfang des 20. Jahrhunderts zum ersten Mal Fotos von der menschlichen Mimik machten, waren sie erstaunt, wie uneinig sich ihre Versuchspersonen über die Emotionen auf diesen Fotos waren. Auf vielen Fotos sahen die Versuchspersonen sehr unterschiedliche Emotionen. Es wurde deutlich, dass Gesichtsausdrücke nicht so eindeutig sind, wie bisher angenommen, sondern eigentlich mehrere Interpretationen zulassen. Diese unterschiedlichen Interpretationen wurden jedoch einheitlich getroffen, sobald den Versuchspersonen Kontextinformation gegeben wurde. Leider wurden diese frühen Forschungsergebnisse zur Wahrnehmung von Emotionen viele Jahre lang von den Arbeiten des Psychologen Paul Ekman überschattet. Ekman ist so etwas wie eine wissenschaftliche Berühmtheit, und das *TIME Magazine* nahm ihn in seine Liste der 100 einflussreichsten Personen auf. Nach mehreren Reisen in exotische Länder, u. a. zu indigenen Völkern in Neuguinea, die nie zuvor Kontakt zur Außenwelt hatten, kam er zu dem Schluss, dass die Gesichtsausdrücke für sieben grundlegende Emotionen universell sind. Egal, wo man sich auf der Welt befindet, die Menschen zeigen immer dieselben Gesichtsausdrücke für die Emotionen Angst, Wut, Ekel, Freude, Trauer, Überraschung und Verachtung. Das war zumindest seine Meinung. Ekman machte Fotos, um seine These zu beweisen, und noch heute werden diese Bilder weltweit in der psychologischen Forschung verwendet. Daher glauben die meisten Menschen immer noch, dass man die Emotionen eines Menschen einfach durch einen Blick in sein Gesicht ablesen kann.

Aber das stimmt einfach nicht. Das Einzige, was man aus dem Gesicht einer Person ablesen kann, ist, ob sie sich gut fühlt oder nicht, sowie die Stärke der Emotion. Und das ist alles. Mehr nicht. Gesichtsausdrücke sind von Natur aus mehrdeutig.[128]

Das ist Judith. Was denken Sie, was sie fühlt?

James Carroll und James Russell[129] von der University of British Columbia in Kanada verwendeten in einem Experiment ein ähnliches Foto wie das obige. Fast 90 % der ersten Gruppe von Versuchspersonen, denen das Foto gezeigt wurde, meinten, dass Judith Angst habe. Einer zweiten Gruppe von Versuchspersonen wurde dann dasselbe Foto gezeigt, aber erst, nachdem Carroll und Russell zuvor die folgende Geschichte erzählt hatten: Judith möchte ihre Schwester zu einem Essen in das exklusivste und teuerste Restaurant der Stadt einladen. Sie reserviert schon Monate vorher. Als der große Tag endlich gekommen ist und sie mit ihrer Schwester das Restaurant betritt, teilt der Oberkellner ihnen mit, dass ihr Tisch erst in 45 Minuten bereit sein wird. Sie warten im Empfangsbereich und die Zeit vergeht, aber nach einer Stunde haben sie immer noch keinen Tisch bekommen. Judith spricht noch einmal mit dem Restaurantleiter und der sagt, er werde sehen, was er tun könne. Zehn Minuten später kommt eine bekannte Lokalgröße mit seiner Freundin in das Restaurant. Er wird sofort hereingelassen und zu einem Tisch geführt. Judith wendet sich nun erneut an den Restaurantleiter. Er teilt ihr mit, dass alle Tische besetzt sind und es noch mindestens eine Stunde dauern wird, bis ein Tisch frei wird.

Nachdem sie diese Geschichte gehört hatten, waren 60 % der Testpersonen der Meinung, dass Judith eher wütend als verängstigt aussah. Ihre Interpretation des Gesichtsausdrucks wurde eindeutig durch den Kontext beeinflusst.

Carroll und Russell konnten den gleichen Effekt mit 21 anderen Geschichten und unterschiedlichen Emotionen nachweisen: In jedem Fall entschied sich die Mehrheit der Versuchspersonen für die Emotion, die am besten zum Kontext der Situation zu passen schien. Damit legten Carroll und Russell vor mehr als 25 Jahren den Grundstein für eine neue Betrachtungsweise der Emotionserkennung: Der Kontext bestimmt, wie wir die Emotionen bewerten, die wir im Gesicht einer Person sehen können.

Die Situation, das Geschehen, Verhalten und Ausdrucksweise der anderen Menschen, die Körpersprache, die Intonation und Lautstärke der Stimme, der kulturelle Hintergrund und sogar die Worte, all das beeinflusst den Prozess der Erkennung von Emotionen. Auch das Geschlecht kann eine Rolle dabei spielen, wie leicht wir bestimmte Emotionen erkennen können; z. B. erkennt man Wut bei einem Mann im Allgemeinen schneller als bei einer Frau. Und warum? Weil Wut in unserem Weltbild eher mit Männern als mit Frauen in Verbindung gebracht wird. Wir erwarten, dass Männer eher wütend als traurig sind, was wiederum eine Emotion ist, die bei Frauen leichter zu erkennen ist.

Die derzeitige Denkweise über die Wahrnehmung von Gefühlen muss dringend über Bord geworfen werden. Was wir unter Emotionserkennung verstehen, ist in Wirklichkeit gar keine Erkennung. Auf der Grundlage des jeweiligen Kontexts treffen wir eine Vorhersage darüber, wie sich jemand fühlen könnte. Emotionserkennung ist daher eine emotionale Vorhersage. Nach der Hälfte von Judiths Geschichte können Sie bereits vorhersagen, dass Judith eher wütend als ängstlich sein wird. Aber Sie werden sich dieser Vorhersage nicht bewusst sein. Wenn wir das Gesicht bei diesem Prozess überhaupt einbeziehen, dann nur, um zu überprüfen, ob unsere Vorhersage richtig ist oder nicht. Oder anders ausgedrückt: Wir lesen keine Emotionen aus dem Gesicht, sondern wir projizieren Emotionen in das Gesicht einer Person. Das funktioniert folgendermaßen:

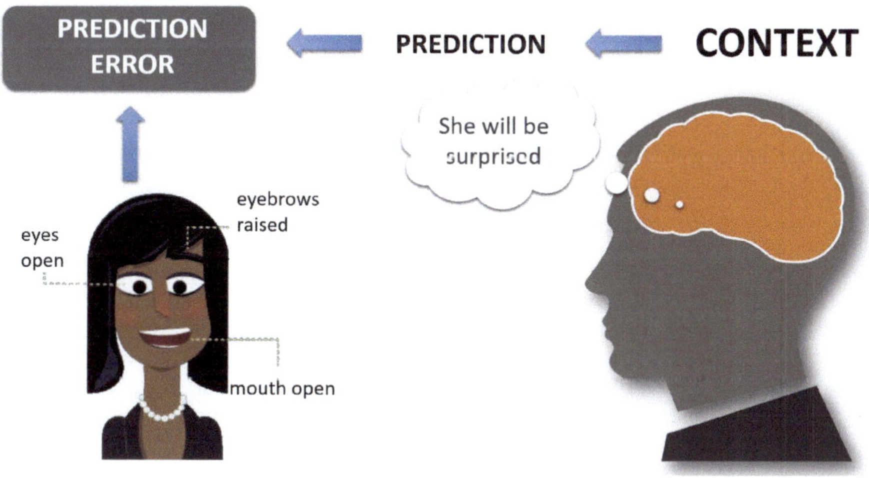

Die Kontextsensitivität funktioniert bei der Vorhersage von Emotionen genauso schnell, unbewusst und automatisch wie bei der Vorhersage von Bewegungen und Verhalten. Dieser Einfluss des Kontexts beginnt in einem sehr frühen Stadium der Informationsverarbeitung im Gehirn, lange bevor wir uns der wahrzunehmenden Emotion bewusst sind.[130] In Bezug auf den Gesichtsausdruck wirkt der Kontext also auf den basalen und vorbewussten Ebenen der Aufmerksamkeit und Wahrnehmung. Darüber hinaus besteht ein eindeutiger Zusammenhang zwischen dem Ausmaß, in dem wir den Kontext nutzen (können), und der Geschwindigkeit und Genauigkeit, mit der wir mentale Zustände wie Emotionen wahrnehmen können.[131] Wir erkennen eine Emotion schneller und präziser, wenn ein Gesichtsausdruck in einem Kontext auftritt, der diese Emotion ebenfalls suggeriert, als wenn die Emotion in einem neutralen Kontext oder in einem Kontext auftritt, der eine andere Emotion nahelegt.[132] So erkennen Menschen z. B. Angst in einem furchteinflößenden Kontext leichter als in einem fröhlichen Kontext.

Auf einer Silvesterparty ist es schwieriger, bei jemandem Angst zu erkennen als bei einer Geiselnahme, es sei denn, beim Silvesterfeuerwerk geht etwas schief ...

Was wir unter Emotionserkennung verstehen, ist in Wirklichkeit gar keine Erkennung. Auf der Grundlage des jeweiligen Kontexts treffen wir eine Vorhersage darüber, wie sich jemand fühlen könnte. Emotionserkennung ist daher eine emotionale Vorhersage.

Wenn Kontext und Gesichtsausdruck einander widersprechen, braucht das Gehirn mehr Zeit und Energie, um seine Vorhersage der Emotion zu erstellen. Auch hier können wir von einem Vorhersagefehler sprechen. Aber was hat mehr Gewicht bei der unbewussten Entscheidung, die das Gehirn letztendlich trifft: der Kontext oder der Gesichtsausdruck? Wie z. B. im folgenden Fall:[133]

Ist diese junge Frau glücklich oder traurig?

Ruthger Righart und Beatrice De Gelder aus den Niederlanden verwendeten eine Fotoserie, bei der der Gesichtsausdruck manchmal mit der Emotion in der abgebildeten Situation übereinstimmte und manchmal nicht, wie im Fall der jungen

Frau oben. Wie die Forschenden erwartet hatten, brauchten die Probanden etwas mehr Zeit zur Identifizierung der Emotion, wenn es einen Konflikt zwischen dem Gesichtsausdruck und der emotionalen Bedeutung der Situation gab. Überraschender war die Tatsache, dass in den meisten Fällen die Emotion erkannt wurde, die man in dem gegebenen Kontext erwarten konnte, und nicht die Emotion, die der Gesichtsausdruck selbst vermuten ließ. Konkret heißt das: Wenn Sie jemandem das obige Foto nur kurz zeigen – was der Dynamik des wirklichen Lebens entspricht, denn Menschen sind keine Fotos und bewegen und verändern sich mit hoher Geschwindigkeit – wird er oder sie wahrscheinlich sagen, dass die betreffende Frau glücklich und zufrieden ist, denn das erwartet man normalerweise, wenn man viele Weihnachtsgeschenke bekommt.

Das kann man kaum glauben, aber es wurde in zahlreichen Studien nachgewiesen. Bei unklarer oder verwirrender Information – kurz gesagt, bei einem Vorhersagefehler – wird das Gehirn dem, was es über die erwarteten Emotionen im gegebenen Kontext weiß, mehr Gewicht beimessen als der sensorischen Information, die durch den Gesichtsausdruck übermittelt wird. Fazit: Der Kontext ist für die Erkennung von Emotionen wichtiger als der Gesichtsausdruck.

Dina Tell und Denise Davidson[134] von der Loyola University in Chicago wollten wissen, ob dies auch für Kinder mit Autismus gilt. Ihr Experiment ergab, dass Kinder mit Autismus, wenn der Kontext und der Gesichtsausdruck übereinstimmten, im Allgemeinen in der Lage waren, Emotionen mit der gleichen Genauigkeit zu erkennen wie Kinder ohne Autismus. Dies war auch der Fall, wenn der Gesichtsausdruck auf dem Foto ausgeblendet wurde, aber nur in Fällen, in denen die Situation sehr klar und prototypisch war, wie z. B. bei einem Kind, dessen Spielzeug kaputt war. In weniger eindeutigen Situationen konnten sie nicht so leicht erkennen, was das Kind allein aus dem Kontext herausfühlte. Diese Ergebnisse bestätigten die Schlussfolgerung einer französischen Studie,[135] die einige Jahre zuvor durchgeführt worden war und in der es Kindern mit Autismus ebenfalls schwerfiel, Emotionen zu erkennen, wenn die Gesichter der Figuren auf den ihnen gezeigten Fotos abgedeckt waren. Was Tell und Davidson bei ihren eigenen Ergebnissen jedoch am meisten überraschte, war der Unterschied zwischen den Reaktionen von Kindern mit und ohne Autismus auf Fotos, bei denen der Gesichtsausdruck nicht zum Kontext passte. Als ihnen ein ähnliches Bild wie das obige gezeigt wurde, sagten fast alle Kinder ohne Autismus, dass die junge Frau mit den Weihnachtsgeschenken glücklich sei. Im Gegensatz dazu sagten sieben von zehn der autistischen Kinder, dass sie traurig sei. Während die Kinder ohne Autismus die erwartete Emotion aus dem Kontext ableiten konnten, waren die autistischen Kinder dazu nicht in der Lage und mussten sich stattdessen bei der Emotionserkennung auf den Gesichtsausdruck der Frau verlassen.[136] Möglicherweise ist dies eine Folge des Trainings zur Emotionserkennung, das viele Kinder mit Autismus erhalten. Im Rahmen dieses Trainings werden ihnen Fotos von Gesichtsausdrücken gezeigt und sie werden aufgefordert, diese als wütend, ängstlich, glücklich, traurig etc. zu identifizieren. Es ist bedauerlich, dass diese Praxis in der Welt des Autismus (und darüber hinaus) immer noch weit verbreitet ist, denn seit mehr als einem Jahrzehnt haben Hirnforscher zweifelsfrei bestätigt, dass wir Emotionen aus dem Kontext und nicht aus dem Gesichtsausdruck ableiten und vorhersagen. Es gibt noch einen weiteren möglichen (oder zusätzlichen) Grund dafür, dass Kinder mit Autismus den Gesichtsausdruck gegenüber dem Kontext „bevorzugen". Dabei handelt es sich um dasselbe Phänomen, das wir bereits weiter oben in diesem Buch in Bezug auf die Verarbeitung sensorischer Informationen betrachtet haben: Sie neigen dazu, der Information, die sie über ihre Sinne erhalten (in diesem Fall die visuellen Signale vom Gesicht), mehr Gewicht beizumessen als den Dingen, die man normalerweise in dem gegebenen Kontext erwarten würde.

Dies wird durch die Absolutheit ihres Denkens noch verstärkt: ein trauriges Gesicht ist ein trauriges Gesicht ist ein trauriges Gesicht ... Ende der Geschichte. Als interessanter Nebenaspekt ist es vielleicht auch erwähnenswert, dass einige der Kinder ohne Autismus den widersprüchlichen Inhalt mancher Fotos kommentierten.

Vor dem Hintergrund der Theorie des prädiktiven Gehirns ist es höchste Zeit für einen Kurswechsel bei den zahlreichen Interventionen, die Kindern, Jugendlichen und Erwachsenen mit Autismus zu mehr sozialer Kompetenz verhelfen sollen.

Vor dem Hintergrund der Theorie des prädiktiven Gehirns ist es höchste Zeit für einen Kurswechsel bei den zahlreichen Interventionen, die Kindern, Jugendlichen und Erwachsenen mit Autismus zu mehr sozialer Kompetenz verhelfen sollen. Autistischen Kindern und Jugendlichen Fotos und Zeichnungen von Gesichtsausdrücken zu zeigen, kann ihnen vielleicht helfen, die Wörter für verschiedene Emotionen zu lernen, ähnlich wie wir es tun, um ihnen Wörter für Tiere, Gegenstände etc. beizubringen, aber wir dürfen nicht darauf hoffen, dass sie dadurch auch lernen, Gefühle zu erkennen. Kinder, die Emotionen auf Fotos und Zeichnungen benennen können, sind nicht notwendigerweise – ich wiederhole: nicht – in der Lage, diese Emotionen im wirklichen Leben zu erkennen.

Ein amerikanisches Forscherteam[137] zeichnete die Augenbewegungen von Kindern mit und ohne Autismus auf, während sie Gesichtsausdrücke in vier verschiedenen Darstellungsformen betrachteten: Fotos mit nur einem Gesicht, kurze Filme mit nur einem Gesicht, Fotos mit einem Gesicht in einem Kontext und kurze Filme mit einem Gesicht in einem Kontext. Die Augenbewegungen der Kinder mit Autismus unterschieden sich nur dann signifikant von den Augenbewegungen der nicht-autistischen Kinder, wenn sie die bewegten Bilder von Gesichtsausdrücken in einem Kontext betrachteten, also in der Form, die dem wirklichen Leben am ehesten entspricht. Bei der Erkennung von Gesichtsausdrücken auf Fotos und in Filmen, die ein isoliertes Gesicht zeigen, gab es keinen Unterschied zwischen den beiden Testgruppen. Bei der Erkennung von Emotionen auf Fotos mit kontextbezogenen Szenen schnitten die Kinder mit Autismus wiederum etwas (aber nicht signifikant) schlechter ab als ihre nicht-autistischen Altersgenossen. Andere Studien[138] haben diese Ergebnisse inzwischen bestätigt: Die Benennung isolierter Gesichtsausdrücke stellt für Menschen mit Autismus kein Problem dar. Problematisch sind für sie jedoch die Identifizierung und die Vorhersage von Gesichtsausdrücken in einem Kontext.

Wenn wir die Fähigkeiten von Menschen mit Autismus beim Erkennen von Emotionen fördern wollen, müssen wir wegkommen von einfachen Bildern mit Gesichtsausdrücken und stattdessen Gesichtsausdrücke in Kontexten und Szenen verwenden, die bestimmte Emotionen hervorrufen. Noch einmal: Wir müssen die Kontext-Taste drücken!

Training der Emotionserkennung

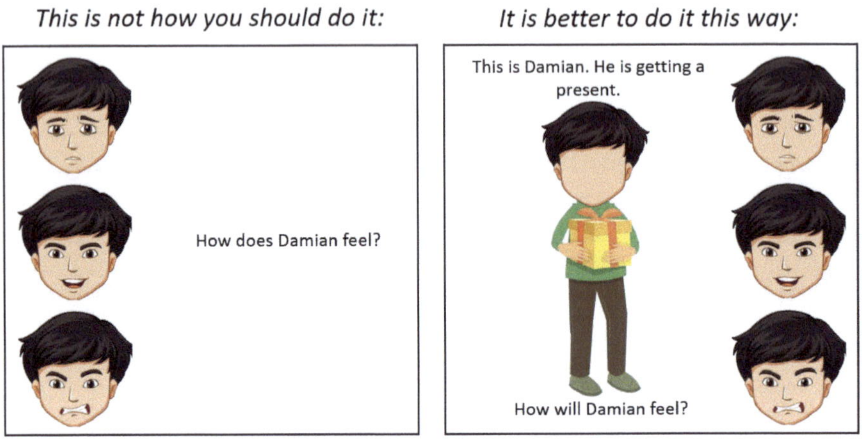

Es gibt bereits wissenschaftliche Belege, die den Wert und die Wirksamkeit dieses Ansatzes bestätigen. Wenn der Kontext aktiviert wird, sind Kinder, Jugendliche und Erwachsene mit Autismus viel besser in der Lage, Emotionen zu erkennen und vorherzusagen.[139] Darüber hinaus gilt dies nicht nur für die Grundemotionen wie Angst, Wut, Freude und Traurigkeit.

Und das ist noch nicht alles. Durch den Kontext können Menschen mit Autismus nicht nur vorhersagen, wie sich andere Menschen fühlen, sondern sie können auch vorhersagen, was andere Menschen wollen und als nächstes tun werden. Die Experimente von Tobias Schuwerk und seiner Gruppe – die mit der Schildkröte und dem Schwein – machen deutlich, dass wir Menschen mit Autismus helfen können, das Verhalten anderer besser vorherzusagen, vorausgesetzt, wir drücken immer wieder auf die Kontext-Taste und lassen ihnen genügend Zeit, die erkennbaren Muster im Kontext zu entdecken.

Andere Studien haben gezeigt, dass Menschen mit Autismus durchaus in der Lage sind, Wenn-Dann-Regeln zu erlernen, allerdings mit der Neigung, diese Regeln absolut anzuwenden, und sie nicht spontan in einen Kontext zu integrieren. Aus diesem Grund muss sich das Training sozialer Kompetenzen viel stärker als es derzeit der Fall ist auf die Kontextualisierung dieser Fähigkeiten konzentrieren. Die meisten dieser Trainings gehen von einer bestimmten sozialen Fähigkeit aus: ein Gespräch beginnen, nach Informationen fragen, mit Kritik umgehen, für sich selbst eintreten, Freundschaften schließen etc. Leider bewirkt das Training wenig bis gar nichts, um die soziale Kompetenz von Menschen mit Autismus im wirklichen

Leben zu verbessern. Aber das ist nur logisch: Die Situationen im realen Leben sind völlig anders als die Trainingssituationen. Das derzeitige Training sozialer Kompetenzen ähnelt in gewisser Weise dem Erlernen des Kochens in einer Puppenküche mit Plastiktöpfen, -pfannen und -zutaten: Es entspricht einfach nicht der Realität. Erschwerend kommt hinzu, dass oft für jede neue Sitzung eine andere Fähigkeit auf dem Programm steht, obwohl wissenschaftliche Studien eindeutig nachweisen, dass für tragfähige Ergebnisse Wiederholungen und längere Trainingszeiten erforderlich sind.

Im Kern liegt das Problems darin, dass das Training sozialer Kompetenzen fast ausschließlich das bewusste Gehirn anspricht, wohingegen das Navigieren durch die komplexe soziale Welt weitgehend eine Sache schneller, intuitiver und unbewusster Vorhersagen ist. Umso erstaunlicher ist es, dass den kontextbedingten Variationen des Sozialverhaltens im Training so wenig Aufmerksamkeit geschenkt wird. Ein Gespräch auf einer Beerdigung ist nicht dasselbe wie ein Gespräch auf einer Party (oder sollte es zumindest nicht sein). Ebenso ist die Art und Weise, wie man sich präsentiert, bei der Arbeit anders als im Freundeskreis. Solche Variationen bereiten Menschen mit Autismus Probleme. Am King's College in London zeigte Eva Loth[140] Kindern mit und ohne Autismus ein Foto von Toku, einem kleinen Jungen mit asiatischen Gesichtszügen und asiatischer Kleidung. Sie erzählte ihren Versuchspersonen, dass der Junge noch nie in Großbritannien gewesen wäre und sehr wenig über das Leben dort wüsste. Wenn er fragen würde, was würden sie ihm über Weihnachten und das Essen in einem Restaurant im Vereinigten Königreich erzählen? Es handelt sich um zwei Situationen, die jedem britischen Kind vertraut sind.

Das Forschungsteam ermunterte die Kinder immer wieder dazu, ihre Beschreibungen zu vertiefen, z. B. mit Fragen wie: „Welche Dekoration hängen die Leute in ihren Häusern auf?" Oder: „Was machen die Leute normalerweise, wenn sie mit dem Essen fertig sind?" Die Kinder mit Autismus konnten die verschiedenen Aspekte von Weihnachten und dem Essengehen genauso gut beschreiben wie die Kinder ohne Autismus. Dennoch gab es einen signifikanten Unterschied zwischen den beiden Gruppen. Während die Kinder ohne Autismus bei der Beschreibung von (sozialem) Verhalten Wörter wie „manchmal" und „wenn" verwendeten, war dies bei den autistischen Kindern nicht der Fall. Zum Beispiel sagten die nicht-autistischen Kinder Dinge wie „Manchmal gibt es im Restaurant ein Dessert", wenn sie eines auf der Speisekarte entdeckt hatten, das ihnen gefiel. Die Kommentare der Kinder mit Autismus waren viel absoluter: „Wenn wir in einem Restaurant sind, essen wir zum Abschluss ein Dessert." Ihre Szenarien hatten viel weniger Variation, viel weniger Gefühl für Nuancen.

Das Training sozialer Fertigkeiten spricht fast ausschließlich das bewusste Gehirn an, wohingegen das Navigieren durch die komplexe soziale Welt weitgehend eine Sache schneller, intuitiver und unbewusster Vorhersagen ist.

Wenn wir die Wirksamkeit des sozialen Kompetenztrainings erhöhen wollen, müssen wir dem Kontext viel mehr Aufmerksamkeit schenken. Kontexte verdeutlichen, Kontexte wiederholt erkunden und Menschen mit Autismus dabei entdecken lassen, was in diesen Kontexten sozial relevant ist und was nicht: Das ist der Weg nach vorne. Mit anderen Worten: die Dinge zu verdeutlichen, die sie nicht selbst spontan erkennen können. Anstatt also zu fragen, wie man ein Gespräch beginnt, müssen wir mit den verschiedenen Kontexten beginnen, in denen ein Gespräch stattfinden kann: eine Beerdigung, eine Party, ein Familientreffen, ein Krankenhausbesuch etc. Carol Gray, eine gute Freundin von mir, stellte als Lehrerin vor mehr als 30 Jahren fest, dass das klassische Training sozialer Fertigkeiten ihren autistischen Schülern nicht weiterhalf. Als wahre Autodidaktin verstand sie, was diese Schüler wirklich brauchten, nämlich Erklärungen zu den verschiedenen sozialen Situationen, mit denen sie zurechtkommen müssen: Wie verhalten sich andere Menschen in dieser oder jener Situation und wie sollten sie als Menschen mit Autismus reagieren? Um dem gerecht zu werden, entwickelte Gray Social Stories®, ein leistungsfähiges Lerninstrument, das Kindern, Jugendlichen und sogar Erwachsenen hilft, sich in einer für sie höchst unberechenbaren sozialen Welt zurechtzufinden. Als ich Carol vor einigen Jahren zum ersten Mal traf, entstand sofort eine lebhafte Diskussion über die Bedeutung des Kontexts in Social Stories®, begleitet von einer Flasche Pinot Gris, Carols Lieblingswein. Wir fanden bald eine gemeinsame Ebene in unserem Wunsch, das soziale Kompetenztraining von Menschen mit Autismus kontextsensitiver zu gestalten. In dieser Hinsicht schreiben ihre Social Stories® autistischen Menschen, egal welchen Alters, nicht vor, wie man sich verhalten sollte. In ihnen werden einfach nur Kontexte verdeutlicht.

Die soziale Welt ist ein offenes System. Bei unseren Bemühungen, das Verhalten anderer vorherzusagen, gibt es keine festen und absoluten Regeln. Temple Grandin, eine bekannte Ingenieurin mit Autismus, hat von klein auf mit der Komplexität sozialer Beziehungen kämpfen müssen. Infolgedessen verfügt sie über viel Erfahrung mit dieser Problematik. Im Jahr 2005 schrieb sie (zusammen mit Sean Barron) ein Buch mit Tipps, die anderen Menschen mit Autismus helfen sollen, mit ihren sozialen Schwierigkeiten umzugehen. Das Buch trägt den Titel *The unwritten rules of social relationship*[141] (Die ungeschriebenen Gesetze der sozialen Beziehung) und nach Temple lautet Regel Nummer 1: Regeln sind nicht absolut; sie sind abhängig von der Situation und der Person. Menschen mit Autismus sind in der Lage, soziale Regeln zu lernen. Sie können auch mit Wenn-dann-Regeln umgehen. Die Studien, die ich in diesem Kapitel beschrieben habe, zeigen, dass Menschen mit Autismus, zumindest auf der bewussten Ebene und unter der Voraussetzung, dass sie genügend Zeit haben, ebenfalls in der Lage sind, den Kontext zu verwerten, um das Verhalten und die Gefühle anderer vorherzusagen. Gleichzeitig haben neuere Untersuchungen[142] gezeigt, dass autistische Menschen dazu neigen, die beherrschten sozialen Regeln und kontextbezogenen Indikatoren absolut anzuwenden. Ein Geschenk bekommen = immer happy sein. Den Job verlieren = immer traurig sein. Beleidigt werden = immer wütend sein. Das Problem dabei ist natürlich, dass der Kontext nur selten absolut ist.

Die soziale Welt ist ein offenes System. Bei unseren Bemühungen, das Verhalten anderer vorherzusagen, gibt es keine festen und absoluten Regeln.

Aus diesem Grund ist es wichtig, bei der Förderung sozialer Fertigkeiten und beim Theory of Mind-Training mehr Gewicht auf die Variation in Kontexten zu legen. Es kann sicherlich nicht schaden, einem Kind zunächst anhand der Zeichnung mit Frank, die wir vor ein paar Seiten gesehen haben, beizubringen, dass jemand, der ein Geschenk bekommt, sich freuen wird.

Aber wenn das Kind gelernt hat, „Freude“ vorherzusagen, müssen wir dazu übergehen, einige häufige Varianten einzuführen. Das bedeutet, dass wir nicht mehr nur Frank verwenden, sondern auch Simone, Adil, Louis und Rosa. Kinder, Heranwachsende und Erwachsene. Danach können wir auch bei den Geschenken eine Abwandlung einführen und eine Reihe von kontextuellen Variationen hinzufügen: Wer macht das Geschenk, was wünscht sich der Empfänger, was erwartet er etc.?

Letztendlich wird die Person mit Autismus über verschiedene Situationen mit relevanten kontextbezogenen Varianten verfügen, mit deren Hilfe sie feststellen kann, was jemand fühlen könnte, wenn er ein Geschenk bekommt. Es ist jedoch wichtig zu verstehen, dass dieses Set nicht spontan entwickelt und aktiviert werden kann. Eva Loth[143] fand heraus, dass Menschen mit Autismus nicht spontan auf die kontextuell relevanten Elemente in Szenen schauen. Die Analyse ihrer Blickbewegungen zeigte, dass es ihnen schwerfällt, zwischen dem zu unterscheiden, was in der Szene wichtig ist und daher ihre Aufmerksamkeit auf sich ziehen sollte, und dem, was nicht wichtig ist. Das deckt sich weitgehend mit dem, was wir weiter oben im Buch festgestellt haben: Das Blickverhalten von autistischen Menschen ist weniger kontextbezogen als das von Menschen ohne Autismus. Nachdem die Probanden Loths Versuchsszene gesehen hatten, sollten sie so viele Dinge wie möglich nennen, an die sie sich erinnern konnten. Die Teilnehmenden mit Autismus erinnerten sich an alle möglichen Dinge, fast wahllos, so als ob all diese Elemente ungefiltert in ihr Gehirn gelangt wären. Die nicht-autistischen Teilnehmer erinnerten sich hauptsächlich an die Dinge, die für den Kontext der Szene wichtig waren.

Wenn wir soziale Skripte für Kinder und Jugendliche mit Autismus erstellen, ist es daher am besten, so früh wie möglich mit kontextuellen Variationen zu beginnen. Damit kann verhindert werden, dass die Lernenden die Übungen des Skripts in der Anwendung absolut interpretieren. Wir können das umsetzen, indem wir Sätze verwenden, die mit Wörtern wie „wenn …", „ falls …" oder „im Fall von …" beginnen. Hier ein Beispiel für eine kontextualisierte Geschichte über soziales Lernen für einen kleinen autistischen Jungen, der darunter litt, dass er nie genau wusste, wann seine Mutter ihn von der Schule abholen würde:

Mummy picks me up from school at 3.30.

I wait for mummy on the playground, by the gate.

If there is lots of traffic, mummy might be late.

If mummy has not arrived by 3.40, I go back inside and wait in the reception area. I can play with my Game Boy until mummy comes and finds me there.

Was ich in diesem Kapitel bisher beschrieben habe, mag bei einigen Lesern den Eindruck erwecken, dass Menschen im Allgemeinen fast hellseherische Fähigkeiten haben, die es ihnen ermöglichen, immer genau vorherzusagen, was andere Menschen in einem bestimmten Kontext fühlen, denken, sagen und tun werden. Das ist natürlich nicht der Fall. Wenn es so wäre, könnten uns andere Menschen nie überraschen. Sie könnten uns nie enttäuschen, bewegen oder hinters Licht führen – und wir sie auch nicht. Wenn wir über die Vorhersage des Verhaltens und der Gefühle anderer Menschen sprechen, dann geschieht dies mit demselben Grad an Gewissheit (oder Mangel an Gewissheit), den wir bereits weiter oben in diesem Buch für andere Vorhersageformen beschrieben haben, z. B. für Vorhersagen, die sich auf Sinneseindrücke beziehen.

In beiden Fällen bleibt der Prozess ein Lotteriespiel, eine Berechnung von Wahrscheinlichkeiten. Auf der Grundlage des Verhaltens, das wir gerade bei anderen gesehen haben, und in Verbindung mit dem, was wir über menschliches Verhalten in dem betreffenden Kontext wissen, schätzen wir ab, was jemand denkt, fühlt oder tun wird.

Infolgedessen erwarten wir eine bestimmte (Re-)Aktion von der anderen Person. Manchmal sind unsere Vorhersagen richtig, manchmal sind sie falsch. Wenn sie falsch sind, haben wir einen Vorhersagefehler.

Wenn das Gehirn mit einem Vorhersagefehler konfrontiert wird, muss es eine Entscheidung treffen: Ignoriert es den Fehler oder ist der Fehler wichtig genug, um Korrekturmaßnahmen zu ergreifen, damit sich derselbe Fehler in Zukunft nicht wiederholt? Das Gehirn mag keine Vorhersagefehler und die mentalen Zweifel und Verwirrungen, die sie verursachen. Wie auch bei sensorischen Reizen fordern diese Fehler das Gehirn heraus, zwischen Hintergrundrauschen sowie normalen Schwankungen und wichtigen Abweichungen von der Norm zu unterscheiden. Mit anderen Worten: eine Unterscheidung zwischen unerwarteten Ereignissen, die zufällig und beiläufig sind, und unerwarteten Ereignissen, die uns dazu zwingen, entweder unsere Erwartungen anzupassen oder in der realen Welt Veränderungen herbeizuführen. Oder noch einfacher ausgedrückt: Entweder aktualisieren wir unser Empathievermögen oder wir sorgen dafür, dass die Menschen das erwartete Verhalten zeigen.

Stellen Sie sich die folgende Situation vor. Sie wissen, dass Ihr Kollege Eddy, der im Büro neben Ihnen sitzt, ein positiver Mensch ist. Er hat immer gute Laune. Immer zu einem Lachen und zu einem Scherz bereit. Eines Tages kommt er später als sonst ins Büro. Er sackt mit einem tiefen Seufzer in seinem Stuhl zusammen. Sie sagen „Guten Morgen" zu ihm, aber er antwortet nicht, was gar nicht seine Art ist. Stattdessen stößt er einen weiteren tiefen Seufzer aus, gefolgt von einem aufrichtigen „Scheiße". Dieses Verhalten haben Sie nicht von ihm erwartet. Sie wissen jedoch, dass Eddy ein kleines Baby hat, das ihn und seine Frau oft wachhält. Außerdem ist Ihnen aufgefallen, dass er heute Morgen spät dran war.

Vielleicht hat er nach einer unruhigen Nacht verschlafen? Oder ist er im Verkehr stecken geblieben? Zu diesem Zeitpunkt ist die Wahrscheinlichkeit minimal, dass Sie Ihre Vorstellungen von Eddy völlig revidieren. Sie werden nicht davon ausgehen, dass er in den letzten 24 Stunden eine totale Persönlichkeitsveränderung durchgemacht hat, sodass aus Ihrem gutmütigen Freund plötzlich ein mürrischer, unhöflicher und unfreundlicher Mensch geworden ist. Auch positiv denkende Menschen wie Eddy können einen schlechten Tag haben, an dem sie weniger Elan und Optimismus zeigen als sonst. Kurzum, wir akzeptieren ein gewisses Maß an Schwankungen im Verhalten der Menschen. Schließlich sind wir keine Maschinen, die immer die gleichen Reaktionen zeigen. Folglich messen Sie Eddys unerwartetem Verhalten keine allzu große Bedeutung bei. Sie schieben es einfach auf „eine unruhige Nacht mit dem Baby" und machen sich daran, den Rest des Tages zu bewältigen. Aber vorher machen Sie noch einen kleinen Scherz, in der Hoffnung, Eddy damit ein Lächeln zu entlocken und so die Bedeutung Ihres Vorhersagefehlers weiter zu minimieren.

Wenn dieses unerwartete Verhalten von Eddy jedoch häufiger auftritt, oder auch wenn Sie wissen, dass das Baby jetzt besser schläft, sollten Sie darüber nachdenken, Ihre Erwartungen und Vorhersagen über ihn zu ändern. Und wenn Ihr Vorgesetzter Sie fragt, wie es mit Eddy läuft, antworten Sie vielleicht: „Er ist nicht mehr der Alte."

Dies ist ein Beispiel für das sogenannte „empathische Lernen": Vorhersagefehler führen allmählich zu einer Aktualisierung unseres Modells darüber, was wir über andere Menschen denken, sodass wir ihr Verhalten in Zukunft besser vorhersagen können. Dies erklärt natürlich auch, warum wir das Verhalten von Menschen, die wir schon lange kennen, besser vorhersagen können als das Verhalten von Menschen, die wir noch nie zuvor gesehen haben. Die Art und Weise, wie autistische Menschen mit Vorhersagefehlern in der sensorischen Welt umgehen, findet sich auch in ihrem Umgang mit Vorhersagefehlern in der sozialen Welt. Autistische

Gehirne reagieren auf Vorhersagefehler absolut und passen die Bedeutung, die sie diesen Fehlern beimessen, nicht an den jeweiligen Kontext an. Im Fall von Eddy heißt das: Selbst, wenn eine Person mit Autismus von den Schlafproblemen des Babys weiß, wird sie von Eddys Verhalten stärker überrascht sein als eine Person ohne Autismus. Infolgedessen kann diese stärkere Reaktion auf Eddys Verhalten dazu führen, dass die autistische Person ihre allgemeine Meinung über Eddy revidiert. Er wird nicht mehr als Mr. Nice Guy gesehen, sondern als Mr. Moody. Es ist nicht ungewöhnlich, dass Menschen mit Autismus andere Personen auf diese absolute Weise kategorisieren: die Guten und die Schlechten (und in meinem Fall wahrscheinlich auch die Hässlichen!). Wenn Sie jemand mit Autismus kennen, der dazu neigt, Menschen auf diese Weise in „schwarz oder weiß" zu kategorisieren, und wenn Sie derzeit das Glück haben, bei dieser Person einen Stein im Brett zu haben, müssen Sie sich darüber im Klaren sein, dass eine einzige unerwartete „negative" Handlung Ihrerseits ausreichen kann, bei dieser Person im Handumdrehen in ein schlechtes Licht zu geraten. Menschen mit Autismus fällt es schwer, andere relativ zu sehen, und sie sind oft nicht in der Lage, Abweichungen im Verhalten dieser anderen in einen angemessenen Kontext einzuordnen. Infolgedessen sind diese Abweichungen eine Quelle großer Verunsicherung für Menschen mit Autismus.

Ein anderes mögliches Szenario könnte darin bestehen, dass die Person mit Autismus versucht, ihr Modell von Eddy genauer zu definieren. Eddy ist gutmütig, aber nicht, wenn ihn das Baby in der Nacht wachgehalten hat. Eddy ist am Montag witziger als am Dienstag.

Eddy ist optimistisch, was die Zukunft des Unternehmens bis zum Jahr 2043 angeht. Wie wir bereits bei den sensorischen Erwartungen gesehen haben, wird das Modell von Eddy irgendwann so spezifisch werden, dass es zu immer mehr Vorhersagefehlern führt, statt zu wenigeren. Es ist möglich, dass Eddy am Dienstag witziger ist als am Montag. Oder dass er gelegentlich etwas Negatives über die Zukunft des Unternehmens sagt. Damit wird Eddy für die Person mit Autismus zunehmend zu einem unberechenbaren Kollegen. Das empathische Lernen bei Menschen mit Autismus, insbesondere bei den besonders Begabten, führt oft zu einem empathischen Modell, das so präzise und so detailliert ist, dass es in der täglichen Realität unbrauchbar wird. Obwohl Menschen mit Autismus zweifellos empathisch lernen können, muss immer bedacht werden, dass ihre empathischen Modelle absolut und nicht relativ und kontextsensitiv sind.

Die Art und Weise, wie Menschen mit Autismus mit Vorhersagefehlern in der sensorischen Welt umgehen, findet sich auch in ihrem Umgang mit Vorhersagefehlern in der sozialen Welt. Autistische Gehirne reagieren auf Vorhersagefehler absolut und passen die Bedeutung, die sie diesen Fehlern beimessen, nicht an den jeweiligen Kontext an.

Da Menschen mit Autismus absolut mit Vorhersagefehlern umgehen, auch bei Vorhersagen in sozialen Situationen, fällt es ihnen sehr schwer, zu verallgemeinern. Für ihr Gehirn sind normale Abweichungen im Verhalten anderer Menschen Vorhersagefehler, denen sie ihre Aufmerksamkeit widmen müssen. Jede soziale Situation ist daher für sie eine neue Situation, denn keine soziale Situation gleicht der anderen. Viele Wiederholungen und Klärungen sind nötig, bis ein autistisches Gehirn anfängt, gewisse Ähnlichkeiten in den Variationen zu erkennen, sodass es auch (mehr oder weniger gut) vorhersagen kann, was passieren wird. Statt zu versuchen, Menschen mit Autismus neue Fertigkeiten beizubringen, sollten wir ihnen mehr Zeit geben, um zu lernen, wie sie menschliche Verhaltensmuster und deren häufigste Variationen in einem für sie relevanten Kontext erkennen können.

Das Wichtigste im Überblick

- Die soziale Welt ist ein offenes System. Es ist nicht möglich, menschliches Verhalten auf der Grundlage starrer und absoluter Gesetze und Regeln vorherzusagen. Menschen sind noch unberechenbarer als aufprallende Tennisbälle.
- Dennoch muss man versuchen, dieses Verhalten vorherzusagen, wenn man schnell und effektiv auf andere reagieren will. Soziale Interaktionen laufen so schnell ab, dass keine Zeit bleibt, das Verhalten anderer erst zu analysieren und zu verstehen.
- Aus diesem Grund hat das menschliche Gehirn gelernt, unbewusst den jeweiligen Kontext zu nutzen, um damit die soziale Welt vorhersehbarer zu machen.
  - Aus dem Kontext heraus können wir vorhersagen, wie sich Menschen fortbewegen werden. Das ist nützlich, um zu verhindern, dass wir ständig zusammenstoßen.
  - Aus dem Kontext heraus können wir einschätzen, was Menschen tun und sagen werden. Das ist nützlich, um unangenehme Überraschungen zu vermeiden.

- Aus dem Kontext heraus schätzen wir ein, was andere Menschen wollen, denken und fühlen. Dies wird als Theory of Mind bezeichnet, ist aber eigentlich eine Prediction of Mind. Sie kann nützlich sein, um jemanden auszutricksen. Oder um jemanden zu trösten.

- Dieser Vorhersageprozess läuft weitgehend unbewusst ab. Er ist schnell und intuitiv. Bewusstes Denken ist kaum beteiligt. Die Vorhersagen haben nicht den Anspruch, exakt zu sein. Es sind lediglich Erwartungen darüber, was passieren könnte.
- Menschen mit Autismus können auch Verhalten und mentale Zustände, wie z. B. Emotionen, vorhersagen, aber sie sind nicht in der Lage, dies schnell, intuitiv und unbewusst zu tun. Sie brauchen mehr Zeit und vor allem mehr Übung und Wiederholung.
- Wenn man sie darauf aufmerksam macht, können Menschen mit Autismus auch Kontexte nutzen, um menschliches Verhalten vorherzusagen, aber sie neigen dazu, den Vorhersageprozess in absoluten Begriffen zu gestalten. Sie können soziale Regeln lernen, wenden sie aber sehr strikt an. Außerdem fällt es ihnen schwer, zwischen wichtigen und unwichtigen Kontextelementen zu unterscheiden. Diese Fähigkeit ist aber notwendig, um zu wissen, ob eine soziale Regel gültig ist und ob man sie befolgen sollte oder nicht.
- Normale Abweichungen im Verhalten und in den Emotionen anderer Menschen können Menschen mit Autismus verunsichern. Sie messen diesen Variationen zu viel Gewicht bei. Dies erschwert das Erlernen flexibler und übertragbarer empathischer Modelle.
- Aufgrund ihrer Tendenz zu absolutem Denken ist die soziale Welt für Menschen mit Autismus voller Vorhersagefehler. Der Umgang mit anderen Menschen verunsichert sie und kostet sie sehr viel Energie. Soziale Interaktion ist harte Arbeit für das autistische Gehirn.
- Wir können die soziale Kompetenz von Menschen mit Autismus unterstützen, wenn wir:
  - die Kontext-Taste drücken, indem wir den Kontext und die darin enthaltenen wichtigen Elemente verdeutlichen,
  - ihnen dabei helfen, zu lernen, wie sie mit kontextuellen Variationen sozialer Regeln umgehen können und wie Menschen in sozialen Situationen reagieren,
  - unser eigenes Verhalten vorhersehbarer machen, um damit ihre geringere Fähigkeit zur Vorhersage menschlichen Verhaltens auszugleichen.

WUSSTEN SIE SCHON?

Es ist nicht schwer zu verstehen, dass subtile Unterschiede im Gesichtsausdruck mehrdeutig sein können. Schließlich ist das die Grundlage für einen Streit, der seit Jahrhunderten über Leonardo da Vincis berühmtes Gemälde Mona Lisa geführt wird. Ist ihr Lächeln traurig? Oder nicht? Allerdings kann auch die Mimik von Menschen mit sehr starken Emotionen in die Irre führen, wie ein Experiment des israelischen Forschers Hillel Aviezer zeigt.[144] Er zeigte seinen Versuchspersonen Fotos von Menschen, die entweder übermäßig stolz und glücklich oder aber extrem enttäuscht und traurig waren. Wenn den Versuchspersonen nur Gesichter gezeigt wurden, war es für sie fast unmöglich zu sagen, ob sie eine stark positive oder stark negative Emotion sahen. Überraschenderweise gab es dieses Problem jedoch nicht mehr, sobald sie statt Gesichtern (die in diesem zweiten Satz von Fotos abgedeckt wurden) Körper sehen konnten. Aviezer verzichtete auf die bei derartigen Experimenten üblicherweise verwendeten Fotos (in erster Linie „Ekman"-Fotos, auf denen Schauspieler Emotionen simulieren) und verwendete stattdessen lieber Fotos aus dem wirklichen Leben. Und die reale Kulisse, die er wählte, war ... Tennis! Er verwendete die Mimik und Körpersprache von Tennisspielern, die gerade eines der wichtigsten Spiele ihres Lebens gewonnen oder verloren hatten. Es sieht so aus, als ob Tennis langsam zum zentralen Thema in diesem Buch wird!

5

Das prädiktive Gehirn und Kommunikation

Ob Sie es glauben oder nicht, die am häufigsten verwendete Metapher zu einer guten Gesprächsführung ist ... Tennis! Und in der Tat ähnelt ein Gespräch in vielerlei Hinsicht einem Tennisspiel. Das war zumindest die gängige Auffassung von Margery Wilson, einer berühmten amerikanischen Autorin, Schauspielerin und Filmregisseurin in der ersten Hälfte des 20. Jahrhunderts. Nach ihrer Filmkarriere spezialisierte sich Wilson darauf, Schauspieler und Schauspielerinnen in Aussprache und Kommunikation zu unterrichten.

Ihrer Meinung nach beginnt ein Gespräch wie beim Tennis mit einem Aufschlag: Zuerst sagt oder fragt jemand etwas. Die Absicht ist, dass ein anderer diesen Aufschlag sieht und den Ball dorthin zurückschlägt, wo er herkommt: Er sagt oder fragt etwas Relevantes als Antwort. Die Relevanz ist wichtig: Wenn man etwas Irrelevantes sagt, ist das so, als würde man den Ball auf einen anderen Tennisplatz schlagen. Im Unterschied zu einem echten Tennisspiel wollen Sie den Ball nicht dorthin schlagen, wo der andere Spieler ihn nicht erreichen kann. Vielmehr wollen Sie, dass er (oder sie) ihn leicht erreichen kann, damit er ihn wieder zu Ihnen zurückschlagen kann. Ein gutes Gespräch besteht aus langen Ballwechseln, bei denen der Ball immer wieder auf die gleiche Art und Weise hin und her geschlagen wird. Dabei gibt es keinen Gewinner oder Verlierer. Wie bei einem guten und spannenden Tennisspiel ist der eigentliche Gewinner das Tennis selbst.

Aber wenn ein Gespräch wie ein Tennisspiel ist, dann müssen die Gesprächspartner auch über ein hohes Maß an Vorhersagefähigkeit verfügen. Sprachwissenschaftler wissen das schon seit Jahrzehnten. Seit den 1980er-Jahren weiß man z.B., dass sowohl das Sprechen als auch das Zuhören nur funktionieren, wenn man vorausahnen kann, was gesagt wird. Die Verarbeitung von Sprache ist also weitgehend eine prädiktive Tätigkeit.[145] Diese Erkenntnis wird inzwischen als so bedeutsam erachtet, dass 2015 die angesehene wissenschaftliche Zeitschrift *Cortex* diesem Thema eine ganze Ausgabe gewidmet hat.

Das bedeutet einmal mehr, dass die alte Computer-Metapher für Kommunikation über Bord geworfen werden muss. In diesem alten Modell sollte die Kommunikation folgendermaßen verlaufen:

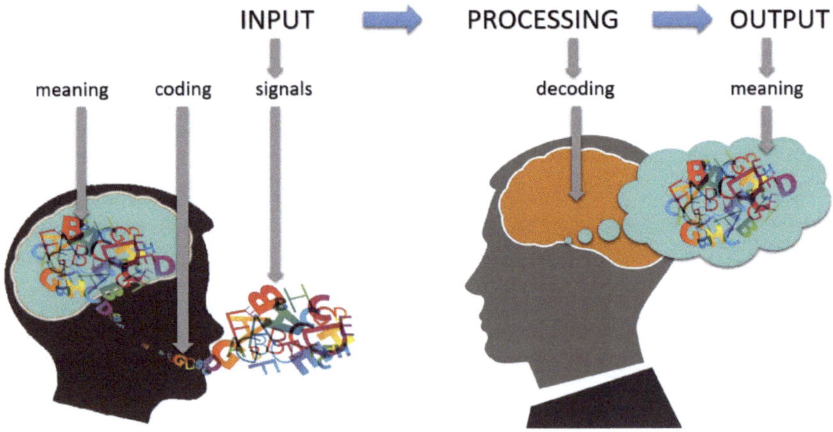

Aber so funktioniert es keineswegs. Um zu verstehen, was jemand sagt, müssen wir nicht warten, bis der gesamte externe Input in unserem Gehirn angekommen ist. Unsere Sprachverarbeitung beginnt nicht in dem Moment, in dem jemand einen Satz zu Ende spricht oder aufhört zu reden. Eine derartige Informationsverarbeitung wäre äußerst ineffizient, insbesondere in Gesprächen. Gespräche schreiten schnell voran, und im Gegensatz zur schriftlichen Kommunikation kann man nicht innehalten und auf das Gesagte zurückblicken.

Wenn ein Gespräch wirklich wie ein Tennisspiel ist, dann müssen die Gesprächspartner auch über ein hohes Maß an Vorhersagefähigkeit verfügen.

Während eines Gesprächs machen wir Vorhersagen zu verschiedenen Dingen:[146] Ob jemand sprechen wird oder nicht, wann jemand sprechen und was er oder sie sagen wird.

Wären wir nicht in der Lage, diese Dinge zu antizipieren, wüssten wir nie, wann wir an der Reihe sind zu sprechen. Und wenn wir sprechen, wüssten wir auch nicht, wann wir aufhören sollen. Vor allem aber wüssten wir nicht sofort, was wir sagen sollen. Ohne Vorhersagen wäre eine fließende wechselseitige Informationsübertragung unmöglich. Wenn wir z.B. nicht vorhersagen können, wann jemand aufhört zu reden, würden die Gespräche von langen und unangenehmen Pausen gefüllt sein. Wenn das Gehirn das Signal erhält, dass wir mit Sprechen an der Reihe sind, dauert es im Durchschnitt zwischen 500 und 700 Millisekunden – etwas mehr als eine halbe Sekunde – bevor unser Mund damit beginnt, die nötigen Worte zu bilden. Verschiedene Studien haben gezeigt, dass bei normalen Gesprächen die Zeitspanne zwischen dem Moment, in dem eine Person aufhört zu sprechen, und die andere Person zu sprechen beginnt, zwischen 0 und 200 Millisekunden beträgt.[147] Das bedeutet, dass diese Gesprächspausen kürzer sind als die Zeit, die unser Gehirn benötigt, um unseren Mund zum Sprechen zu aktivieren. Damit ist eindeutig klar, dass wir bereits wissen, wann unser Gesprächspartner aufhört zu sprechen, bevor er/sie es tatsächlich tut, sodass wir unsere Sprachprozesse aktivieren können, bevor dieser Moment eintritt.

Der kognitive Sprachwissenschaftler Jan P. de Ruiter ist seit Jahren fasziniert von dem schnellen Sprachwechsel in natürlichen Gesprächen. Er hat herausgefunden, dass wir wissen, wann jemand im Gespräch an der Reihe ist, weil wir wissen, wie der Gesprächspartner mit seinem Redebeitrag zum Ende kommt.[148] Wir können diesen Moment der Übernahme vorhersehen, weil wir wissen, was die andere Person sagen wird.

Mit anderen Worten: Kommunizieren und Verstehen von Sprache sind beides prädiktive Tätigkeiten, die folgendermaßen funktionieren:

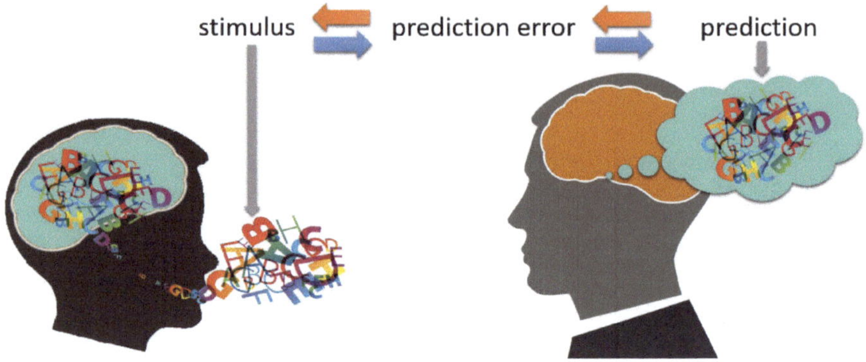

Dass wir vorhersagen können, was jemand sagen wird, wird z.B. deutlich, wenn man ein Gespräch mit einem Stotterer beobachtet. Wenn der Stotternde bei einem Wort hängen bleibt, wird der Gesprächspartner das Wort fast immer für ihn sagen, damit das Gespräch wieder in Gang kommt. Ebenso beenden wir oft taktisch den Satz unseres Gesprächspartners, um das Gespräch an uns zu reißen und ihm den Ball (schon wieder Tennis!) zurückzuspielen:

Er: „Schau, wir sitzen schon den ganzen Tag drinnen, und ich habe mich stundenlang mit diesem verdammten Text über das prädiktive Gehirn und den Autismus herumgeschlagen. Was ich wirklich brauche ..."

Sie: „... ist ein bisschen frische Luft. Gute Idee, aber ich bin noch nicht fertig mit der Beantwortung meiner Mails. Sagen wir, in zehn Minuten?"

Weil wir vorhersagen können, was jemand sagen wird, geraten wir durch die Ungenauigkeit der Laute in unseren Ohren nicht ständig in Verwirrung. Wenn wir jemandem beim Sprechen zuhören, sind normalerweise auch andere Geräusche zu hören. Unsere Ohren nehmen also eine Vielzahl unterschiedlicher Geräusche auf, von denen einige die Sprachgeräusche überlagern können, sodass wir Wörter oder Sätze manchmal nur teilweise hören.

Glücklicherweise können unsere Vorhersagen die Lücken i.d.R. ausfüllen. In ähnlicher Weise können auch Hintergrundgeräusche und/oder die große Variationsbreite der menschlichen Sprech- und Aussprachegewohnheiten bestimmte Sprachlaute oder sogar ganze Wörter verzerren. So klingt z.B. für manche Menschen ein „b“ wie ein „p“, während es für andere genau umgekehrt ist. Solche Verzerrungen sind i.d.R. kein Problem bei vollständigen Sätzen, bei denen man vorhersagen kann, was die Person sagen will, aber bei einzelnen Wörtern ist das nicht ganz so einfach.

Auch hier spielt der Kontext wieder eine wichtige Rolle. In einer niederländischen Studie[149] wurde festgestellt, dass der Kontext entscheidend ist, wenn Menschen Wörter undeutlich oder unvollständig aussprechen. Beim Sprechen in ihren Dialekten schneiden die Niederländer oft die Endungen ihrer Wörter ab. Bei den niederländischen Wörtern „eigenlijk“, „moeilijk“ oder „vreselijk“ wird der „-lijk“-Laut beispielsweise kaum ausgesprochen, sodass das, was die Menschen tatsächlich hören, „eigek“, „moeiek“ oder „vreesek“ ist, wobei der „l“- Laut fast vollständig fehlt. Bei dem Wort „natuurlijk“ verkürzen einige Niederländerinnen und Niederländer das Wort noch mehr, sodass es am Ende so ähnlich klingt wie „tuuek“.

Trotzdem können sich fast alle Menschen aus verschiedenen Teilen der Niederlande meistens verstehen, vorausgesetzt, die verkürzten Wörter stehen in einem Kontext, d.h. in einem vollständigen Satz. Ohne diesen Kontext wird das Wort (oder was davon übrig ist) unverständlich. Ähnliche Beispiele gibt es in fast jeder anderen Sprache.

Denken Sie z.B. an den Cockney-Slang in London: „appen“ statt „happen“; „bruver“ statt „brother“; „nooze“ statt „news“ etc.

Es mag überraschen, dass die Verzerrung oder Auslassung von Wortlauten im Allgemeinen nicht zu Vorhersagefehlern führt, obwohl dies unter bestimmten Umständen möglich ist.

Auch hier hängt alles vom Ausmaß der (Un-)Sicherheit ab, die das Gehirn in Bezug auf seine eigenen Vorhersagen hat. Untersuchungen haben gezeigt, dass es älteren Menschen, auch wenn sie nicht schwerhörig sind, Probleme bereitet, verkürzte oder falsch ausgesprochene Laute oder Wörter, die teilweise von Hintergrundgeräuschen übertönt werden, richtig zu interpretieren. Infolgedessen müssen sie häufiger nachfragen, was jemand gesagt hat. Dies könnte darauf zurückzuführen sein, dass das Gehirn mit zunehmendem Alter nicht mehr so gut Wörter vorhersagen kann. Das führt dann wiederum zu mehr Vorhersagefehlern, die in einer Art Schneeballeffekt zu noch größerer Vorhersageunsicherheit führen. Die Vorhersagen werden also weniger robust und ungenauer, sodass Wörter bei eingeschränkter Lautqualität weniger leicht zu verstehen sind. Die gleiche Verunsicherung und reduzierte Vorhersagefähigkeit erlebt man auch beim Versuch, sich in einer Fremdsprache zu verständigen, die man noch nicht ganz beherrscht.

Weil wir vorhersagen können, was jemand sagen wird, geraten wir durch die Ungenauigkeit der Laute in unseren Ohren nicht ständig in Verwirrung.

Gelegentlich hatte ich das Vergnügen, Vorträge vor einem indischen Publikum zu halten. Bis 1947 war Indien eine britische Kolonie. Daher können viele Inder und Inderinnen immer noch gut Englisch sprechen. Aber auch wenn sie die Sprache beherrschen, ist ihre Aussprache manchmal gelinde gesagt, „untypisch". So sprechen sie z. B. das englische Wort „tuition" als „toosjun" statt als „too-i-sjun" aus. Für sie ist „important" „impaartant", während „picture" sein „c" verliert und zu „piture" wird. Bei anderen Gelegenheiten sprechen sie Laute aus, die nicht vorgesehen sind, sodass das Wort „receipt", das als „reciet" gesprochen werden sollte, sein „p" in Indien wieder bekommt.

Es ist daher nicht verwunderlich, dass ich bei der Beantwortung von Fragen am Ende meines Vortrags die Fragesteller oft bitten muss, bestimmte Wörter (oder manchmal sogar ganze Sätze) zu wiederholen, weil ich sie nicht verstanden habe! Ich habe jedoch festgestellt, dass meine Kollegen, die aus englischsprachigen Ländern wie Australien, den Vereinigten Staaten oder dem Vereinigten Königreich kommen, in dieser Hinsicht weit weniger Probleme haben. Für sie scheint die eigenwillige indische Sprechweise nur wenige Geheimnisse zu verbergen. Und warum? Weil Englisch ihre Muttersprache ist und sie dadurch besser als ich vorhersagen können, was sie zu erwarten haben. Da meine Englischkenntnisse geringer sind, hat mein Gehirn weniger Vertrauen in seine eigenen Vorhersagen. Folglich lege ich mehr Gewicht auf den sensorischen Input meiner Ohren, sodass die indische Aussprache der mir bekannten englischen Wörter zu einer größeren Anzahl von Vorhersagefehlern führt. Und wie ich im Kapitel über sensorisches Erleben beschrieben habe, handelt es sich bei diesem Prozess um eine Wechselwirkung. Da die indische Aussprache vieler Wörter unbekannt und daher für mich unerwartet ist, wird mein Gehirn bei der Vorhersage dessen, was ich hören werde, immer unsicherer. Nach einer Weile wird das Gespräch mit Menschen, die eine Variante des

Standard-English verwenden, für mich sehr anstrengend. Und ich spreche nicht nur von indischen Gesprächspartnern.

Ich kann mich noch gut an meine erste Taxifahrt in Schottland erinnern, vom Flughafen in Edinburgh in die Stadt Alloa, wo ich einen Workshop gab. Der Taxifahrer war einer dieser Menschen, die gerne reden. Und reden. Und reden. Tatsächlich hat er die gesamte 45-minütige Fahrt ausgefüllt, ohne dass ich auch nur ein Wort sagen musste. Trotzdem war ich am Ende der Fahrt ziemlich erschöpft. Obwohl sein Vortrag keine hochwissenschaftliche Angelegenheit war – es ging nur um Fußball, das Wetter und die Vorzüge des schottischen Whiskys –, verlor mein Gehirn sehr viel Energie dabei, seinen Akzent zu entziffern und mit den daraus resultierenden Vorhersagefehlern umzugehen (obwohl er mit dem Whisky Recht hatte!).

Die Tatsache, dass unser Gehirn Wörter vorhersagt, bedeutet nicht, dass es genau weiß, welche Wörter andere Menschen verwenden werden. Genauso wie ein Tennisspieler nicht genau weiß, wohin sein Gegner den Ball schlagen wird, aber durch Vorhersage kann er die Anzahl der Möglichkeiten erheblich reduzieren.

Ein Kollege und Freund, der auch regelmäßig Workshops in Indien leitet, erzählte mir einmal auf einem Kongress in Singapur, dass ihm die merkwürdige indische Aussprache bestimmter englischer Wörter gar nicht mehr auffalle: Die indische Variante des Englischen sei Teil der typischen Variation geworden, die sein Gehirn erwartet. Ähnlich verhält es sich in Belgien (und sicher auch in anderen Ländern), wo die unterschiedliche Aussprache regionaler Akzente nicht mehr zu Vorhersagefehlern führt, weil sie mit der Zeit so vertraut geworden ist. Es sei denn, die Aussprache und der damit verbundene Akzent sind besonders stark oder undeutlich. So haben z.B. Scousers aus Liverpool oft Schwierigkeiten, Cockneys aus London zu verstehen (und umgekehrt). In den Niederlanden kratzen sich die Amsterdamer immer noch am Kopf, wenn Leute aus Friesland anfangen, in ihrem Dialekt zu sprechen. Und in Belgien haben alle Probleme mit dem westflämischen Akzent! Diese Verständnisprobleme gibt es in Deutschland zwischen Oberbayern und Nordfriesen oder zwischen Sachsen und Schwaben (Anm. d. Übers.).

Unsere Vorhersagefähigkeit hilft uns nicht nur, Laute zu erkennen und ihnen Bedeutung zuzuordnen. Die Vorhersage dessen, was wir hören oder lesen werden, ermöglicht uns außerdem, in kürzester Zeit ganze Wörter zu erfassen. Wenn wir die ersten Laute hören oder die ersten Buchstaben eines Wortes lesen, findet im Gehirn ein superschnelles Ausscheidungsrennen statt. Wenn Sie ein „b" hören oder lesen, wissen Sie, dass nur noch die Wörter in Frage kommen, die mit diesem Buchstaben beginnen. Und das sind natürlich immer noch sehr viele. Wenn Sie dann zu „ba" übergehen, können Sie Ihre Liste weiter reduzieren. Mit „bal" noch weiter. Schließlich arbeiten Sie sich auf eine sehr kleine Anzahl von Möglichkeiten für eine Vorhersage herunter. Dennoch ist dieser Auswahlprozess für das Gehirn mit sehr viel Arbeit verbunden, sodass das Gehirn dafür eine schnellere und einfachere Methode entwickelt hat. Demnach kann das Gehirn nun Wörter erkennen, bevor wir alle relevanten Laute und Buchstaben wahrgenommen haben. Und um diese geistige Meisterleistung zu ermöglichen, bedient sich das Gehirn seines alten Verbündeten: dem Kontext. Eine Vorauswahl möglicher Wörter orientiert sich am Kontext.[150] Nehmen wir den folgenden Satz: „Der Beamte bat Emily, ihren Namen und ihre Adresse einzutragen. Er reichte ihr einen Stift und ein Blatt Pap ..." Ihr Gehirn denkt bereits an „Papier", bevor Sie das ganze Wort gehört oder gelesen haben. Aber in dem Satz „John mag seine Spaghetti gerne scharf, also nimmt er immer viel Pap..." wird Ihr Gehirn schnell „Paprika" als den besten Kandidaten auswählen.

Jedes Wort, das wir hören oder lesen, begrenzt automatisch die Anzahl der möglichen Wörter, die ihm folgen können. Dadurch wird es möglich, den schnellen Wortfluss zu bewältigen, der für die Kommunikation typisch ist. Und es erspart dem Gehirn viel Arbeit und Energie. Studien mit Aufzeichnung der Augenbewegungen[151] haben gezeigt, dass wir vorhersehbare Wörter in einem Text schneller lesen als unvorhersehbare. Unter bestimmten Umständen neigen wir sogar dazu, vorhersehbare Wörter zu überlesen. Das ist nur logisch: Warum sollte das Gehirn Energie für Dinge verschwenden, die es bereits kennt?

Die Tatsache, dass unser Gehirn Wörter vorhersagt, bedeutet nicht, dass es exakt genau die Wörter weiß, die ein Gesprächspartner verwenden wird. Wir sind schließlich keine Hellseher! Aber auch hier ist die Situation dem Tennis nicht unähnlich. Ein Tennisspieler weiß nie exakt genau, wo der Ball, der in seine Richtung fliegt, ankommen wird, aber er kann die Zahl der Möglichkeiten reduzieren, indem er die wahrscheinlichsten Optionen auswählt. Und so ist es auch bei der Vorhersage von Sprache.

Karen: „Was hast du zu Mittag gegessen?" *Tom:* „Es war köstlich! Ich habe ..."

Natürlich hat Karen keine Ahnung, was Tom antworten wird. Wenn sie es wüsste, wäre es sinnlos, die Frage zu stellen. Aber Karen weiß, welche Wörter wahrscheinlich folgen werden; vor allem Wörter, die mit Essen zu tun haben. Karens Gehirn ist also halbwegs auf das vorbereitet, was Tom sagen wird. Es ist weitaus wahrscheinlicher, dass er Wörter wie „Huhn" oder „Salat" verwenden wird als Wörter wie „Tennisball" oder „Liegestuhl".[152] In der Regel sagen wir nicht bestimmte Wörter voraus, sondern Kategorien von Wörtern.

Und wie wir bereits mehrfach in diesem Buch festgestellt haben, handelt es sich bei diesem Prozess eher um erlernte, aber unbewusste Einschätzungen als um eine präzise und bewusste Vorhersage.

Die Hirnforschung hat gezeigt, dass das Gehirn von unerwarteten Wendungen in der Sprache überrascht werden kann und daraufhin seine Aktivität erhöht.[153] Und wie wir bereits mehrfach gesehen haben, gibt es Peaks in bestimmten Gehirnarrealen, wenn Vorhersagefehler auftreten. Für Sprache und Kommunikation lassen sich diese Fehler an der N400 erkennen, die 1980 von Marta Kutas und Steven Hillyard in ihrem Labor an der University of California entdeckt wurde.[154] Die N400 ist eine negative Welle auf einem EEG (Elektroenzephalogramm), die etwa 400 Millisekunden nach dem Beginn eines Wortes auftritt, das in dem Satz, in dem es vorkommt, nicht erwartet wird.

Den Probanden von Kutas' Studie[155] wurden geschriebene Sätze wie die Folgenden gezeigt: Touristen in den Niederlanden staunen über die vielen Reihen mit den leuchtenden Farben. Sie würden am liebsten auch in einem Land leben, in dem Tulpen wachsen.

In diesem Satz ist das Wort „Tulpe" ein erwartetes Wort. Manchmal wurden den Teilnehmenden aber auch Sätze gezeigt, die ein Wort enthielten, das zwar nicht erwartet wurde, aber zumindest zur gleichen Kategorie „Blumen" gehörte: Touristen in den Niederlanden staunen über die vielen Reihen mit den leuchtenden Farben. Sie würden am liebsten auch in einem Land leben, in dem Rosen wachsen.

Das Wort „Rose" gehört zu einer Kategorie, die man erwarten könnte – nämlich Blumen –, aber im Zusammenhang mit „den Niederlanden" und „viele Reihen" ist es ein Wort, das wir weniger oder gar nicht erwarten.

Einigen Teilnehmenden wurden auch Sätze gezeigt, die ein nicht erwartetes Wort aus einer nicht erwarteten Kategorie enthielten: Touristen in den Niederlanden staunen über die vielen Reihen mit den leuchtenden Farben. Sie würden am liebsten auch in einem Land leben, in dem Palmen wachsen.

Die N400-Welle war bei dieser Art von Sätzen am stärksten ausgeprägt, weil sie die größte Überraschung auslöste: Das Gehirn erwartete ein Wort aus der Kategorie „Blume", wurde aber stattdessen mit einem Wort aus der Kategorie „Baum" konfrontiert. Die N400-Welle war niedriger, wenn das Wort zu einer erwarteten Kategorie gehörte, wie es bei „Rose" der Fall war, weil dadurch ein kleinerer und weniger dramatischer Vorhersagefehler erzeugt wurde.

Edward Wlotko und Kara Federmeier von der University of Illinois wollten herausfinden, was die Vorhersage von Wörtern in Sätzen erleichtern oder erschweren könnte.

Zu diesem Zweck wiederholten sie das Experiment von Marta Kutas, variierten aber die Geschwindigkeit, mit der die Wörter in den Sätzen gezeigt wurden.[156] Wenn die Pausen zwischen den Wörtern länger waren, waren die N400-Peaks größer, als wenn die Wörter schneller aufeinander folgten. Dies deutet darauf hin, dass das Gehirn mehr Zeit braucht, um genauere Vorhersagen zu treffen – wobei man natürlich nicht vergessen darf, dass es sich hier um Sekundenbruchteile und nicht um Sekunden oder Minuten handelt. Eines der bemerkenswertesten Ergebnisse bestand darin, dass die Versuchspersonen, die zunächst die langsame Version des Experiments durchlaufen hatten, auch in der schnellen Version von unerwarteten Wörtern überrascht wurden. Auf der Grundlage der ersten Version hatte das Gehirn gelernt, dass unerwartete Wörter wahrscheinlich auch in der zweiten Version auftauchen würden. Wenn das Gehirn Vorhersagefehler erwartet, schaltet es einen höheren Gang ein, um seine Vorhersagen zu treffen. In dieser Hinsicht sagt das Gehirn auch seine eigene Arbeit voraus: „Achtung! Erwarte das Unerwartete!" Die Forschungsergebnisse von Wlotko und Federmeier sind ein starker Beleg für die Flexibilität des Gehirns und seine Fähigkeit, sich schnell an unterschiedliche Kontexte anzupassen.

In verschiedenen anderen Studien[157] wurde die N400-Reaktion bei Menschen mit Autismus untersucht. Wenn autistische Kinder, eine Reihe von Tierwörtern hörten (Kuh, Hund, Vogel etc.), und plötzlich ein Wort hörten, das nicht zu dieser Kategorie gehörte (Tisch, Auto, Haus etc.), waren ihre Gehirne weniger überrascht als die Gehirne von nicht-autistischen Kindern.[158] Ein von Judith Pijnacker und ihrem Team an der Radboud Universität in Nijmegen[159] durchgeführtes Experiment ergab, dass die Gehirne von Menschen mit Autismus im Vergleich zu Menschen ohne Autismus weniger von unerwarteten Worten am Ende eines Satzes überrascht wurden, wie z. B. „Die Kletterer erreichten endlich die Spitze der Tulpe" oder „George wollte Schlittschuhlaufen gehen und nahm den Bus zum Strand". Dementsprechend war der Unterschied in der N400-Reaktion zwischen vorhersehbaren und unvorhersehbaren Satzenden bei autistischen Menschen nicht so groß wie bei Menschen ohne Autismus, ein Ergebnis, das durch vergleichbare Studien ebenfalls bestätigt wurde.[160] Dies scheint darauf hinzudeuten, dass autistische Menschen bei der Vorhersage, wie der Satz wahrscheinlich enden wird, seltener den Kontext dieses Satzes nutzen. Pijnacker und ihre Kollegen kamen jedoch noch zu einer anderen Schlussfolgerung, die ebenso bemerkenswert ist. Obwohl die N400 bei Menschen mit Autismus weniger aktiv war, deutete die Messung ihres Gehirnpotenzials – das immer erst etwas später aktiviert wird[161] – darauf hin, dass unerwartete Wörter am Satzende dennoch ihre Aufmerksamkeit auf sich zogen. Mit anderen Worten: Ihr Gehirn schien erst zu bemerken, dass ein Wort unerwartet ist, nachdem sie es gesehen oder gehört hatten. Das heißt, was wir zuvor in Bezug auf das menschliche Verhalten gesehen haben – erst sehen, dann glauben – scheint auch für die Sprache zu gelten: erst hören (oder lesen), dann verarbeiten. Das bedeutet, dass ein autistisches Gehirn in der Lage ist, auf das Ungewöhnliche und Unvorhersagbare zu reagieren, aber nicht so gut darin ist, diese Dinge zu antizipieren. Das Unvorhersehbare muss erst geschehen, damit es dem Gehirn bewusstwerden kann, und es erkennen kann, dass etwas Ungewöhnliches eingetreten ist.

Wie bereits im Zusammenhang mit Vorhersagen in der sozialen Welt deutlich wurde, gehören schnelle, intuitive und unbewusste Vorhersagen in Bezug auf Sprache und Kommunikation nicht zu den Stärken autistischer Menschen. Wenn man ihnen jedoch genügend Zeit und Raum für eine bewusste Verarbeitung gibt, sind sie durchaus in der Lage, den Kontext zu nutzen, um zwischen dem Vorhersehbaren und dem Unvorhersehbaren zu unterscheiden.

Dass Menschen mit Autismus mehr Zeit brauchen, um Sprache zu verarbeiten, war auch das Ergebnis einer Forschungsstudie der Universität Southampton.[162] Die Vorhersage, welche Wörter wahrscheinlich sind, erfolgt nicht nur auf der Grundlage der bereits gelesenen oder gehörten. Bei der Zusammenstellung einer Liste von möglichen Wörtern hilft uns auch das Wissen über unsere Welt.

Damit seine Spieler das Zurückschlagen der Bälle mit Topspin besser üben konnten, setzte der Tennistrainer eine Ballkanone ein, die insgesamt 150 Bälle abfeuern kann. Am Ende der Trainingseinheit war der Platz voller Tennisbälle in ... Farbe.

In diesem Satz gibt es kein einziges Hinweiswort, das die Möglichkeiten für die fehlende Farbe (dargestellt durch die Punkte) eingrenzt oder präzisiert. Nur Personen, die sich mit Tennis und den Farben der traditionell verwendeten Bälle auskennen, sind in der Lage, das Wort vor „Farbe“ zu ergänzen. Philippa Howard und ihre Kollegen in Southampton wollten wissen, womit die reduzierte Fähigkeit des autistischen Gehirns, Wörter zu antizipieren, zusammenhängt. Hat es mit einer reduzierten Sensitivität für den Kontext von Sätzen zu tun oder mit einer verminderten Fähigkeit, ihr Wissen über die Welt bei Vorhersagen einzusetzen? Um dies herauszufinden, bat Howard ihre Versuchspersonen, Sätze wie die Folgenden zu lesen. Während des Lesens zeichnete das Forschungsteam ihre Augenbewegungen auf und erfasste auch die Zeit, die sie für das Lesen benötigten.

Anschließend wurden die Probanden zu den gelesenen Sätzen befragt.

Walter benutzte ein Messer, um die großen Karotten in Stücke zu hacken.
Walter benutzte eine Axt, um die großen Karotten in Stücke zu hacken.
Walter benutzte eine Pumpe, um die großen Karotten aufzublasen.

Karotten mit einem Messer zu zerhacken ist möglich und auch sehr wahrscheinlich. Karotten mit einer Pumpe aufzublasen ist unmöglich. Karotten mit einer Axt zu zerkleinern ist zwar auch möglich, aber unwahrscheinlicher als ein Messer zu benutzen. Die Verarbeitung des Vorhersagefehlers in diesem Satz erfordert eine gewisse Kenntnis des Kochens und der Verwendung von Küchengeräten. Außerdem ist der Fehler auch subtiler als der offensichtliche Fehler mit der Pumpe. Während der Fragerunde nach dem Test erkannten alle Versuchspersonen – sowohl mit als auch ohne Autismus –, dass mit diesem „Axt“-Satz etwas nicht stimmte und wussten auch, was das war. Menschen mit Autismus brauchten jedoch mehr Zeit, um Sätze dieser Art mit möglichen, aber weniger wahrscheinlichen Kombinationen zu lesen. Die Registrierung der Augenbewegungen zeigte, dass Menschen ohne Autismus kurz zögerten, als sie den Fehler sowohl in den Sätzen mit einer möglichen, aber unwahrscheinlichen Kombination als auch in den Sätzen mit einer unmöglichen Kombination entdeckten.

Mit anderen Worten: Sie hatten den Vorhersagefehler sofort entdeckt. Im Gegensatz dazu zeigten die autistischen Probanden nicht dieses kurze Zögern, sondern setzten das Lesen einfach fort. Sobald sie das Ende des Satzes erreicht hatten, gingen sie zum Anfang zurück und lasen ihn erneut. Dies scheint darauf hinzudeuten, dass sie beim ersten Lesen spürten, dass etwas nicht stimmte, aber nicht genug Vertrauen in ihr Wissen von der Welt und ihre daraus resultierenden Vorhersagen hatten, um die seltsame Wortwahl sofort zu bemerken. Dies ist erneut ein Beispiel dafür, was wir bereits mehr als einmal in diesem Buch erwähnt haben: Ein autistisches Gehirn gibt seinen eigenen Vorhersagen zu wenig Gewicht und scheint in bestimmten Situationen seltener bereit zu sein, sich selbst zu vertrauen. Nur wenn es über alle notwendigen Informationen und Details verfügt, kommt ein autistisches Gehirn zu denselben Schlussfolgerungen wie ein nicht-autistisches Gehirn. Das bedeutet nicht, dass Menschen mit Autismus langsamer sind. Es bedeutet nur, dass sie unsicher sind und alles genau überprüfen wollen. Und das braucht Zeit. Diese Unsicherheit der autistischen Probanden zeigte sich auch in der Fragerunde: Mehrere Teilnehmende berichteten, dass sie Angst davor hatten, Fragen zu einigen der gelesenen Sätze zu beantworten.

Dies ist ein starkes Argument dafür, Menschen mit Autismus bei der Kommunikation mehr Zeit zu geben. Diese Kommunikation sollte so entspannt und unaufgeregt wie möglich sein. Das ist auch einer der Gründe, warum so oft visuelle Kommunikationsformen in der Interaktion mit autistischen Menschen empfohlen werden: geschriebene Texte, Zeichnungen, Diagramme, Fotos, visuelle Schemata wie eine Mindmap etc. Im Gegensatz zur gesprochenen Sprache ist die visuelle Kommunikation nicht flüchtig. Worte verschwinden, sobald sie gesprochen wurden; Worte auf Papier bleiben. Dadurch haben Menschen mit Autismus nicht nur mehr Zeit zum Verarbeiten, sondern können sich die Wörter bei Bedarf auch mehrmals ansehen. Bei visueller Kommunikation wird auch das Arbeitsgedächtnis viel weniger strapaziert, was für Menschen von Vorteil ist, die Sprache erst dann verarbeiten und Vorhersagen machen können, wenn alles gesagt oder gezeigt wurde.

Menschen mit Autismus sind nicht langsamer. Sie sind sich (unbewusst) unsicher und wollen alles genau prüfen. Und das braucht Zeit.

Allerdings muss bedacht werden, dass visuelle Kommunikation nur dann autismusfreundlich ist, wenn Menschen mit Autismus ausreichend Zeit für die Verarbeitung erhalten. Warum?

Weil die Schwierigkeiten autistischer Menschen bei der Vorhersage dessen, was sie hören werden, auch bei der Vorhersage dessen, was sie sehen werden, auftreten.

Forscher der University of Vermont[163] fragten sich, ob die schwache N400, die bei Menschen mit Autismus aufgezeichnet wird, wenn sie es mit unbekannten Wörtern und Sätzen zu tun haben, auch für die visuelle Kommunikation gilt.

Dafür verwendeten sie die berühmten Peanuts-Zeichentrickfilme mit Charlie Brown und seinem Hund Snoopy, die von Charles Schulz erschaffen und gezeichnet wurden. Sie verwendeten sowohl eine geschriebene als auch eine gezeichnete Version der Strips. Hier ist ein Beispiel:

> Charlie Brown hat Snoopy das Apportieren beigebracht.
> Er warf einen Ball und Snoopy sollte ihn zurückbringen.
> Aus Versehen traf Charlie Brown Snoopy mit dem Ball.
>
> Erwartetes Ende der Geschichte:
> Snoopy war wütend und rannte weg von dem Ball.
>
> Unerwartetes Ende der Geschichte:
> Snoopy war wütend und rannte weg von dem Wall.

Hatten Sie auch gedacht, dass der letzte Satz identisch mit dem Satz mit dem erwarteten Ende ist? Manche müssen den Satz zweimal lesen, um zu erkennen, dass dort „Wall“ steht und nicht das erwartete Wort „Ball“. Das ist ein Beispiel für die Vorhersagefähigkeit in der Sprache. Im Ergebnis zeigte das Experiment, dass in beiden Fällen – bei der geschriebenen und der gezeichneten Version des Cartoons – die N400 für das unerwartete Ende bei Erwachsenen mit Autismus schwächer ausfiel als bei Erwachsenen ohne Autismus.

Brasilianische Forscher stellten vergleichbare Ergebnisse bei Kindern mit Autismus fest.[164] Menschen mit Autismus können demzufolge nicht nur schlechter vorhersagen, was sie hören oder lesen werden, sondern auch, was sie sehen werden. In der Konsequenz bedeutet dies, dass wir autistischen Menschen auch bei visuellen Kommunikationsformen oder visuell unterstützter Kommunikation mehr Zeit für ihre mentale Verarbeitung geben müssen.

Mehr Zeit ist notwendig, aber das allein reicht nicht aus, um Menschen mit Autismus zu einer effektiven Kommunikation zu verhelfen. Mehr Zeit hilft ihnen, Vorhersagen über das zu entwickeln, was gesagt oder gezeigt wird, aber das bedeutet nicht, dass diese Vorhersagen richtig sind. Denn auch bei der Verarbeitung von Sprache neigt das autistische Gehirn dazu, Dinge in absoluten Begriffen und mit unzureichender Kontextsensitivität zu erfassen.

Dies ist ein starkes Argument dafür, Menschen mit Autismus bei der Kommunikation mehr Zeit zu geben.
Diese Kommunikation sollte so entspannt und unaufgeregt wie möglich sein.

Stellen Sie sich vor, Sie sehen einen Dokumentarfilm über den Alltag von berühmten Tennisprofis. Sie sehen Serena Williams an einem Frühstückstisch sitzen. Die Stimme des Kommentators sagt: „Nach dem Frühstück ist für Serena das Konditionstraining an der Reihe. Sie schnappt sich ein Handtuch, ihre Schwimmsachen und macht sich auf den Weg zum ..."

Bevor der Kommentator die nächsten Worte gesprochen hat, wissen Sie, dass er „Schwimmbad" und nicht „Tennisplatz" sagen wird.

Der visuelle Eindruck von Serena hat zunächst die Wortkategorie „Tennis" in Ihrem Gehirn aktiviert, sodass Sie die Verwendung von Wörtern aus dieser Kategorie erwarten. Im obigen Beispiel wird Ihr Gehirn jedoch auch Wörter vorhersagen, die nichts mit Tennis zu tun haben, weil die Umstände dies nahelegen. Mit anderen Worten: Ihr Gehirn ist in der Lage, seine Vorhersagen dem jeweiligen Kontext entsprechend flexibel anzupassen. Menschen mit Autismus sind in dieser Hinsicht weniger talentiert.

Die kontextsensitive Antizipation ist in der Sprachverarbeitung besonders wichtig, weil die meisten Wörter keine feste Bedeutung haben. Das Wort „Wurzel" kann z. B. die folgenden verschiedenen Bedeutungen haben:

- Der Teil einer Pflanze, der sich unter der Erde befindet („die Wurzeln des Baumes gehen sehr tief").
- Der Teil eines Zahns, der sich im Zahnfleisch befindet („der Zahnarzt empfiehlt eine Wurzelbehandlung").

- Die Ursache von etwas („Geld ist die Wurzel allen Übels").
- In der Mathematik eine Zahl, die einer bestimmten Potenz zugrunde liegt („2 ist die vierte Wurzel aus 16").
- Die Herkunft einer Person („seine Familie hat italienische Wurzeln").

Dieses Phänomen wird als Polysemie bezeichnet, ein Wort mit einer griechischen Wurzel(!), abgeleitet von poly, was „viele" bedeutet, und sema, was „Zeichen" bedeutet. Wenn wir versuchen, bei der Sprachverarbeitung zu antizipieren, reicht es nicht aus, ein Wort oder eine Kategorie von Wörtern vorherzusagen; wir müssen auch aus den vielen möglichen Bedeutungen, die ein Wort haben kann, die wahrscheinlichste Bedeutung des Wortes im gegebenen Kontext auswählen. Auch dies ist nichts, was wir bewusst machen und genau wissen; es ist eine schnelle und unbewusste „beste Schätzung". Das bedeutet, dass Sie bei der Frage „Helen, hast du die Wurzel schon gefunden?" im Mathematikunterricht eine andere „Wurzel" im Kopf haben, als wenn Sie dieselbe Frage in einer Zahnmedizin- oder Biologiestunde hören würden.

Für ein autistisches Gehirn ist die Polysemie eine schwierige Angelegenheit. Menschen mit Autismus sind, sofern sie keine intellektuelle Beeinträchtigung haben, absolut in der Lage, die Bedeutungen von Wörtern zu lernen. Ihr Wortschatz ist genauso groß wie der von Menschen ohne Autismus und kann sogar noch größer sein, wenn sie ein besonderes Interesse an Sprache und Literatur haben. Mit anderen Worten, es ist nicht die Anzahl der Wörter, die Menschen mit Autismus Probleme bereitet, sondern die verschiedenen Bedeutungen, die diese Wörter haben können. In dieser Hinsicht sind Homonyme und Homographen immer eine große Herausforderung für Menschen mit einem weniger kontextsensitiven Gehirn. Homonyme sind Wörter, die gleich klingen, aber unterschiedlich geschrieben werden, z. B. „malen" und „mahlen". Homographen sind Wörter, die gleich aussehen und gleich geschrieben werden, aber etwas anderes bedeuten, z. B. „Fliegen" (Insekten) oder „Fliegen" (mit dem Flugzeug). Normalerweise gibt der Kontext des Satzes vor, wie ein Homograph ausgesprochen werden sollte.

Untersuchungen haben jedoch gezeigt, dass Menschen mehr Fehler machen, wenn ein Homograph am Anfang eines Satzes steht: „Fliegen bereitet vielen Menschen Angst". „Letzten Sommer gab es besonders viele Fliegen."

Es ist nicht die Anzahl der Wörter, die Menschen mit Autismus Probleme bereitet; es sind die verschiedenen Bedeutungen, die diese Wörter haben können.

Verschiedene Studien[165] konnten zeigen, dass Menschen mit Autismus, auch bei guter Begabung, oft Schwierigkeiten bei der richtigen Aussprache von Homographen haben. Drückt man jedoch die Kontext-Taste, d.h. aktiviert man ihre Kontextsensitivität, schneiden sie genauso gut ab wie Menschen ohne Autismus. In diesem Zusammenhang konnten kanadische Forschende[166] feststellen, dass Kinder mit Autismus in der Lage sind, Homographen richtig auszusprechen, wenn zuvor ein semantisches Priming stattfindet. Ein „Prime" ist ein Wort, das mit einer der Bedeutungen eines Homographs verwandt ist und somit als Wegbereiter für dessen Bedeutung und Aussprache dient. Zum Beispiel sind „mähen" und „schnell" Primes für die verschiedenen Bedeutungen des Homographs „rasen". Wenn in dem kanadischen Experiment ein Prime verwendet wurde, sprachen Kinder mit Autismus viele Homographen genauso korrekt aus wie nicht-autistische Kinder. In einer zweiten Phase wurden den Kindern dieselben Homographe noch einmal gezeigt, aber diesmal mit einem anderen Prime für eine andere Bedeutung. Bei dieser Aufgabe machten die Kinder mit Autismus mehr Fehler als ihre nicht-autistischen Altersgenossen. Es war fast so, als ob die autistischen Kinder mit der ersten Bedeutung, auf die sie eingestimmt worden waren, „verhaftet" blieben und nicht in der Lage waren, sich auf den nächsten Kontext einzustellen, der durch das neue Priming nahegelegt wurde.

Diese Fixierung auf die zuerst gelernte oder dominante Verbindung ist häufig bei Menschen mit Autismus zu beobachten. In der Regel haben sie keine großen Probleme mit den dominanten und (für sie) offensichtlichsten Bedeutungen von Wörtern. Im Gegenteil, sie können dies im Allgemeinen sehr gut. Es ist die spontane und flexible Anpassung von Bedeutungen an den jeweiligen Kontext, die ihnen Schwierigkeiten bereitet. Rhonda Booth und Francesca Happé[167] baten Gruppen von Menschen mit und ohne Autismus, Sätze wie den Folgenden zu vervollständigen: Das Meer schmeckt nach Salz und ... Man kann auf die Jagd gehen mit Messer und ... Die Nacht war schwarz und ...

Im Gegensatz zu den Probanden ohne Autismus tappten die autistischen Menschen oft in die Falle, sich auf eine gelernte dominante Verbindung zu verlassen, ohne den Kontext einfließen zu lassen. Infolgedessen füllten sie die Sätze wie folgt aus: Das Meer schmeckt nach Salz und Pfeffer. Man kann auf die Jagd gehen mit Messer und Gabel. Die Nacht war schwarz und weiß.

Gelernte Bedeutungen und sprachliche Verknüpfungen scheinen daher im weniger kontextsensitiven autistischen Gehirn einen festen und absoluten Charakter zu haben.

Dies ist jedoch keineswegs eine neue Erkenntnis. Bereits vor mehr als 75 Jahren stellte Leo Kanner bei Kindern mit Autismus die feste Verknüpfung von Bedeutungen mit Wörtern und die geringe Flexibilität im Umgang mit diesen Verknüpfungen fest. In seinem bahnbrechenden Artikel aus dem Jahr 1943 schrieb Kanner über John, eines der elf Kinder, die er behandelte: „Sein Vater sagte etwas über die Bilder, die sie zu Hause an der Wand („on the wall") hängen haben. John war daraufhin etwas beunruhigt. Er korrigierte seinen Vater: „We have them near the wall" („on" bedeutete für ihn offenbar „über" oder „auf")".

John interpretierte die Bedeutung des Wortes „on" eindeutig und absolut. Sein Gehirn konnte nicht akzeptieren, dass „on" auch „against" oder „in contact with" bedeuten kann. Ein ähnliches Phänomen beschreibt Kanner, als er Donald, ein anderes der elf Kinder, aufforderte, etwas hinzulegen („put it down"), und Donalds es unverzüglich auf den Fußboden legte – und nicht auf den Schreibtisch oder in einen Schrank oder sonst wohin –, weil er für die Worte „put it down" nur die Bedeutung „auf den Fußboden" gelernt hatte.

Diese Art der absoluten Zuordnung von Bedeutungen zu Wörtern führt zu viel Verwirrung in der Kommunikation autistischer Menschen. Für die meisten Menschen kann das Verb „klettern" sowohl für „hinaufklettern" als auch für „runterklettern" verwendet werden, aber für Menschen mit Autismus ist diese Unterscheidung nicht so einfach. Als eine irische Mutter sah, dass ihr autistischer Sohn es bis ganz nach oben auf einen hohen Baum geschafft hatte, rief sie ihm zu, er solle sofort runter klettern. Er entgegnete ihr, dass dies nicht möglich sei: Für ihn bedeutete „klettern" ausschließlich „nach oben klettern". Daher war es für ihn völlig unlogisch, durch Klettern herunterzukommen.

Hier ist ein weiteres Beispiel: „Arbeit" ist auch ein Wort, das viele verschiedene Bedeutungen hat. Wenn ein Psychologe sagt, dass er „mit Ihnen arbeiten" werde, um Ihr Problem zu lösen, dann wissen die meisten Menschen sofort, was er damit meint: gemeinsame Gespräche in Therapiesitzungen, bis das Problem gelöst ist.

Diese Bedeutung wird durch den Kontext klar, in dem es gesagt wird: Aber für Menschen mit Autismus – wie Robin – ist das nicht ganz so offensichtlich. Als er von einem Psychologen erfuhr, dass sie zusammenarbeiten würden, verstand er diesen Zusammenhang überhaupt nicht und fragte den Psychologen: „Und was muss ich anziehen?" Robin assoziierte „Arbeit" mit körperlicher Arbeit, wie er sie in der Fabrik, in der er beschäftigt war, gewohnt war und wo er immer einen Overall und einen Schutzhelm tragen musste. Es kam ihm nicht in den Sinn, dass dies im Sprechzimmer eines Psychologen unangebracht sein könnte!

Diese Art des absoluten Denkens, die Anwendung starrer Verknüpfungen in allen Situationen und unter allen Umständen, ist bei Menschen mit Autismus nicht immer leicht zu erkennen. Es kann hilfreich sein, wenn man weiß, in welchem Zusammenhang jemand ein Wort zuerst kennengelernt hat – und das ist in fast jeder Sprache der Welt der Fall.

In einigen Teilen Belgiens nahe der französischen Grenze sind französische Wörter in die lokale flämische Sprache übernommen worden.

Ein solches Wort ist Chapeau, das in Frankreich das Wort für „Hut" ist, aber in Flandern als anerkennender Ausdruck für „gut gemacht" oder, wenn Sie wollen, „Hut ab" verwendet wird. In den meisten Fällen kein Problem, könnte man meinen. Aber das war nicht der Fall für einen kleinen Jungen, der im Rahmen eines Französischtests die Namen von Kleidungsstücken aufschreiben sollte! Neben das Wort Chapeau schrieb er „gut gemacht". Als die amüsierte Lehrerin später die Tests korrigierte, wurde ihr sofort klar, was passiert war. Sie benutzte das Wort Chapeau oft im flämischen Sinne des Wortes, um ihre Schüler zu loben, wenn sie etwas gut gemacht hatten. Und das war nun der Kontext, mit dem ihr autistischer Schüler das Wort am meisten assoziierte. Er war einfach nicht in der Lage gewesen, diese Bedeutung flexibel an den anderen Kontext des Französisch-Tests anzupassen. Glücklicherweise hat ihm die Lehrerin für diesen unbeabsichtigten Fehler keine Punkte abgezogen.

Nach der Äußerung einer Mitschülerin, sie habe „ihre Lektion gelernt", fragte ein Schüler mit Autismus: „Und was hast du falsch gemacht?" Aber eigentlich meinte das Mädchen wortwörtlich, dass sie die Lektion gelernt habe.

In solchen Anekdoten machen die Menschen mit Autismus das Gegenteil von dem, was man normalerweise von ihnen erwarten würde: Sie nehmen etwas nicht wörtlich, obwohl der Kontext genau das nahelegt. Solche Anekdoten zeigen einmal mehr, dass das Problem nicht in ihrer Neigung besteht, Dinge wörtlich zu nehmen, sondern in ihrer mangelnden Flexibilität, sich von ihren dominanten oder zuerst erlernten Assoziationen zu lösen, wenn der Kontext dies erfordert. Ihre Herangehensweise bei der Bedeutung von Wörtern ist also absolut und nicht kontextbezogen. Für solche Situationen hat der Kognitionspsychologe George Miller den Begriff „kontextuelle Repräsentation" eingeführt. Die kontextuelle Repräsentation ist die Fähigkeit, bei der Vorhersage von Wörtern die Wahrscheinlichkeit verschiedener Wortbedeutungen in Bezug auf den gegebenen Kontext einzuschätzen. Das heißt, dass man nicht eine einzige feste Verbindung zwischen einem Wort und seiner Bedeutung herstellt, sondern einem einzelnen Wort verschiedene Bedeutungen zuordnet. Dann wählt man für die Vorhersage die am besten passende dieser vielen Bedeutungen aus, orientiert an dem Kontext, in dem das Wort verwendet wird. Sie wissen z. B., dass das Wort „treffen" im Kontext eines Schießwettbewerbs etwas anderes bedeutet als im Kontext einer Verabredung. Menschen mit einer geringeren Kontextsensitivität, wie es Menschen mit Autismus, verstehen die Dinge häufiger a-kontextuell. So wie der Förster, der zu einer Treibjagd gehen wollte und von seiner Frau gefragt wurde: „Wirst du bei der Jagd auch deinen alten Freund treffen?" Worauf er antwortete: „Ich hoffe nicht ..."

Manchmal muss man ein intuitives Gespür für autistisches Denken haben, um die subtileren Beispiele für die absolute Herangehensweise zu erkennen, die Menschen mit Autismus bei der Sprachverarbeitung verwenden. Rory Hoy, ein beliebter britischer DJ, hat mal ein unterhaltsames Video über seinen eigenen Autismus gemacht: Autism & Me. In einer seiner Geschichten ging es um einen Schultest, bei dem der Lehrer die Klasse aufforderte: „Schreibt die Wochentage auf ein Blatt Papier." Rory tat also genau das, worum er gebeten wurde. Als der Lehrer die Tests korrigierte, war er überrascht, dass auf Rorys Blatt nur die Worte „Die Wochentage" standen! „Natürlich", sagte Rory, „alle anderen Klassenkameraden hatten Montag, Dienstag, Mittwoch, Donnerstag, Freitag, Samstag, Sonntag etc. aufgeschrieben. Ich zeige dieses Video oft in Vorträgen und Seminaren, aber die meisten Leute bemerken Rorys winzigen Zusatz „etc." nicht. Aus linguistischer Sicht ist dieses „etc." nicht notwendig.

Wir verwenden „etc.", eine Abkürzung für et cetera, die im Lateinischen für „und den Rest" steht, wenn wir nicht alle einzelnen Elemente einer Sammlung erwähnen wollen. Zum Beispiel: „Ballsportarten sind Sportarten wie Fußball, Volleyball, Tennis, Kricket etc." Rorys Zusammenfassung der Wochentage ist jedoch vollständig: Er hat alle sieben Tage aufgezählt. Folglich ist das „etc." überflüssig. Anscheinend hat sich Rorys Gehirn in diesem Fall auf eine absolute Verknüpfung verlassen: „Zusammenfassungen enden mit etc." Glücklicherweise kann das absolute Denken manchmal zu amüsanten Situationen führen.

Zum Beispiel Folgende: Ein Schüler und ein Lehrer spielen auf dem Schulhof Basketball. Der Schüler wirft einen Korb. „Gut gemacht!" sagt der Lehrer. „Das sollten Sie nicht sagen", sagt der Schüler wütend. „Warum denn nicht?", fragt der Lehrer. „Weil ich dein Gegner bin. Und du solltest deinen Gegner nicht unterstützen."

Oder wie wäre es damit? Ein Mann betritt kurz vor 18 Uhr eine Cafeteria. Die Cafeteria ist ein soziales Projekt, das von Menschen mit Behinderungen betrieben wird. Der Mann geht zum Tresen und fragt die junge Frau, die hinter dem Tresen steht: „Haben Sie noch geöffnet? Die (autistische) Frau, antwortet: „Ja." Der Mann setzt sich an einen leeren Tisch, wartet ein oder zwei Minuten und geht dann zurück zum Tresen. Kann ich bitte etwas bestellen?" „Nein", sagt die Frau. „Warum nicht?", fragt der Mann. „Weil wir geschlossen haben." Sie dreht sich um und zeigt auf einen Aushang an der Wand: „Öffnungszeiten: 9 Uhr bis 18 Uhr." Die Uhr neben dem Schild zeigt eine Minute nach sechs ...

Das Wichtigste im Überblick

- Um effektiv kommunizieren zu können, muss das Gehirn zahlreiche Vorhersagen treffen: Wird jemand etwas sagen, was wird er sagen, wann bin ich an der Reihe, etwas zu sagen, etc.?
- Noch einmal: Solche Vorhersagen sind keine exakte Wissenschaft. Wir wissen nicht genau, was jemand sagen wird, aber wir schätzen anhand des Kontextes ein, was wahrscheinlich gesagt oder gezeigt wird.
- Da wir diese Vorhersagen machen können, leiden wir nicht so sehr unter der Verfälschung von Sprachlauten bei vielen Umgebungsgeräuschen oder wenn jemand Wörter anders ausspricht, als wir es gewohnt sind.
- Diese Vorhersagen machen es auch möglich, eine Frage direkt zu beantworten oder fast sofort auf das zu reagieren, was jemand gesagt hat. Ebenso erlauben sie uns, flüssig zu lesen, ohne dass wir auf jedes einzelne Wort achten müssen.
- Wenn unsere Gesprächspartner ungewöhnliche Redewendungen oder unerwartete Wörter verwenden, kommt es zu Vorhersagefehlern. Wir sind von dem, was

gesagt wurde, überrascht. Menschen mit Autismus sind weniger überrascht, was darauf hindeutet, dass sie in der Kommunikation weniger Vorhersagen machen.

- Wenn ein autistisches Gehirn in der Kommunikation etwas vorhersagt und erwartet, neigt es dazu, sich auf die zuerst gelernte oder dominanteste Bedeutung zu verlassen. Ein autistisches Gehirn verwendet diese Bedeutungen absolut und findet es schwierig, verschiedene Bedeutungen zu antizipieren, was ihm erlauben würde, im jeweiligen Kontext die wahrscheinlichste Bedeutung auszuwählen, besonders wenn diese nicht leicht zu ermitteln ist.
- Abgesehen davon ist das autistische Gehirn manchmal in der Lage, sich von seinem absoluten Ansatz zu lösen und Flexibilität in Sprache und Kommunikation zu zeigen, aber nur, wenn wir die Kontext-Taste drücken und Menschen mit Autismus ausreichend Zeit für die Antwort geben. Dabei muss das autistische Gehirn bewusst nachdenken, während ein nicht-autistisches Gehirn schnell, unbewusst und intuitiv arbeitet.

WUSSTEN SIE SCHON?

Vorhersagefehler müssen nicht immer ernst sein. Manchmal können sie uns auch zum Lachen bringen.[168] In der Tat ist eine Menge Humor, zumindest in der Sprache, ein Ergebnis dieser Fehler. Viele Witze haben z. B. eine AAB-Struktur:[169] zwei oder mehr ähnliche Elemente und dann ein drittes, sehr unterschiedliches Element, das als Kontrapunkt dient. In einer Reihe von As macht B plötzlich einen Vorhersagefehler, über den sich alle anderen amüsieren. In einem Witz wird das oft als „Pointe“ bezeichnet, die unerwartete Wendung in der Geschichte, die sie erst witzig macht.

Der Psychologe Richard Wiseman hat mehr als 1,5 Millionen Menschen gebeten, Abertausende von Witzen zu bewerten. Der folgende Witz wurde zum Sieger gekürt, zum besten Witz der Welt: Zwei Jäger sind in den Wäldern unterwegs, als einer von ihnen zusammenbricht. Er scheint nicht zu atmen und seine Augen sind glasig. Der andere holt sein Telefon heraus und ruft den Notdienst an. Er keucht: „Mein Freund ist tot! Was kann ich tun?“ Die Frau am Telefon sagt: „Beruhigen Sie sich. Ich werde Ihnen helfen. Zuerst müssen wir sicherstellen, ob er auch wirklich tot ist.“ Es herrscht Stille, dann ist ein Schuss zu hören. Der Mann ist wieder am Telefon und fragt: „OK, was jetzt?“

Wissenschaftler sind der Meinung, dass diese unerwartete Wendung – ein gravierender Vorhersagefehler, wenn es denn einer war! – der Grund dafür ist, dass so viele Menschen diesen Witz lustig finden. Das Unerwartete bringt uns oft zum Lachen.

Die folgenden Sätze sind in ihrer derzeitigen Fassung nicht besonders lustig:
Pat Cash über Lleyton Hewitt: „Seine beiden größten Stärken sind seine Beine."
Interviewer: „Was ist die Schwäche von Pete Sampras?"
Andre Agassi zu Andy Roddick: „Zeig, was du draufhast, Großer."

Was man nicht erwartet – und was sie (hoffentlich) amüsant macht – sind die Fortsetzungen und Antworten auf diese Sätze:
Pat Cash über Lleyton Hewitt: „Seine zwei größten Stärken sind seine Beine, seine Schnelligkeit, seine Beweglichkeit und seine Wettkampfstärke." (Das sind vier Dinge!)
Interviewer: „Was ist die Schwäche von Pete Sampras?"
Michael Chang: „Er kann nicht kochen."
Andre Agassi zu Andy Roddick: „Lass mal sehen, was du draufhast, Großer."
Roddick: „Haare." (Zu diesem Zeitpunkt hatte Agassi bereits eine Glatze!)

Auch eine fehlerhafte Vorhersagefähigkeit kann Spaß machen. Jeder, der ein Smartphone mit automatischer Vervollständigung und Rechtschreibkorrektur hat, weiß genau, was ich meine. Eines meiner Enkelkinder heißt Ciriel. Anfangs wollte mein Smartphone dies immer mit „cirkel" korrigieren, das niederländische Wort für „Kreis". Sie können mir glauben, dass dies auf Niederländisch oft zu amüsanten WhatsApp-Nachrichten geführt hat, etwa nach dem Motto: Hier seht ihr Kreis, wie er durch die Klasse geht, um an seinem Geburtstag Törtchen zu verteilen! Wenn Sie mich fragen, nicht besonders smart von meinem Smartphone! Im Internet finden Sie eine ganze Menge dieser witzigen Autokorrekturen, wenn Sie so etwas mögen.

6

Das prädiktive Gehirn und Autismus: Was nun?

Wie jedes andere Gehirn gibt auch das autistische Gehirn sein Bestes, um zu antizipieren, was wahrscheinlich passieren wird, sowohl für sich selbst als auch für den Körper, den es kontrolliert. Es kann diese Aufgabe jedoch nicht genauso gut erfüllen wie ein nicht-autistisches Gehirn. Es braucht mehr Zeit und mehr bewusstes Nachdenken, bevor es seine Vorhersagen treffen kann. Es hat auch weniger Vertrauen in seine eigene Vorhersagefähigkeit, was dazu führt, dass es allen Formen von sensorischer Information viel zu viel Aufmerksamkeit schenkt. Information, die ein nicht-autistisches Gehirn ignoriert, weil es weiß, dass diese Reize für seine Modelle von der Welt nicht relevant sind. Im Gegensatz dazu verzettelt sich ein autistisches Gehirn in absoluten, überpräzisen und überspezifischen Modellen von der Welt. Dies führt dazu, dass autistische Gehirne mehr Vorhersagefehler machen, für die sie dann in der Folge noch mehr Gedanken und Anstrengungen aufwenden müssen.

Wie jedes andere Gehirn tut auch das autistische Gehirn sein Bestes, um zu antizipieren, was wahrscheinlich passieren wird, sowohl für sich selbst als auch für den Körper, den es kontrolliert.

Im Vergleich zu einem nicht-autistischen Gehirn ist ein autistisches Gehirn in seiner Welt viel stärker mit VUCA (volatil, unsicher, komplex und mehrdeutig) konfrontiert. Menschen mit Autismus erleben daher eine Welt mit einem hohen Maß an Ungewissheit und Verunsicherung.

In neueren Artikeln und Vorträgen über Autismus liest und hört man immer öfter den Begriff „Unsicherheitsintoleranz".[170] Ich bin etwas zwiespältig bei diesem Begriff. Das Wort „Intoleranz" wird hier im gleichen Sinne verwendet wie bei Laktoseintoleranz oder Nussintoleranz. In diesem medizinischen Kontext bezieht sich das Wort „Intoleranz" auf eine körperliche Reaktion gegenüber einem bestimmten Bestandteil eines Lebensmittels. Das Wort wird auch allgemeiner verwendet, um eine negative Reaktion auf Situationen, Meinungen oder Menschen zu beschreiben, wie z.B. bei der Formulierung „Intoleranz gegenüber Menschen mit einer abweichenden sexuellen Orientierung". Eine Intoleranz gegenüber Ungewissheit, wie sie bei Menschen mit Autismus der Fall ist, gehört in die erste Kategorie, nicht aber in die zweite.

Es wäre ein großes Missverständnis, wenn man Menschen mit Autismus eine besondere Abneigung oder gar Hass gegenüber Unsicherheit unterstellen würde. Meines Erachtens ist dies nicht der Fall. Menschen mit Autismus haben grundsätzlich keine größere Abneigung gegen Ungewissheit als der Rest der Bevölkerung. Wir alle haben doch lieber Gewissheit als Unsicherheit. Bei Menschen mit Autismus führt ihr anderes Denken zu viel mehr Ungewissheit als bei anderen, aber das bedeutet nicht, dass sie die Ungewissheit stärker ablehnen oder mehr hassen als alle anderen. Aus diesem Grund bin ich kein großer Fan von „Unsicherheitsintoleranz". Ich bevorzuge stattdessen den Begriff „Unsicherheitsstress". Wenn Ihr Gehirn Schwierigkeiten hat, die Welt vorherzusagen und all den zahllosen trivialen Variationen in dieser Welt einen absoluten Status zuweist, wird Ihr Gehirn immer wieder mit Vorhersagefehlern konfrontiert. Wenn Sie das nicht unsicher und gestresst macht …

Welchen Begriff wir auch immer verwenden, verschiedene Studien haben inzwischen gezeigt, dass Ungewissheit Menschen verunsichert und Ängste auslösen kann.[171] Und wir wissen auch, dass Menschen mit Autismus nicht selten unter Ängsten und Depressionen leiden. Die Wahrscheinlichkeit für psychische Probleme ist bei ihnen deutlich höher als bei Menschen ohne Autismus. Wenn wir diese Wahrscheinlichkeit verringern wollen, müssen wir mehr als bisher tun, um die Welt klarer, sicherer und vorhersehbarer zu machen. In der bekannten Pyramide der menschlichen Bedürfnisse, die erstmals von dem amerikanischen klinischen Psychologen Abraham Maslow entwickelt wurde, ist Sicherheit das zweitwichtigste dieser Bedürfnisse, gleich nach der Befriedigung der physiologischen Grundbedürfnisse (Essen, Trinken, Sex etc.). Es gibt keinen Grund zu der Annahme, dass diese Pyramide bei Menschen mit Autismus in irgendeiner Weise anders wäre. Vielleicht funktioniert ihr Gehirn anders, aber ihre Grundbedürfnisse sind dieselben wie die von Menschen ohne Autismus. Das ist nur logisch: Menschen mit Autismus sind ebenfalls Menschen.

Man hört oft, dass Menschen mit Autismus ein größeres Bedürfnis nach Vorhersehbarkeit haben als Menschen ohne Autismus. Dem stimme ich nicht zu. Die Bedürfnisse autistischer Menschen sind menschlich und unterscheiden sich daher nicht von den Bedürfnissen anderer Menschen. Es gibt sicherlich einen Unterschied zwischen verschiedenen Menschen, was die Stärke ihres Bedürfnisses nach Sicherheit und Vorhersehbarkeit angeht, aber meiner Meinung nach ist Autismus nicht die Ursache für diesen Unterschied. Ich habe zwei Kinder, zwischen ihren jeweiligen Bedürfnissen nach Sicherheit und Vorhersehbarkeit besteht eine große Diskrepanz und keines von ihnen ist autistisch. Ich habe auch bei den vielen Menschen mit Autismus, die ich in den letzten 35 Jahren kennengelernt habe, ähnlich große Unterschiede im Bedürfnis nach Sicherheit und Vorhersehbarkeit festgestellt. Fazit: Menschen mit Autismus haben kein größeres Bedürfnis nach Gewissheit und Vorhersagbarkeit als Menschen ohne Autismus.

Menschen mit Autismus leben in einer für sie hochgradig unsicheren Welt.

Der Unterschied besteht aber in folgender Hinsicht: Die Gehirne von Menschen mit Autismus schaffen es nicht, die Welt ausreichend vorhersehbar zu machen und sie sind daher auch nicht in der Lage, die Zahl ihrer Vorhersagefehler zu reduzieren.

Deshalb müssen andere die Welt für sie vorhersagbarer machen. Wir können die Lebensqualität von Menschen mit Autismus deutlich verbessern, indem wir ihnen mehr Sicherheit, Klarheit und Vorhersagbarkeit bieten oder die nötige Zeit dafür geben, ihre mentalen Modelle der Welt so anzupassen, dass die Anzahl ihrer Vorhersagefehler drastisch reduziert wird. Denn das ist die wichtigste Aufgabe des menschlichen Gehirns: Vorhersagefehler zu minimieren.

Ebenfalls hört man heute oft, dass „autismusfreundlich“ gleichbedeutend mit der Schaffung eines reizfreien oder zumindest reizarmen Umfelds sei. Diese Kurzformel ist eine starke Vereinfachung dessen, was Autismusfreundlichkeit wirklich beinhaltet. Wie wir weiter oben in diesem Buch gesehen haben, geht es nicht darum, die Anzahl von Reizen zu reduzieren, sondern darum, ihren Fluss in einer vorhersehbaren und kontrollierbaren sensorischen Umgebung zu regulieren. Aber wenn Kurzformeln die einzige Möglichkeit sind, Menschen zu mehr Autismusfreundlichkeit zu ermutigen, würde ich Folgende vorschlagen: Autismusfreundlichkeit besteht zu 90 % aus Sicherheit und Vorhersehbarkeit und zu 10 % aus guter, altmodischer Freundlichkeit. Man sollte auch daran denken, dass das Angebot von Gewissheit und Vorhersehbarkeit fast keine Zeit und keine Mühe erfordert. Sie brauchen keine teure Schulung, um das zu können. Tatsächlich kann es jeder machen. Und man kann es überall tun. Außerdem kommt es allen zugute, nicht nur Menschen mit Autismus.

Es besteht kein Zweifel, dass das Angebot von Vorhersehbarkeit und Sicherheit die Lebensqualität von Menschen mit Autismus verbessern kann. Mehr Gewissheit bedeutet weniger Stress. Weniger Stress bedeutet mehr Widerstandskraft, um in einer Welt mit immer mehr VUCA zurechtzukommen. Darüber hinaus ermöglicht weniger Stress durch mehr Sicherheit auch die Weiterentwicklung und Entfaltung von Menschen mit Autismus. Wenn wir uns wohl und sicher fühlen, blühen wir auf.[172]Wir sind auch offener für neue Dinge und neue Herausforderungen, sodass wir mehr und mehr lernen können. Und je mehr ein Mensch mit Autismus lernen kann, desto besser werden die internen Modelle in seinem Gehirn, sodass es leichter wird, die Welt angemessener und flexibler vorherzusagen. Im Leben ist es das Wohlbefinden, das zum Erfolg führt, und nicht umgekehrt.[173] Und das gilt auch, wenn es um erfolgreiche Vorhersagen in einer launenhaften und unberechenbaren Welt geht.

Ich habe diesen Punkt bereits kurz im Kapitel über sensorische Probleme bei Autismus (S. 77 ff.) diskutiert, möchte das aber noch einmal betonen: Der erste wichtige Schritt zur Verbesserung der Vorhersagefähigkeit bei Menschen mit Autismus besteht darin, ihr Wohlbefinden und ihr Selbstwertgefühl zu stärken. Menschen, die sich selbst gut fühlen, sind besser in der Lage, mit unerwarteten Ereignissen umzugehen und haben weniger Bedarf an absoluten und überspezifischen Modellen von der Welt. Für alle, die an Autismus „herumdoktern" oder ihn „behandeln" wollen, habe ich folgende Botschaft: Versuchen Sie zuerst, den „Wohlfühlfaktor" im Leben der Menschen mit Autismus, mit denen Sie leben und arbeiten, zu verbessern. Menschen mit Autismus, die sich wohlfühlen, zeigen weniger autistische Merkmale. Sind Sie an Tagen, an denen Sie sich mies fühlen, flexibel, gesellig und kommunikativ? Nein? Das ist bei Menschen mit Autismus nicht anders. Ein autistisches Gehirn, das sich gut fühlt, hat weniger Probleme mit der „Unsicherheitsintoleranz".

Wohlbefinden ist das beste Mittel gegen Unsicherheits-Stress.

In meiner eigenen Praxis habe ich vor einigen Jahren beschlossen, bei all meinen Interaktionen mit autistischen Menschen konsequent die „Wohlfühl"-Karte zu spielen.[174] Kein Training sozialer Fertigkeiten mehr, keine Interventionen, die darauf abzielen, autistische „Defizite" auszugleichen. Ich sage nicht, dass Menschen mit Autismus keine (sozialen) Fertigkeiten lernen sollten. Wir alle müssen das tun. Aber das Erlernen dieser Kompetenzen wird nur dann gelingen, wenn wir den nötigen Platz in unserem Kopf und die nötige Energie in unserem Körper haben. Und das geht nur, wenn man sich wohlfühlt.

In meinem ersten Buch beschrieb ich Autismus als reduzierte Fähigkeit zu kohärentem Denken. Daraufhin wurde ich von zahlreichen Menschen gefragt: Wie kann man denn die Kohärenz von Menschen mit Autismus verbessern?

Nach der Veröffentlichung meines zweiten Buchs über autistisches Denken mit dem Titel *Autismus als Kontextblindheit* lautete die am häufigsten gestellte Frage: Wie kann man denn die Kontextsensitivität von Menschen mit Autismus verbessern?

Wenn dieses Buch erscheint, weiß ich jetzt schon, was die beliebteste Frage sein wird: Wie kann man denn die Vorhersagefähigkeit von Menschen mit Autismus verbessern? Wenn Sie die vorangegangenen Seiten aufmerksam gelesen haben, werden Sie meine Antwort bereits kennen: Helfen Sie ihnen zuallererst, sich selbst gut zu fühlen.

Man hört oft, dass Menschen mit Autismus ein größeres Bedürfnis nach Vorhersehbarkeit haben als Menschen ohne Autismus. Dem stimme ich nicht zu. Die Bedürfnisse von Menschen mit Autismus sind menschlich und unterscheiden sich daher nicht von den Bedürfnissen anderer Menschen.

Um die Chancen von Menschen mit Autismus auf ein erfolgreiches und sinnvolles Leben zu erhöhen, braucht es natürlich mehr als nur ein gutes Gefühl. Was ist noch erforderlich?

Dieses Buch widmet sich fast ausschließlich den Schwierigkeiten autistischer Gehirne bei der Erstellung von Vorhersagen und der absoluten Art und Weise, wie sie mit solchen Vorhersagen und den daraus resultierenden Vorhersagefehlern umgehen. Wenn Sie wollen, können Sie dies als ein Defizit, eine Einschränkung oder sogar eine Störung ansehen. Aber das wäre eine ziemlich eindimensionale Herangehensweise. Das für ein autistisches Gehirn typische andere Denken ist nur eine der vielen verschiedenen Ausprägungen der Neurodiversität. So etwas wie ein gewöhnliches, durchschnittliches oder normales Gehirn gibt es nicht. Es existiert schlichtweg nicht, es ist lediglich ein statistisches Konstrukt.

Niemand hat ein Gehirn, das bei all den vielen verschiedenen Messungen für all die vielen verschiedenen Hirnfunktionen genau in der Mitte liegt. Gehirne gibt es in vielen verschiedenen Varianten, und Autismus ist nur eine dieser Varianten. Und obwohl es manchmal schwer sein kann, sich mit einem solchen Gehirn im Leben zurechtzufinden, hat das absolute Denken doch auch seine positiven Seiten.

In meinem allerersten Buch: *Das ist der Titel – Über autistisches Denke*n (1996) finden Sie auf Seite 154 (deutsche Ausgabe) eine Tabelle, in der die jeweiligen Stärken von Menschen mit und ohne Autismus verglichen werden. Seitdem hat diese Tabelle viele Veränderungen erfahren und wurde von zahlreichen anderen Autoren und Organisationen verwendet. Aus nostalgischen Gründen gebe ich sie im Folgenden in ihrer ursprünglichen Form wieder:

Stärken von Menschen mit Autismus	Stärken von Menschen ohne Autismus
Wortwörtlich verstehen	*Verstehen mit Verstand*
Analytisches Denken	Integriertes Denken
Blick für Details	*Blick für das große Ganze*
Serielle Informationsverarbeitung	Parallele Informationsverarbeitung
Umgang mit konkreten Dingen	*Umgang mit abstrakten Dingen*
Umgang mit formalen logischen Regeln	Umgang mit unlogischen Dingen
Leben nach Regeln	Leben zwischen den Zeilen von Regeln
Fakten	*Gedanken und Vorstellungen*

Stärken von Menschen mit Autismus	Stärken von Menschen ohne Autismus
Gesetze	Ausnahmen in Gesetzen
Bilder	*Vorstellungskraft*
Berechnen	Intuitiv spüren
Übereinstimmungen	Analogien
Absolut	Relativ
Objektivität	Subjektivität
Geradeheraus und ehrlich	Schwer zu fassen: Lügen und Betrügen
Perfektionismus	Flexibilität
Äußeres	*Inneres*
Deduktives Schlussfolgern	Induktives Schlussfolgern

Wenn ich heute diese Liste neu erstellen würde, würde ich einige Dinge anders formulieren und andere Dinge ganz weglassen. Das sind die kursiv gedruckten Punkte. Wir sind jetzt ein Vierteljahrhundert weiter, und in dieser Zeit haben wir viel über das autistische Gehirn gelernt. Zum Beispiel wissen wir jetzt, dass Menschen mit Autismus nicht immer ein sehr gutes Auge für Details haben und dass es begabten Menschen mit Autismus schwerer fällt, mit konkreten Dingen umzugehen als mit abstrakten. Davon abgesehen, ist das meiste gleichgeblieben. Überraschend für mich ist allerdings, dass ich schon damals das autistische Denken als „absolut" bezeichnet habe. Das ist nichts Neues unter der Sonne ...

Absolutes Denken hat durchaus seine Vorteile, weshalb ich es schon 1996 als eine Stärke hervorhob. Um in einer Welt voller Lärm und ständig wechselnder Bedeutungen zu bestehen, ist es von entscheidendem Vorteil, kontextsensitive, intuitive und superschnelle Vorhersagen treffen zu können. Aber diese kontextbezogenen Einschätzungen funktionieren nicht immer zu Ihren Gunsten. Manchmal können auch Fehleinschätzungen dabei herauskommen.

Dies wurde bereits in den 1970er-Jahren von Daniel Kahneman entdeckt, dem Mann, mit dem wir dieses Buch begonnen haben. Zusammen mit seinem damaligen Kollegen Amos Tversky[175] untersuchte Kahneman, wie Menschen in Situationen mit mehr oder weniger sicheren Optionen Entscheidungen treffen. Wie in dem folgenden Szenario:

Stellen Sie sich vor: Sie haben 50 Dollar. Sie müssen zwischen zwei Möglichkeiten wählen:

A. Sie schließen eine Wette ab. Es besteht eine 60%ige Wahrscheinlichkeit, dass Sie Ihre 50 Dollar behalten und eine 40%ige, dass Sie sie verlieren.

B. Sie schließen keine Wette ab, sondern entscheiden sich dafür, dass Sie mit Sicherheit 20 Dollar behalten.

Tversky und Kahneman boten ihren Probanden auch eine zweite Variante an:

Stellen Sie sich vor: Sie haben 50 Dollar. Sie müssen zwischen zwei Möglichkeiten wählen:

A. Sie schließen eine Wette ab. Es besteht eine 60%ige Wahrscheinlichkeit, dass Sie Ihre 50 Dollar behalten und eine 40%ige, dass Sie sie verlieren.

B. Sie schließen keine Wette ab, sondern entscheiden sich dafür, dass Sie mit Sicherheit 30 Dollar verlieren.

Natürlich ist das Ergebnis in beiden Fällen genau das Gleiche. Aber Option B ist anders formuliert. Im zweiten Szenario wird von einem Geldverlust gesprochen, während in der Formulierung des ersten Szenarios ein Betrag behalten wird. Auch wenn es merkwürdig klingt, wählte die Mehrheit der Befragten in diesen beiden Situationen im ersten Szenario Option B und im zweiten Szenario Option A. Dies zeigt, dass die Menschen weniger rational sind, als sie denken. Sie entscheiden sich für Sicherheit, wenn sie zwischen unsicherer Gewinnaussicht und sicherem Gelderhalt wählen müssen. Da aber ein Verlust mehr schmerzt als ein Gewinn, entscheiden sie sich bei der Aussicht auf einen möglichen Verlust für die Ungewissheit, auch wenn die Chancen auf Verlust und Gewinn objektiv betrachtet in beiden Scenarios genau gleich sind. Im Investmentgeschäft, wo es um Gewinn und Verlust geht, war dies eine wichtige neue Erkenntnis – und einer der Gründe, warum Kahneman für seine Forschung 2002 den Nobelpreis für Wirtschaftswissenschaften erhielt.

Britische Forschende[176] führten später mit Versuchsgruppen von (kognitiv begabten) Menschen mit und ohne Autismus eine Variante dieses Experiments durch. Wie in der ursprünglichen Studie von Tversky und Kahneman traf die Mehrheit der Testpersonen ohne Autismus in den verschiedenen Szenarien unterschiedliche A/B-Entscheidungen. Wenn ein Verlust in Aussicht gestellt wurde, zogen sie das Glücksspiel vor, und zwar deutlich häufiger, als wenn ein teilweiser Erhalt in Aussicht gestellt wurde. Dieser Kontexteffekt war jedoch bei der Gruppe mit

Autismus weit weniger ausgeprägt: In beiden Szenarien entschied sich die Mehrheit für Sicherheit statt Glücksspiel. Darüber hinaus gab es im Gegensatz zu den Teilnehmenden ohne Autismus keinen Unterschied in ihrer (durch Hautleitwerte bestimmten) emotionalen Reaktion in den verschiedenen Szenarien. Diese Studie hat also gezeigt, dass Menschen mit Autismus ihre Entscheidungen oft sehr viel logischer, konsequenter und rationaler treffen. Oder um es etwas anders auszudrücken: Logisches Denken, bei dem es von Vorteil ist, sich nicht durch viele verschiedene Arten von variablen und kontextbezogenen Faktoren ablenken oder täuschen zu lassen, ist eine Stärke von Menschen mit Autismus. In der Tat ist dies eine der am meisten beachteten und geschätzten Eigenschaften von Menschen mit Autismus. Es stimmt, um in einer VUCA-Welt zu überleben, ist es oft besser, sich auf schnelles, unbewusstes und kontextsensitives Vermuten zu verlassen als auf logisches und rationales Denken, aber das ändert nichts an der Tatsache, dass es auch andere Situationen gibt, in denen der nüchterne, logische und rationale Ansatz am besten funktioniert. Wenn Sie sich also in einer solchen Situation befinden, ist es besser, eine Person mit Autismus um Rat zu fragen.

Menschen mit Autismus sind in ihren Entscheidungen oft sehr viel logischer, konsequenter und rationaler.

„Hintergrundrauschen", „Interferenzen" oder „zufällige Schwankungen" werden von Menschen ohne Autismus i. d. R. nicht beachtet, von einem absoluten Gehirn aber als ernsthafte Vorhersagefehler interpretiert. Und wie wir in diesem Buch gesehen haben, führt dies bei Menschen mit Autismus zu einer Reihe von Schwierigkeiten, wie z. B. sensorischer Hyperreaktivität und Problemen bei der Generalisierung. Aber auch hier gilt, dass die Tendenz, Vorhersagefehler immer zu erkennen, anstatt sie gedanklich „unter den Teppich zu kehren", bei manchen Aufgaben nützlich sein kann, bei denen kleine Abweichungen, wie gering sie auch sein mögen, wichtig sein können und ernst genommen werden müssen.

Denken Sie z. B. an Softwaretests, Qualitätskontrollen oder das Korrekturlesen von Texten. Bei Aufgaben dieser Art, die ein hohes Maß an Aufmerksamkeit und Genauigkeit erfordern, sind Menschen mit Autismus ihren nicht-autistischen Kollegen und Kolleginnen oft weit überlegen. Dies ist einer der Gründe, warum am Brüsseler Flughafen autistische Leute für die Sicherheitskontrollen eingesetzt werden, bei denen es im wahrsten Sinne des Wortes um Leben und Tod gehen kann, wenn man gewissenhaft auf Details achtet und Vorhersagefehlern ausreichend Gewicht gibt. Anstatt sich auf die erfahrungsbedingte Vorhersage zu verlassen, dass verbotene Gegenstände selten sind, wird ein autistisches Gehirn, das dem Input sensorischer Information mehr Gewicht als seinen eigenen Vorhersagen gibt, jeden Koffer als eine neue Herausforderung betrachten. Es wird jeden Koffer scannen, als wäre es das allererste Mal. Das macht das autistische Gehirn, im Gegensatz zu einem nicht-autistischen Gehirn, weniger anfällig dafür, verbotene Gegenstände zu übersehen. Natürlich darf man nicht vergessen, dass es nach wie vor schwierig ist, in der heutigen Gesellschaft einen angemessenen Platz für das absolute Denken zu finden. Einen Platz, an dem es sich bewähren kann, aber wie wir bereits erwähnt haben, braucht man alle Arten von Gehirnen in dieser Welt und alle sind gleich wertvoll.[177] Autistische Gehirne sind nicht besonders gut darin, menschliches Verhalten vorherzusagen. Das hat seine Nachteile und macht die soziale Interaktion zu einer stressbehafteten Herausforderung. Aber, wie Sie sich wahrscheinlich schon denken können (!), kann auch dies seine Vorteile haben. Das autistische Prinzip „erst sehen, dann glauben“ bedeutet, dass Menschen mit Autismus weit weniger zu vorgefassten Annahmen über Menschen neigen als Menschen ohne Autismus. Eine vorgefasste Meinung ist nur ein anderes Wort für „Vorurteil“: die Tendenz, über eine Person zu urteilen oder von ihr ein bestimmtes Verhalten zu erwarten, bevor man gesehen hat, ob die betreffende Person tatsächlich so handelt, wie es vermutet wird. Nicht, dass Voreingenommenheit oder Annahmen per se etwas Schlechtes wären: Sie sind beide das Produkt eines prädiktiven Gehirns, das einfach seine Arbeit macht. Ihr Gehirn hat Modelle über andere Menschen und nutzt diese, um Erwartungen über deren Verhalten zu erstellen. Annahmen helfen dabei, andere Menschen und ihre Handlungen vorhersehbar zu machen. Dennoch kann dies zu Problemen führen, wenn Ihre Annahmen falsch sind oder Ihr Modell nicht genau genug ist. Im ersten Kapitel haben wir gesehen, wie ein vorhersagendes Gehirn seine Modelle anpasst und aktualisiert, wenn die Fakten seinen Vorhersagen widersprechen (Vorhersagefehler). Wir haben aber auch gesehen, dass Menschen ohne Autismus im Allgemeinen dazu neigen, ihren eigenen Modellen mehr Gewicht zu geben, wenn es darum geht, das richtige Gleichgewicht zwischen diesen Modellen und dem sensorischen Input zu finden, während Menschen mit Autismus eher zum Gegenteil neigen: Sie legen mehr Gewicht auf den Input, den sie von den verschiedenen Sinnesorganen erhalten. Infolgedessen haben autistische Menschen weniger Vertrauen in ihre eigenen Erwartungen, während Menschen ohne Autismus vielleicht zu viel Vertrauen haben.

Das bedeutet wiederum, dass Menschen ohne Autismus dazu neigen, ihre Aufmerksamkeit in erster Linie auf Daten zu richten, die ihre eigenen Vorstellungen und Erwartungen bestätigen.[178] Sie sind weniger offen für Information, die ihr Denken in Frage stellt oder widerlegt. Wenn dies geschieht, können ihre Erwartungen tatsächlich zu einem einschränkenden Faktor im Zusammenleben mit anderen Menschen werden.

Dies ist bei Menschen mit Autismus nicht der Fall. Mit weniger vorgefassten Annahmen treffen sie nur Schlussfolgerungen, nachdem sie das Verhalten eines Menschen gesehen haben. Dadurch tendieren sie weniger dazu, Menschen mit unzutreffenden Etikettierungen zu versehen. Sie vermeiden es, andere Menschen in das Gebäude ihrer Annahmen und Verhaltenserwartungen „einzusperren". Dadurch steigt die Wahrscheinlichkeit, dass Sie so gesehen werden, wie Sie sind, und Ihr Handeln nicht fehlinterpretiert wird. Kurz gesagt, Menschen mit Autismus neigen weniger dazu, stereotype und voreingenommene Urteile über andere zu fällen. Und obwohl mir keine wissenschaftlichen Untersuchungen bekannt sind, die dies bestätigen, habe ich die Erfahrung gemacht, dass Menschen mit Autismus weniger dazu neigen, ihre Annahmen und Erwartungen auf andere zu übertragen. Das zeigt sich z. B. in ihrer Kommunikation. Sie werden fast nie versuchen, den Satz eines anderen zu vervollständigen, da sie wegen ihres mangelnden Vertrauens in die eigene Vorhersagefähigkeit abwarten müssen, was gesagt wird, anstatt zu erraten, was gesagt werden könnte. Dadurch können sie manchmal viel besser zuhören als Menschen ohne Autismus. Und meiner Meinung nach sind sie auch bessere Beobachter. Und warum? Weil ein autistisches Gehirn dazu neigt, sensorische Daten höher zu gewichten und daher das, was jemand anderes sagt oder tut, objektiver, genauer und mit weniger Vorurteilen wahrnimmt.

Werden die Erkenntnisse, die ich in diesem Buch beschrieben habe, zu einer Verbesserung der Lebensqualität von Menschen mit Autismus beitragen? Das kann ich nicht sagen: Die Vorhersagekraft meines Gehirns reicht dafür leider nicht aus. Aber wenn ich schon nichts vorhersagen kann, dann kann ich wenigstens hoffen. Und träumen. Und auch Sie können dazu beitragen, diesen Traum von einer autismusfreundlicheren Welt zu verwirklichen. Sie haben bereits einen guten Anfang gemacht, indem Sie mein Buch bis zum Ende gelesen haben, wofür ich Ihnen von Herzen danke. Wie Sie nun weiter vorgehen, liegt an Ihnen.

Endnoten

1 Pellicano & Burr (2012).

2 Das Gehirn sagt voraus, korrigiert und sagt voraus, den ganzen Tag lang. Artikel von Heleen Slagter in Trouw am 1 Februar 2020.

3 Um gleich ein Beispiel dafür zu geben, wo und wie ich die Dinge vereinfacht habe: Die Bayes'sche Logik spielt eine wichtige Rolle in den Arbeiten zum prädiktiven Gehirn, aber ich habe mich entschieden, diese spezielle Logik in diesem Buch nicht zu erläutern, und ich habe sie auch nicht in meinen Ausführungen zur Funktionsweise des Gehirns verwendet.

4 Für Computer-Nerds: Wenn ich sage, dass der Computer eine schlechte Metapher für das Gehirn ist, dann meine ich damit Computer, die Information auf der Grundlage von Regeln und Algorithmen verarbeiten, die von Menschen programmiert wurden. Gegenwärtig wird immer häufiger das maschinelle Lernen eingesetzt, das versucht, die Funktionsweise des menschlichen Gehirns zu imitieren. Wie die Funktionsweise des Gehirns basiert das maschinelle Lernen auf sich entwickelnden Zyklen von Vorhersagen und der Verarbeitung von Vorhersagefehlern, sodass sich das Programm Schritt für Schritt verbessert, indem es die Ergebnisse seiner eigenen Vorhersagen auswertet.

5 Wenn Sie es wirklich wissen wollen: 108.000 Kilometer pro Stunde.

6 Ich kann sein Buch sehr empfehlen: Kahneman, D. (2011). Schnelles Denken, langsames Denken

7 Zur Arbeit von Wuhazet/Henryk Zychowski, https://commons.wikimedia.org/w/index.php?title=File:Optical_illusion.gif&oldid=474411826 (Zugriff 15.11.2023).

8 Frith (2007).

9 Anil Seth: Dein Gehirn halluziniert deine bewusste Realität. TED Talk, April 2017. Seth: „Und wenn wir uns über unsere Halluzinationen einig sind, ist es das, was wir „Realität" nennen." www.ted.com/talks/anil_seth_your_brain_hallucinates_your_conscious_reality (Zugriff 15.11.2023).

10 Die Illustration basiert auf der Arbeit von cmglee, hong227, die auf der Wikipedia-Seite über die Hollow-Face-Illusion verwendet wird, wo Sie eine animierte Version sehen können: https:// de.wikipedia.org/wiki/Hollow-Face illusion (Zugriff 5.06.2023). Wenn Sie eine andere dynamische Version dieser Illusion mit Charlie Chaplin erleben möchten, sehen Sie sich das folgende Video an: www.richardgregory.org/experiments/video/chaplin.htm

11 Van den Hurk,Van Baelen & de Beeck (2017).

12 Barrett (2017b).

13 Die Hirnforscher entlehnten den Begriff „predictive coding" von den Kommunikationstechnikern. In den 1950er-Jahren suchten diese Ingenieure nach Möglichkeiten, die Menge der Information, die von Kommunikationsgeräten gesendet und empfangen werden konnte, auf das absolute notwendige Minimum zu reduzieren. Eine der Schlussfolgerungen, zu denen sie gelangten, war, dass sich die Belastung des Kommunikationsnetzes erheblich verringern ließe, wenn statt aller Daten nur die Abweichungen übertragen/empfangen würden. Genau das tut das menschliche Gehirn: Es verarbeitet nicht alle Daten, sondern nur Vorhersagefehler oder Abweichungen zwischen seinen Erwartungen und den eingehenden Daten.

14 Diese knappe technische Erklärung ist eine grobe Vereinfachung eines komplexen Zusammenspiels von Prozessen, die bei der Steuerung der eigenen Gehirnfunktionen ablaufen und die sowohl chemische als auch elektrische Aktivitäten umfassen.

15 Wissenschaftler bezeichnen dies als das Prinzip der freien Energie, das zuerst von Karl Friston am University College in London entwickelt wurde. Das Prinzip der freien Energie erklärt, wie verkörperlichtes Denken in selbstorganisierten biologischen Systemen funktioniert, und nicht nur in Menschen. Für diejenigen, die mehr über dieses faszinierende Thema erfahren möchten, verweise ich auf den folgenden, leicht verständlichen Artikel von Karl Friston: Friston, K. (2010). The free-energy principle: a unified brain theory? Nature Reviews Neuroscience, 11(2), S. 127–138.

16 Fachspezifischer ausgedrückt: Was wir wahrnehmen, die Daten oder Informationseinheiten in unserem Gehirn, wird nicht durch externe sensorische Information erzeugt, sondern nur moduliert (Eagleman 2011).

17 Ich habe mich hier auf eine vereinfachte Version dessen beschränkt, was wirklich passiert: Wir können die Umwelt auch dann bewusst wahrnehmen, wenn es keine Vorhersagefehler gibt, – denken Sie z. B. an Achtsamkeit. Auch die Aktualisierung des Modells als Folge von Vorhersagefehlern ist nicht immer ein bewusster Prozess. Man unterscheidet zwischen unbewusster Aktualisierung (perzeptuelles Lernen) und bewusster Aktualisierung (aktives Lernen). Mein Beispiel mit der Schokolade ist ein Beispiel für aktives Lernen. Die meisten Lernvorgänge im Gehirn laufen jedoch unbewusst ab, wie Sie weiter unten in diesem Buch lesen werden. Mit anderen Worten: Wir beschäftigen uns nicht den ganzen Tag über bewusst und aktiv mit Vorhersagefehlern.

18 Eagleman (2011).

19 Lotto (2017), p. 2.

20 Botvinick & Cohen (1998).

21 Für die Experten: Wir haben es hier mit dem zu tun, was in der wissenschaftlichen Literatur als Bayes'sches Gehirn bezeichnet wird. Thomas Bayes war ein englischer Priester und Mathematiker, der im 18. Jahrhundert lebte. Er entwickelte eine statistische Formel, die es ermöglichte, die Wahrscheinlichkeit eines Ereignisses unter ungewissen Umständen vorherzusagen. Diese Wahrscheinlichkeit basiert darauf, wie plausibel das Ereignis im Lichte der (neuen) Informationen ist, die man erhält. Das Gehirn verwendet die Bayes'sche Logik, um seine Vorhersagefehler zu minimieren, eine Logik, die sehr effizient ist, wenn es darum geht, mit unbeständigem, unsicherem und alles andere als kohärentem Input umzugehen.

22 Der Fachbegriff lautet „Präzisionsgewichtung von Vorhersagefehlern". Ein hoher Präzisionsgrad bedeutet, dass das Gehirn dem, was von der Vorhersage abweicht, eine erhebliche Bedeutung beimisst.

23 Hohwy (2013), p. 63.

24 Das Literaturverzeichnis am Ende des Buches enthält alle wissenschaftlichen Bücher, die zum Zeitpunkt der Veröffentlichung über das prädiktive Gehirn und Autismus bekannt waren.

25 In meinem Buch *Autismus als Kontextblindheit* habe ich ein ganzes Kapitel mit dem Titel „Kontext und Wissen" der Bedeutung des Kontexts für die Begriffsbildung gewidmet und was bei Menschen mit Autismus dabei anders ist. In diesem Buch ist nicht genug Platz für eine ausführlichere Erörterung, aber es genügt zu sagen, dass Konzepte nichts Feststehendes sind: Sie sind nicht irgendwo in Ihrem Gehirn gespeichert. Im Gegenteil, Konzepte sind höchst flexibel, werden ad hoc konstruiert und können in diesem Buch als Synonym für Erwartung oder Vorhersage betrachtet werden. Im Wesentlichen sind sie unsere Modelle von der Welt, auf die wir unsere Vorhersagen stützen.

26 Grandin (2009).

27 Grandin (2000).
28 Qian & Lipkin (2011), p. 9.
29 Pellicano & Burr (2012).
30 Pellicano und Burr benutzen den Begriff „hypo priors".
31 Sinha et al. (2014).
32 Van de Cruys et al. (2013).
33 Van de Cruys verwendet das Akronym HIPPEA: High, Inflexible Precision of Prediction Errors in Autism.
34 Der Fachausdruck lautet „Overfitting".
35 Van de Cruys et al. (2014).
36 Lawson, Rees & Friston (2014).
37 Palmer, Paton, Kirkovski, Enticott & Hohwy (2015).
38 Qian & Lipkin, 2011, p. 7.
39 Gomot & Wicker, 2012, p. 245.
40 Van de Cruys et al., 2013, p. 97.
41 Lawson, Friston & Rees, 2015.
42 Palmer, Lawson & Hohwy, 2017, abstract.
43 Die Theorie von Autismus und Kontextblindheit, wie sie in meinem Buch *Autismus als Kontextblindheit* dargelegt ist, muss nur leicht modifiziert werden, um den konzeptionellen Rahmen des Predictive Coding zu berücksichtigen. In dem Buch definierte ich Kontextblindheit als „eine reduzierte Fähigkeit, den Kontext spontan zu nutzen, um Reizen eine Bedeutung zuzuordnen". Ich würde diese Definition jetzt umformulieren in „eine reduzierte Fähigkeit, den Kontext spontan zu nutzen, um die Welt vorherzusagen und mit Vorhersagefehlern umzugehen". Abgesehen von dem Kapitel über Wahrnehmung, in dem ich mich damals auf die veraltete Computermetapher stützte, wurde die Gültigkeit des übrigen Inhalts des Buches durch die neuesten Erkenntnisse nicht beeinträchtigt.
44 Zitat aus George Musser, 7. März 2018: www.spectrumnews.org/features/deep- dive/autism-may-stem-problems-prediction/ (Zugriff 5.6.2023).
45 Cascio et al. (2012). Siehe auch: Paton, Hohwy & Enticott (2012) und Palmer et al. (2013).
46 Mitchell et al. (2010).
47 © Lbeaumont; https://commons.wikimedia.org/w/index.php?title=File:Shepards_Table_Illusion.jpg&oldid=485512769 (Zugriff 15.11.2023).
48 Loth, Gómez & Happé (2010); Van de Cruys et al. (2018).
49 Król & Król (2019).
50 Allenmark et al. (2020).
51 Lawson, Mathys & Rees (2017).
52 Vor allem die P300 und die N400. Aber auch MMN: Mismatch-Negativität.
53 Unter anderem: Kleinhans et al. (2009); Gomot et al. (2011); Goris et al. (2018); Utzerath et al. (2018); Tikir, Crosse & Molholm (2019); Sapey-Triomphe,Timmermans &Wagemans (2020).
54 Arthur et al. (2020).
55 Eric Schopler und Robert Reichler sprachen bereits auf einer Konferenz im April 1968 von Hyperreaktivität und Hyporeaktivität. Es dauerte fast ein weiteres halbes Jahrhundert, bis die Begriffe in die offiziellen Kriterien für Autismus aufgenommen wurden.
56 Heutzutage gibt es zahlreiche Varianten. Zu den am weitesten verbreiteten gehören das von Winnie Dunn entwickelte „Sensory Profile", für das seit 2013 eine niederländische Übersetzung vorliegt (Sensory Profile-NL)/(Deutsche Fassung 2017), und die Sensory Profile Checklist von Olga Bogdashina.
57 Schulz & Stevenson (2020).
58 An dieser Untersuchung nahmen keine Menschen mit Autismus teil.
59 Lucker (2013).
60 Kuiper, Verhoeven &Geurts (2019).
61 Van de Cruys et al. (2014), p. 661.
62 Für eine wissenschaftlichere Erklärung siehe Blakemore, Wolpert & Frith (2000).
63 Van Laarhoven et al. (2019).
64 Grandin & Panek (2014), p. 69.
65 Dies zeigte sich daran, dass das Gehirnpotenzial P2, das dem N1 folgt, bei ihnen ebenfalls einen niedrigeren Peak aufwies. Eine schwächere P2-Reaktion deutet auf ein „verspätetes" Bewusstsein hin, dass ein Geräusch, das direkt auf das Drücken einer Taste folgt, selbst erzeugt wird.
66 Van Laarhoven et al. (2020).
67 Sapey-Triomphe, Leiros Costa & Wagemans (2019).
68 Auch hier haben wir es mit Bottom-up-Signalen zu tun, die systematisch einen zu hohen Genauigkeitsgrad haben, Signale, die als Rauschen ignoriert werden sollten. Dies führt zu überspezifischen, überangepassten Modellen, die ihrerseits große Vorhersagefehler erzeugen.
69 © Frei nach Utzerath et al. (2018).
70 Utzerath et al. (2018).
71 Goris et al. (2018). Sie verwendeten eine hierarchische Höraufgabe, bei der ein fremder Ton in eine Reihe von identischen Tönen eingefügt wird.
72 Nochmals für die Experten: die Mismatch-Negativität (MMN), die nach 150 bis 200 Millisekunden auftritt und präattentiv ist.
73 Verschiedene Studien haben inzwischen den Zusammenhang zwischen Gewissheit, Angst und sensorischer Hyperreaktivität nachgewiesen. Siehe u. a.: Wigham et al. (2015); Neil, Olsson & Pellicano (2016); Green et al. (2019); MacLennan et al. (2019). Ein Zusammenhang zwischen Angst, sensorischer Hyperreaktivität und suboptimalen Vorhersagen wurde sogar auf der Ebene der Neurotransmitter festgestellt, genauer gesagt, in einem Zusammenhang zwischen GABA (Gamma-Aminobuttersäure) und taktiler Hyperreaktivität: Sapey-Triomphe et al. (2019).
74 Remington et al. (2019).
75 Audiologen verwenden verschiedene Arten von Geräuschen, die auf die Bedürfnisse der einzelnen Patienten zugeschnitten sind. Manchmal werden auch natürliche Geräusche, wie z. B. Regen, verwendet.

76 Die Predictive Coding Theorie wird auch bei Tinnitus herangezogen. Siehe u. a. Sedley et al. (2016); Hull-fish, Sedley & Vanneste (2019).

77 Bei akuten Schmerzen liegt i. d. R. eine körperliche Schädigung oder Funktionsstörung vor. Dadurch entsteht ein Vorhersagefehler, der wiederum zu einer hohen Präzision der Körpersignale führt. Anders verhält es sich bei chronischen Schmerzen. In diesem Fall werden geringfügige Schwankungen des interozeptiven Inputs (der vom Körper kommenden Signale) nicht als Rauschen betrachtet, das ignoriert werden sollte, sondern als Signale für eine körperliche Schädigung oder Funktionsstörung. Siehe: Ongaro & Kaptchuk (2019) und Hoskin et al. (2019).

78 Nach Dimsdale & Dantzer (2007).

79 Bayer et al. (1998).

80 Lorimer Moseley:Why things hurt (2011).

81 Moseley et al. (2002).

82 Büchel et al. (2014).

83 Moseley, Parsons & Spence (2008).

84 Hoffman et al. (2004).

85 Sharvit,Vuilleumier & Corradi-Dell'Acqua (2019).

86 Zumindest in den zentralen und frontalen Bereichen der Insula.

87 Siehe u. a. Geers et al. (2008) und Goodin & Bulls (2013).

88 Van de Cruys, Friston & Clark (2020) bezeichnen dies als „kontrollierten Optimismus".

89 Grandin & Panek (2014), p. 70

90 Glass & Singer (1972). 84. Glass et al. (1973).

91 Glass et al. (1973).

92 Geer, Davison & Gatchel (1970).

93 Robertson & Simmons (2015).

94 Dies ist als Allostase bekannt (Sterling 2012): Das Gehirn strebt nicht danach, einen Zustand des Gleichgewichts mit dem Körper zu erreichen (Homöostase), sondern möchte den Körper so gut wie möglich auf die Welt und die Ereignisse vorbereiten, die er erwartet.

95 Barrett (2017b).

96 Noel et al. (2018); Quattrocki & Friston (2014).

97 Garfinkel et al. (2016). Garfinkel verglich die Ergebnisse von Menschen mit Autismus mit den Ergebnissen von Menschen ohne Autismus. Sie fand heraus, dass die interozeptive Genauigkeit (die Fähigkeit, Körpersignale zu erkennen) von Menschen mit Autismus niedriger und ihre interozeptive Sensitivität (wie gut sie glauben, Körpersignale erkennen zu können) höher war als bei der Kontrollgruppe. Die Messungen dieser Kriterien werden als Interoceptive Trait Prediction Error (ITPE) ausgedrückt.

98 In diesem Zusammenhang muss gesagt werden, dass Untersuchungen mit Kindern (Schauder et al., 2015) andere Ergebnisse gezeigt haben: Sie waren etwas besser in der Lage als die Kontrollgruppe, ihre eigene Herzfrequenz zu überwachen, möglicherweise weil sie sich auch besser auf die Aufgabe konzentrieren konnten. Es ist auch möglich, dass die interozeptive Genauigkeit mit zunehmendem Alter abnimmt (Palser et al. 2018), weil das Gehirn gelernt hat, dass Körpersignale wenig Vorhersagewert haben. Die Forschung zur Interozeption bei Autismus steckt noch in den Kinderschuhen, und widersprüchliche Ergebnisse sind charakteristisch für solche frühen Phasen.

99 In ihrem Buch *How emotions are made* (2017b) erklärt Lisa Feldman Barrett dies im Detail: Interozeption ist die Grundlage der Theory of Mind und der emotionalen Intelligenz. Zusammen mit meinen Kollegen und meiner guten Freundin Kelly Mahler, Autorin des *Interoception Curriculum*, vertrete ich seit einiger Zeit die Ansicht, dass wir die Theory of Own Mind lernen sollten, bevor wir versuchen, weitere Fortschritte bei der Theory of Mind zu machen.

100 Williams (1996), p. 120.

101 Quattrocki & Friston (2014).

102 Hohwy (2013); Barrett (2017a).

103 Hample, Mahler & Amspacher (2020).

104 Es war John Lawson (2003), ein Mitarbeiter von Simon Baron-Cohen, der den Unterschied zwischen offenen und geschlossenen Systemen erstmals auf soziale Schwierigkeiten bei Autismus anwandte.

105 Zalla et al. (2010).

106 Pijnacker et al. (2009).

107 Baez et al. (2012); Baez & Ibanez (2014).

108 Frith & Frith (2008).

109 Jones, DeBrabander & Sasson (2021). Dies erklärt, warum die Entwicklung von mehr Autismusfreundlichkeit mehr erfordert als ein paar Aufklärungsplakate, Artikel, Blogposts und Videobeiträge zum jährlichen Weltautismustag (2. April).

110 Jones et al. (2011).

111 Cusack, Williams & Neri (2015).

112 Tewolde, Bishop & Manning (2018).

113 Amoruso et al. (2019).

114 Amoruso et al. (2019).

115 Amoruso, Finisguerra & Urgesi (2018).

116 Chambon et al. (2017).

117 Von Der Lühe et al. (2016).

118 www.researchgate.net/figure/Examples-of-point-light-display-and-stimulus-display-Panel-a-The-schematic-depiction-of_fig1_236106484 (Zugriff 5.6.23).

119 Sato et al. (2010).

120 Manchmal war die Blickrichtung prädiktiv, manchmal nicht. Die Forscher untersuchten den Unterschied in den Reaktionszeiten auf gültige und ungültige Hinweise. Um es verständlicher zu machen, habe ich die Beschreibung des Experiments vereinfacht.

121 Schuwerk, Sodian & Paulus (2016).

122 Paulus (2012).

123 Ganglmayer et al. (2020).

124 Schuwerk, Vuori & Sodian (2015) verwendeten zwei explizite Theory of Mind-Tests: den Strange Stories of Francesca Happé und den Reading the Mind in the Eyes (RME)-Test von Simon Baron-Cohen und seinem Team. Außerdem verwendeten sie einen impliziten Theory-of-Mind-Test, der auf dem von Atsushi Senju 2009 entwickelten Test basiert: ein Animationsfilm, in dem das Verhalten einer Person auf der Grundlage einer falschen Annahme vorhergesagt werden muss.

125 Eine europäische Forschergruppe unter der Leitung von Joshua Balsters et al. (2017) hat einen klaren Zusammenhang zwischen einer Störung im prädiktiven Gehirn (auf neurologischer Ebene: Gehirnsignale, die Vorhersagefehler anzeigen) und sozialen Defiziten und Schwierigkeiten bei Autismus nachgewiesen.

126 Fletcher-Watson et al. (2014).

127 Koster-Hale & Saxe (2013).

128 Siehe u. a.: Barrett, Mesquita & Gendron (2011); Hassin, Aviezer & Bentin (2013); Aviezer, Ensenberg & Hassin (2017).

129 Carroll & Russell (1996).

130 Der Kontext bestimmt die Ebene des Gehirnpotenzials, das bei der Gesichtserkennung aktiv ist, nämlich das N170 (Righart & De Gelder 2006; 2008b). Das N170 ist eine Form der Top-Down-Modulation. Abweichungen in der Aktivierung des N170 wurden bei Menschen mit Autismus festgestellt: siehe Dawson et al. (2005) und Harms et al. (2010) für eine Zusammenfassung der neurologischen Studien zur Gesichtserkennung bei Menschen mit Autismus.

131 Green et al. (2008).

132 Righart & De Gelder (2008a). Außerdem geht es nicht darum, wie genau wir Emotionen in anderen lesen können. Es geht vielmehr darum, ob unsere Erwartung, wie jemand fühlt und sich verhalten wird, mit den Empfindungen und Absichten der anderen Person übereinstimmt. Meiner Meinung nach sprechen wir fälschlicherweise von der Fähigkeit, „richtig" oder „falsch" zu erkennen, was andere Menschen denken, fühlen und wollen. Soziale Interaktion ist kein Quiz mit richtigen und falschen Antworten.

133 Foto von: azerbaijan_stockers.

134 Tell & Davidson (2015).

135 Da Fonseca et al. (2009).

136 Die einzige Ausnahme war die Zeichnung für Angst. Ein Junge mit einem glücklichen Gesicht, umgeben von einem Bienenschwarm, wurde von sieben der zehn Kinder als ängstlich angesehen. Immerhin 15 % hielten den Jungen für glücklich.

137 Speer et al. (2007).

138 Unter anderem Hanley et al. (2013) und Sasson et al. (2016).

139 Balconi, Amenta & Ferrari (2012); Ramachandran, Mitchell & Ropar (2010); Wright et al. (2008).

140 Loth, Gómez & Happé (2008).

141 Grandin & Barron (2005).

142 Jankowski & Pfeifer (2021); Schreiter & Beste (2020).

143 Loth, Gómez & Happé (2011).

144 Aviezer,Trope & Todorov (2012).

145 Federmeier (2007); Kutas, DeLong & Smith (2011).

146 Siehe u. a.: Gambi, Cop & Pickering (2015); Garrod & Pickering (2015); Kuperberg & Jaeger (2016).

147 Stivers et al. (2009).

148 De Ruiter, Mitterer & Enfield (2006); Magyari & De Ruiter (2012).

149 Ernestus, Baayen & Schreuder (2002); Kemps et al. (2004).

150 Der Fachbegriff lautet lexikalisches Priming: die Bevorzugung von Wortkandidaten in einer Kohorte. Nach dem Kohortenmodell von William Marslen-Wilson (1990) aktiviert der Sprachinput eine große Anzahl von Wortkandidaten, die als Kohorte bezeichnet werden, die also Bottom-up entsteht und auch eine Anzahl von Wortkandidaten enthält, die nicht mit dem Kontext vereinbar sind. Auf der Grundlage des Kontexts werden diese Kandidaten eliminiert (Top-down-Auswahl). Auch hier sehen wir das prädiktive Gehirn in Aktion: Es wägt den sensorischen Input gegen die Erwartungen ab.

151 For example, Rayner et al. (2011).

152 Der Fachbegriff für dieses Phänomen lautet semantisches Priming. Exaktes lexikalisches Priming (die Vorhersage bestimmter Wörter) kommt nicht sehr häufig vor, aber die Erwartung bestimmter semantischer Kategorien und Merkmale ist ein normaler Bestandteil der Sprachverarbeitung.

153 Siehe u.a.: Laszlo & Federmeier (2009) und – für einen neueren Überblick – Kutas, DeLong & Smith (2011).

154 Kutas & Hillyard (1980). Für eine aktuelle Zusammenfassung der Situation in Bezug auf den N400: Kutas & Federmeier (2011).

155 Federmeier & Kutas (1999).

156 Wlotko & Federmeier (2015).

157 Siehe u. a.: McCleery et al. (2010); O'Connor (2012); O'Rourke & Coderre (2021).

158 Dunn & Bates (2005).

159 Pijnacker et al. (2010).

160 Siehe u. a.: Braeutigam, Swithenby & Bailey (2008).

161 Für die Experten: die späte positive Komponente; eine ähnliche Reaktion im P600 wurde auch in anderen Studien festgestellt.

162 Howard, Liversedge & Benson (2017).

163 Coderre et al. (2018).

164 Manfredi et al. (2020).

165 Frith & Snowling (1983); Snowling & Frith (1986); Happé (1997); Jolliffe & Baron-Cohen (1999); Lopez & Leekam (2003).

166 Hala, Pexman & Glenwright (2007).

167 Booth & Happé (2010).

168 Van de Cruys (2017).

169 Rozin et al. (2006).

170 Siehe u. a.: Hodgson et al. (2017) und Vasa et al. (2018).

171 Für einen zusammenfassenden Artikel zum Zusammenhang zwischen Unsicherheitsintoleranz und Angst siehe: Jenkinson, Milne & Thompson (2020).

172 Fredrickson & Losada (2005).

173 Lyubomirsky, King & Diener (2005).

174 Für diejenigen, die mehr lesen möchten, verweise ich gerne auf meine Website (www.petervermeulen. be), auf der Sie Informationen über mein H.A.P.P.Y.-Projekt finden, ein psychoedukatives Programm zur Verbesserung des Glücklichseins bei Menschen mit Autismus.

175 Tversky & Kahneman (1974).

176 De Martino et al. (2008).

177 Wer mehr lesen möchte, den verweise ich gerne auf mein Buch *Autisme is niet blauw, de smurfen wel* (Autismus ist nicht blau, die Schlümpfe sind es), in dem ich mich eingehender mit Neurodiversität und Neuroharmonie beschäftige.

178 Dies wird als „Confirmation Bias" bezeichnet.

Literaturverzeichnis

Allenmark, F., Shi, Z., Pistorius, R. L., Theisinger, L. A., Koutsouleris, N., Falkai, P.,... & Falter-Wagner, C. M. (2020). Acquisition and use of 'priors' in autism: Typical in deciding where to look, atypical in deciding what is there. Journal of Autism and Developmental Disorders. https://doi.org/10.1007/s10803-020-04828-2.

Amoruso, L., Finisguerra, A., & Urgesi, C. (2018). Autistic traits predict poor integration between top- down contextual expectations and movement kinematics during action observation. Scientific Reports, 8(1), 1–10.

Amoruso, L., Narzisi, A., Pinzino, M., Finisguerra, A., Billeci, L., Calderoni, S., ... & Urgesi, C. (2019). Contextual priors do not modulate action prediction in children with autism. Proceedings of the Royal Society B, 286(1908), 20191319.

Arthur, T., Vine, S., Brosnan, M., & Buckingham, G. (2020). Predictive sensorimotor control in autism. Brain, 143(10), 3151–3163.

Aviezer, H., Ensenberg, N., & Hassin, R. R. (2017). The inherently contextualized nature of facial emotion perception. Current Opinion in Psychology, 17, 47–54.

Aviezer, H., Trope, Y., & Todorov, A. (2012). Body cues, not facial expressions, discriminate between intense positive and negative emotions. Science, 338(6111), 1225–1229.

Baez, S., & Ibanez, A. (2014). The effects of context processing on social cognition impairments in adults with Asperger's syndrome. Frontiers in Neuroscience, 8, 270.

Baez, S., Rattazzi, A., Gonzalez-Gadea, M. L., Torralva, T., Vigliecca, N., Decety, J., ... & Ibanez, A. (2012). Integrating intention and context: Assessing social cognition in adults with Asperger syndrome. Frontiers in Human Neuroscience, 6, 302.

Balconi, M., Amenta, S., & Ferrari, C. (2012). Emotional decoding in facial expression, scripts and videos: A comparison between normal, autistic and Asperger children. Research in Autism Spectrum Disorders, 6(1), 193–203.

Balsters, J. H., Apps, M. A., Bolis, D., Lehner, R., Gallagher, L., & Wenderoth, N. (2017). Disrupted prediction errors index social deficits in autism spectrum disorder. Brain, 140(1), 235–246.

Barrett, L. F. (2017a). The theory of constructed emotion: An active inference account of interoception and categorization. Social Cognitive and Affective Neuroscience, 12(1), 1–23.

Barrett, L. F. (2017b). How emotions are made: The secret life of the brain. Houghton Mifflin Harcourt.

Barrett, L. F., Mesquita, B., & Gendron, M. (2011). Context in emotion perception. Current Directions in Psychological Science, 20(5), 286–290.

Bayer, T. L., Coverdale, J. H., Chiang, E., & Bangs, M. (1998). The role of prior pain experience and expectancy in psychologically and physically induced pain. Pain, 74(2–3), 327–331.

Blakemore, S. J., Wolpert, D., & Frith, C. (2000). Why can't you tickle yourself? Neuroreport, 11(11), R11–R16.

Booth, R., & Happé, F. (2010). „Hunting with a knife and... fork": Examining central coherence in autism, attention deficit/hyperactivity disorder, and typical development with a linguistic task. Journal of Experimental Child Psychology, 107(4), 377–393.

Botvinick, M., & Cohen, J. (1998). Rubber hands „feel" touch that eyes see. Nature, 391, 756.

Braeutigam, S., Swithenby, S. J., & Bailey, A. J. (2008). Contextual integration the unusual way: A magnetoencephalographic study of responses to semantic violation in individuals with autism spectrum disorders. European Journal of Neuroscience, 27(4), 1026–1036.

Büchel, C., Geuter, S., Sprenger, C. & Eippert, F. (2014). Placebo analgesia: A predictive coding perspective. Neuron, 81(6), 1223–1239.

Carroll, J. M., & Russell, J. A. (1996). Do facial expressions signal specific emotions? Judging emotion from the face in context. Journal of Personality and Social Psychology, 70(2), 205.

Cascio, C., McGlone, F., Folger, S., Tannan, V., Baranek, G., Pelphrey, K. A., & Essick, G. (2008). Tactile perception in adults with autism: A multidimensional psychophysical study. Journal of Autism and Developmental Disorders, 38(1), 127–137.

Cascio, C. J., Foss-Feig, J. H., Burnette, C. P., Heacock, J. L., & Cosby, A. A. (2012). The rubber hand illusion in children with autism spectrum disorders: Delayed influence of combined tactile and visual input on proprioception. Autism, 16(4), 406–419.

Cascio, C. J., Moana-Filho, E. J., Guest, S., Nebel, M. B., Weisner, J., Baranek, G. T., & Essick, G. K. (2012). Perceptual and neural response to affective tactile texture stimulation in adults with autism spectrum disorders. Autism Research, 5(4), 231–244.

Chambon, V., Farrer, C., Pacherie, E., Jacquet, P. O., Leboyer, M., & Zalla, T. (2017). Reduced sensitivity to social priors during action prediction in adults with autism spectrum disorders. Cognition, 160, 17–26.

Clark, A. (2013). Whatever next? Predictive brains, situated agents, and the future of cognitive science. Behavioral and Brain Sciences, 36(03), 181–204.

Coderre, E. L., Cohn, N., Slipher, S. K., Chernenok, M., Ledoux, K., & Gordon, B. (2018). Visual and linguistic narrative comprehension in autism spectrum disorders: Neural evidence for modality- independent impairments. Brain and Language, 186, 44–59.

Cusack, J. P., Williams, J. H., & Neri, P. (2015). Action perception is intact in autism spectrum disorder. Journal of Neuroscience, 35(5), 1849–1857.

Da Fonseca, D., Santos, A., Bastard-Rosset, D., Rondan, C. Poinso, F., & Deruelle, C. (2009). Can children with autistic spectrum disorders extract emotions out of contextual cues? Research in Autism Spectrum Disorders, 3(1), 50–56.

Dawson, G., Webb, S. J., & McPartland, J. (2005). Understanding the nature of face processing impairment in autism: insights from behavioral and electrophysiological studies.

Developmental Neuropsychology, 27(3), 403–424.

De Martino, B., Harrison, N. A., Knafo, S., Bird, G., & Dolan, R. J. (2008). Explaining enhanced logical consistency during decision making in autism. The Journal of Neuroscience, 28(42), 10746–10750.

De Ruiter, J. P., Mitterer, H., & Enfield, N. J. (2006). Projecting the end of a speaker's turn: A cognitive cornerstone of conversation. Language, 82(3), 515–535.

Den Ouden, H. E., Kok, P., & de Lange, F. P. (2012). How prediction errors shape perception, attention, and motivation. Frontiers in Psychology, 3, 548.

Dimsdale, J. E., & Dantzer, R. (2007). A biological substrate for somatoform disorders: Importance of pathophysiology. Psychosomatic Medicine, 69(9), 850.

Dunn, M. A., & Bates, J. C. (2005). Developmental change in neural processing of words by children with autism. Journal of Autism and Developmental Disorders, 35(3), 361–376.

Eagleman, D. (2011). Incognito: The secret lives of the brain. Pantheon.

Ernestus, M., Baayen, H., & Schreuder, R. (2002). The recognition of reduced word forms. Brain and Language, 81, 162–173.

Federmeier, K. D. (2007). Thinking ahead: The role and roots of prediction in language comprehension. Psychophysiology, 44(4), 491–505.

Federmeier, K. D., & Kutas, M. (1999). A rose by any other name: Long-term memory structure and sentence processing. Journal of Memory and Language, 41(4), 469–495.

Feldman Barrett, L. (2017). How emotions are made. The secret life of the brain. Hoghton Mifflin Harcourt.

Fletcher-Watson, S., McConnell, F., Manola, E., & McConachie, H. (2014). Interventions based on the theory of mind cognitive model for autism spectrum disorder (ASD). Cochrane Database of Systematic Reviews, 2014(3), CD008785. https://doi.org/10.1002/14651858.CD008785.pub2.

Fredrickson, B. L., & Losada, M. F. (2005). Positive affect and the complex dynamics of human flourishing. American Psychologist, 60(7), 678.

Friston, K. (2010). The free-energy principle: A unified brain theory? Nature Reviews Neuroscience, 11(2), 127–138.

Friston, K. (2016). The Bayesian savant. Biological Psychiatry, 80, 87–89.

Frith, C. (2007). Making up the mind: How the brain creates our mental world. Wiley-Blackwell. Frith, C. D., & Frith, U. (2008). Implicit and explicit processes in social cognition. Neuron, 60(3), 503–510.

Frith, U., & Snowling, M. (1983). Reading for meaning and reading for sound in autistic and dyslexic children. Journal of Developmental Psychology, 1, 329–342.

Gambi, C., Cop, U., & Pickering, M. J. (2015). How do speakers coordinate? Evidence for prediction in a joint word-replacement task. Cortex, 68, 111–128.

Ganglmayer, K., Schuwerk, T., Sodian, B., & Paulus, M. (2020). Do children and adults with autism spectrum condition anticipate others' actions as goal-directed? A predictive coding perspective. Journal of Autism and Developmental Disorders, 50(6), 2077–2089.

Garfinkel, S. N., Tiley, C., O'Keeffe, S., Harrison, N. A., Seth, A. K., & Critchley, H. D. (2016).
Discrepancies between dimensions of interoception in autism: Implications for emotion and anxiety. Biological Psychology, 114, 117–126.

Garrod, S., & Pickering, M. J. (2015). The use of content and timing to predict turn transitions.

Frontiers in Psychology, 6, 751.

Geer, J. H., Davison, G. C., & Gatchel, R. I. (1970). Reduction of stress in humans through nonveridical perceived control of aversive stimulation. Journal of Personality and Social Psychology, 16(4), 731.

Geers, A. L., Wellman, J. A., Helfer, S. G., Fowler, S. L., & France, C. R. (2008). Dispositional optimism and thoughts of well-being determine sensitivity to an experimental pain task. Annals of Behavioral Medicine, 36(3), 304–313.

Glass, D. C., & Singer, J. E. (1972). Behavioral aftereffects of unpredictable and uncontrollable aversive events: Although subjects were able to adapt to loud noise and other stressors in laboratory experiments, they clearly demonstrated adverse aftereffects. American Scientist, 60(4), 457–465.

Glass, D. C., Singer, J. E., Leonard, H. S., Krantz, D., Cohen, S., & Cummings, H. (1973). Perceived control of aversive stimulation and the reduction of stress responses. Journal of Personality, 41, 4, 577 595.

Gomot, M., Blanc, R., Clery, H., Roux, S., Barthelemy, C., & Bruneau, N. (2011). Candidate electrophysiological endophenotypes of hyper-reactivity to change in autism. Journal of Autism and Developmental Disorders, 41, 705–714. https://doi.org/10.1007/s10803-010-1091-y.

Gomot, M., & Wicker, B. (2012). A challenging, unpredictable world for people with autism spectrum disorder. International Journal of Psychophysiology, 83(2), 240–247.

Gonzalez-Gadea, M. L., Chennu, S., Bekinschtein, T. A., Rattazzi, A., Beraudi, A., Tripicchio, P., ... & Sigman, M. (2015). Predictive coding in autism spectrum disorder and attention deficit hyperactivity disorder. Journal of Neurophysiology, 114(5), 2625–2636.

Goodin, B. R., & Bulls, H. W. (2013). Optimism and the experience of pain: Benefits of seeing the glass as half full. Current Pain and Headache Reports, 17(5), 329.

Goris, J., Braem, S., Nijhof, A. D., Rigoni, D., Deschrijver, E., Van de Cruys, S., ... & Brass, M. (2018). Sensory prediction errors are less modulated by global context in autism spectrum disorder. Biological Psychiatry: Cognitive Neuroscience and Neuroimaging, 3(8), 667–674.

Grandin, T. (2000). My mind is a web browser: How people with autism think. In Geneva Centre for Autism (Ed.), International symposium on autism 2000: November 8, 9, 10,2000. Conference proceedings (pp. 37–44). Toronto.

Grandin, T. (2009). How does visual thinking work in the mind of a person with autism? A personal account. Philosophical Transactions of the Royal Society B, 364, 1437–1442.

Grandin, T., & Barron, S. (2005). The unwritten rules of social relationships. Future Horizons. Grandin, T., & Panek, R. (2014). The autistic brain. Random House.

Green, M. J., Waldron, J. H., Simpson, I., & Coltheart, M. (2008). Visual processing of social context during mental state perception in schizophrenia. Journal of Psychiatry and Neuroscience, 33(1), 34–42.

Green, S. A., Hernandez, L., Lawrence, K. E., Liu, J., Tsang, T., Yeargin, J., ... & Bookheimer, S. Y. (2019). Distinct patterns of neural habituation and generalization in children and adolescents with autism with low and high sensory overresponsivity. American Journal of Psychiatry, 176(12), 1010–1020.

Greene, R. K., Zheng, S., Kinard, J. L., Mosner, M. G., Wiesen, C. A., Kennedy, D. P., & Dichter, G. S. (2019). Social and nonsocial visual prediction errors in autism spectrum disorder. Autism Research, 12(6), 878–883.

Haker, H., Schneebeli, M., & Stephan, K. E. (2016). Can Bayesian theories of autism spectrum disorder help improve clinical practice? Frontiers in Psychiatry, 7(107). https://doi.org/10.3389/fpsyt.2016.00107.

Hala, S., Pexman, P. M., & Glenwright, M. (2007). Priming the meaning of homographs in typically developing children and children with autism. Journal of Autism and Developmental Disorders, 37, 329–340.

Hample, K., Mahler, K., & Amspacher, A. (2020). An interoception-based intervention for children with autism spectrum disorder: A pilot study. Journal of Occupational Therapy, Schools, & Early Intervention, 13(4), 339–352.

Hanley, M., McPhillips, M., Mulhern, G., & Riby, D. M. (2013). Spontaneous attention to faces in Asperger syndrome using ecologically valid static stimuli. Autism, 17(6), 754–761.

Happé, F. G. E. (1997). Central coherence and theory of mind in autism: Reading homographs in context. British Journal of Developmental Psychology, 15(1), 1–12.

Harms, M. B., Martin, A., & Wallace, G. L. (2010). Facial emotion recognition in autism spectrum disorders: A review of behavioral and neuroimaging studies. Neuropsychology Review, 20(3), 290–322.

Hassin, R. R., Aviezer, H., & Bentin, S. (2013). Inherently ambiguous: Facial expressions of emotions, in context. Emotion Review, 5(1), 60–65.

Hodgson, A. R., Freeston, M. H., Honey, E., & Rodgers, J. (2017). Facing the unknown: Intolerance of uncertainty in children with autism spectrum disorder. Journal of Applied Research in Intellectual Disabilities, 30(2), 336–344.

Hoffman, H. G., Richards, T. L., Coda, B., Bills, A. R., Blough, D., Richards, A. L., & Sharar, S. R. (2004). Modulation of thermal pain-related brain activity with virtual reality: Evidence from fMRI. Neuroreport, 15(8), 1245–1248.

Hohwy, J. (2013). The predictive mind. Oxford University Press.

Hohwy, J., & Palmer, C. (2014). Social cognition as causal inference: Implications for common knowledge and autism. In M. Gallotti & J. Michael (Eds.). Perspectives on social ontology and social cognition (pp. 167–189). Springer Netherlands.

Hoskin, R., Berzuini, C., Acosta-Kane, D., El-Deredy, W., Guo, H., & Talmi, D. (2019). Sensitivity to pain expectations: A Bayesian model of individual differences. Cognition, 182, 127–139.

Howard, P. L., Liversedge, S. P., & Benson, V. (2017). Investigating the use of world knowledge during online comprehension in adults with autism spectrum disorder. Journal of Autism and Developmental Disorders, 47(7), 2039–2053.

Hullfish, J., Sedley, W., & Vanneste, S. (2019). Prediction and perception: Insights for (and from) tinnitus. Neuroscience & Biobehavioral Reviews, 102, 1–12.

Jankowski, K., & Pfeifer, J. (2021). Exploring the subjective experience and neural correlates of self- conscious emotion processing in autistic adolescents: Over-reliance on learned social rules during heightened perspective-taking demands may serve as compensatory strategy for less reflexive mentalizing. Journal of Autism and Developmental Disorders. Advance online publication. https://doi.org/10.1007/s10803-020-04808-6

Jenkinson, R., Milne, E., & Thompson, A. (2020). The relationship between intolerance of uncertainty and anxiety in autism: A systematic literature review and meta-analysis. Autism, 24(8), 1933–1944.

Jolliffe, T., & Baron-Cohen, S. (1999). A test of central coherence theory; linguistic processing in high-functioning adults with autism or Asperger's syndrome: Is local coherence impaired? Cognition, 71, 149–185.

Jones, C. R., Swettenham, J., Charman, T., Marsden, A. J., Tregay, J., Baird, G., ... & Happé, F. (2011). No evidence for a fundamental visual motion processing deficit in adolescents with autism spectrum disorders. Autism Research, 4(5), 347–357.

Jones, D. R., DeBrabander, K. M., & Sasson, N. J. (2021). Effects of autism acceptance training on explicit and implicit biases toward autism. Autism. https://doi.org/10.1177/1362361320984896.

Kahneman, D. (2011). Thinking, fast and slow. Farrar, Straus and Giroux.

Kanner, L. (1951). The conception of wholes and parts in early infantile autism. American Journal of Psychiatry, 108(1), 23–26.

Karvelis, P., Seitz, A. R., Lawrie, S. M., & Seriès, P. (2018). Autistic traits, but not schizotypy, predict increased weighting of sensory information in Bayesian visual integration. ELife, 7, e34115.

Kemps, R., Ernestus, M., Schreuder, R., & Baayen, R. H. (2004). Processing reduced word forms: The suffix restoration effect. Brain and Language, 90, 117–127.

Kleinhans, N., Johnson, L., Richards, T., Mahurin, R., Greenson, J., Dawson, G., & Aylward, E. (2009). Reduced neural habituation in the amygdala and social impairments in autism spectrum disorders. American Journal of Psychiatry, 166, 467–475. https://doi.org/10.1176/appi.ajp.2008.07101681.

Kok, P., & de Lange, F. P. (2015). Predictive coding in sensory cortex. In B. U. Forstmann & E. J. Wagenmakers (Eds.), An introduction to model-based cognitive neuroscience (pp. 221– 244). Springer.

Koster-Hale, J., & Saxe, R. (2013). Theory of mind: A neural prediction problem. Neuron, 79(5), 836– 848.

Król, M., & Król, M. (2019). The world as we know it and the world as it is: Eye-movement patterns reveal decreased use of prior knowledge in individuals with autism. Autism Research, 12(9), 1386–1398.

Kuiper, M. W., Verhoeven, E. W., & Geurts, H. M. (2019). Stop making noise! Auditory sensitivity in adults with an autism spectrum disorder diagnosis: Physiological habituation and subjective detection thresholds. Journal of Autism and Developmental Disorders, 49(5), 2116–2128.

Kuperberg, G. R., & Jaeger, T. F. (2016). What do we mean by prediction in language comprehension? Language, Cognition and Neuroscience, 31(1), 32–59.

Kutas, M., DeLong, K. A., & Smith, N. J. (2011). A look around at what lies ahead: Prediction and predictability in language processing. In M. Bar (Ed.), Predictions in the brain: Using our past to generate a future (pp. 190–207). Oxford University Press.

Kutas, M., & Federmeier, K. D. (2011). Thirty years and counting: Finding meaning in the N400 component of the event-related brain potential (ERP). Annual Review of Psychology, 62, 621–647.

Kutas, M., & Hillyard, S. A. (1980). Reading senseless sentences: Brain potentials reflect semantic incongruity. Science, 207(4427), 203–205.

Laszlo, S., & Federmeier, K. D. (2009). A beautiful day in the neighborhood: An event-related potential study of lexical relationships and prediction in context. Journal of Memory and Language, 61(3), 326–338.

Lawson, J. (2003). Depth accessibility difficulties: An alternative conceptualisation of autism spectrum conditions. Journal for the Theory of Social Behaviour, 33(2), 189–202.

Lawson, R. P., Friston, K. J., & Rees, G. (2015). A more precise look at context in autism. Proceedings of the National Academy of Sciences, 112(38), E522.

Lawson, R. P., Mathys, C., & Rees, G. (2017). Adults with autism overestimate the volatility of the sensory environment. Nature Neuroscience, 20(9), 1293–1299.

Lawson, R. P., Rees, G., & Friston, K. J. (2014). An aberrant precision account of autism. Frontiers in Human Neuroscience, 8, 302.

Lopez, B., & Leekam, S. R. (2003). Do children with autism fail to process information in context? Journal of Child Psychology and Psychiatry, 44(2), 285–300.

Loth, E., Gómez, J. C., & Happé, F. (2008). Event schemas in autism spectrum disorders: The role of theory of mind and weak central coherence. Journal of Autism and Developmental Disorders, 38(3), 449–463.

Loth, E., Gómez, J. C., & Happé, F. (2010). When seeing depends on knowing: Adults with autism spectrum conditions show diminished top-down processes in the visual perception of degraded faces but not degraded objects. Neuropsychologia, 48, 1227–1236.

Loth, E., Gómez, J. C., & Happé, F. (2011). Do high-functioning people with autism spectrum disorder spontaneously use event knowledge to selectively attend to and remember context- relevant aspects in scenes? Journal of Autism and Developmental Disorders, 41(7), 945–961.

Lotto, B. (2017). Deviate: The science of seeing differently. Hachette Books.

Lucker, J. R. (2013). Auditory hypersensitivity in children with autism spectrum disorders. Focus on Autism and Other Developmental Disabilities, 28(3), 184–191.

Lyubomirsky, S., King, L., & Diener, E. (2005). The benefits of frequent positive affect: Does happiness lead to success? Psychological Bulletin, 131(6), 803.

MacLennan, P., Tavassoli, T., Roach, L., Englezou, F., & Daniels, C. R. (2019). Sensory reactivity symptoms are related to specific anxiety symptomology in autistic children. Poster presented at INSAR meeting, Montréal, Friday 3 May 2019.

Magyari, L., & De Ruiter, J. P. (2012). Prediction of turn-ends based on anticipation of upcoming words. Frontiers in Psychology, 3, 376.

Mahler, K. (2019). The interoception curriculum: A step-by-step guide to developing mindful self-regulation. Mahler.

Manfredi, M., Cohn, N., Mello, P. S., Fernandez, E., & Boggio, P. S. (2020). Visual and verbal narrative comprehension in children and adolescents with autism spectrum disorders: An ERP study. Journal of Autism and Developmental Disorders, 50(8), 2658–2672.

Marslen–Wilson, W. D. (1990). Activation, competition, and frequency in lexical access. In G. T. M. Altmann (Ed.), Cognitive models of speech processing: Psycholinguistic and computational perspectives (pp. 148–172). MIT Press.

McCleery, J. P., Ceponiene, R., Burner, K. M., Townsend, J., Kinnear, M., & Schreibman,L. (2010).

Neural correlates of verbal and nonverbal semantic integration in children with autism spectrum disorders. Journal of Child Psychology and Psychiatry, 51, 277–286.

Mitchell, P., Mottron, L., Soulieres, I., & Ropar, D. (2010). Susceptibility to the Shepard illusion in participants with autism: Reduced top-down influences within perception? Autism Research, 3(3), 113–119.

Moseley, G. L., Parsons, T. J., & Spence, C. (2008). Visual distortion of a limb modulates the pain and swelling evoked by movement. Current Biology, 18(22), R1047–R1048.

Moseley, J. B., O'Malley, K., Petersen, N. J., Menke, T. J., Brody, B. A., Kuykendall, D. H., ... & Wray, N. P. (2002). A controlled trial of arthroscopic surgery for osteoarthritis of the knee. New England Journal of Medicine, 347(2), 81–88.

Neil, L., Olsson, N. C., & Pellicano, E. (2016). The relationship between intolerance of uncertainty, sensory sensitivities, and anxiety in autistic and typically developing children. Journal of Autism and Developmental Disorders, 46, 1962–1973.

Noel, J. P., Lytle, M., Cascio, C., & Wallace, M. T. (2018). Disrupted integration of exteroceptive and interoceptive signaling in autism spectrum disorder. Autism Research, 11(1), 194–205.

O'Connor, K. (2012). Auditory processing in autism spectrum disorder: A review. Neuroscience and Biobehavioral Reviews, 36(2), 836–854.

Ongaro, G., & Kaptchuk, T. J. (2019). Symptom perception, placebo effects, and the Bayesian brain.

Pain, 160(1), 1. O'Rourke, E., & Coderre, E. L. (2021). Implicit semantic processing of linguistic and non-linguistic stimuli in adults with autism spectrum disorder. Journal of Autism and Developmental Disorders, 51(8), 2611–2630.

Palmer, C. J., Lawson, R. P., & Hohwy, J. (2017). Bayesian approaches to autism: Towards volatility, action, and behavior. Psychological Bulletin, 143(5), 521–542.

Palmer, C. J., Paton, B., Hohwy, J., & Enticott, P. G. (2013). Movement under uncertainty: The effects of the rubber-hand illusion vary along the nonclinical autism spectrum.
Neuropsychologia, 51(10), 1942–1951.
Palmer, C. J., Paton, B., Kirkovski, M., Enticott, P. G., & Hohwy, J. (2015). Context sensitivity in action decreases along the autism spectrum: A predictive processing perspective.
Proceedings of the Royal Society of London B: Biological Sciences, 282(1802), 20141557.
Palmer, C. J., Seth, A. K., & Hohwy, J. (2015). The felt presence of other minds: Predictive processing, counterfactual predictions, and mentalising in autism. Consciousness and Cognition, 36, 376–389.
Palser, E. R., Fotopoulou, A., Pellicano, E., & Kilner, J. M. (2018). The link between interoceptive processing and anxiety in children diagnosed with autism spectrum disorder: Extending adult findings into a developmental sample. Biological Psychology, 136, 13–21.
Palser, E. R., Fotopoulou, A., Pellicano, E., & Kilner, J. M. (2020). Dissociation in how core autism features relate to interoceptive dimensions: Evidence from cardiac awareness in children. Journal of Autism and Developmental Disorders, 50(2), 572–582.
Paton, B., Hohwy, J., & Enticott, P. G. (2012). The rubber hand illusion reveals proprioceptive and sensorimotor differences in autism spectrum disorders. Journal of Autism and Developmental Disorders, 42(9), 1870–1883. https://doi.org/10.1007/s10803-011-1430-7.
Paulus, M. (2012). Action mirroring and action understanding: An ideomotor and attentional account.
Psychological Research Psychologische Forschung, 76, 760–767. https://doi.org/10.1007/s0042-6-011-0385-9.
Pellicano, E., & Burr, D. (2012). When the world becomes 'too real': A Bayesian explanation of autistic perception. Trends in Cognitive Sciences, 16(10), 504–510.
Pijnacker, J., Geurts, B., Van Lambalgen, M., Buitelaar, J., & Hagoort, P. (2010). Exceptions and anomalies: An ERP study on context sensitivity in autism. Neuropsychologia, 48(10), 2940–2951.
Pijnacker, J., Geurts, B., van Lambalgen, M., Kan, C. C., Buitelaar, J. K., & Hagoort, P. (2009). Defeasible reasoning in high-functioning adults with autism: Evidence for impaired exception- handling. Neuropsychologia, 47(3), 644–651.
Qian, N., & Lipkin, R. M. (2011). A learning-style theory for understanding autistic behaviors. Frontiers in Human Neuroscience, 5, 77.
Quattrocki, E., & Friston, K. (2014). Autism, oxytocin and interoception. Neuroscience & Biobehavioral Reviews, 47, 410–430.
Ramachandran, R., Mitchell, P., & Ropar, D. (2010). Recognizing faces based on inferred traits in autism spectrum disorders. Autism, 14(6), 605–618.
Rayner, K., Slattery, T. J., Drieghe, D., & Liversedge, S. P. (2011). Eye movements and word skipping during reading: Effects of word length and predictability. Journal of Experimental Psychology: Human Perception and Performance, 37(2), 514.

Remington, A., Hanley, M., O'Brien, S., Riby, D. M., & Swettenham, J. (2019). Implications of capacity in the classroom: Simplifying tasks for autistic children may not be the answer. Research in Developmental Disabilities, 85, 197–204.

Righart, R., & de Gelder, B. (2006). Context influences early perceptual analysis of faces. An electrophysiological study. Cerebral Cortex, 16, 1249–1257.

Righart, R., & de Gelder, B. (2008a). Facial expressions and emotional scene gist. Cognitive, Affective, & Behavioural Neuroscience, 8(3), 264–272.

Righart, R., & de Gelder, B. (2008b). Rapid influence of emotional scenes on encoding of facial expressions. An ERP study. Social Cognitive and Affective Neuroscience, 3, 270–278.

Robertson, A. E., & Simmons, D. R. (2015). The sensory experiences of adults with autism spectrum disorder: A qualitative analysis. Perception, 44(5), 569–586.

Rosenberg, A., Patterson, J. S., & Angelaki, D. E. (2015). A computational perspective on autism. Proceedings of the National Academy of Sciences, 112(30), 9158–9165.

Rozin, P., Rozin, A., Appel, B., & Wachtel, C. (2006). Documenting and explaining the common AAB pattern in music and humor: Establishing and breaking expectations. Emotion, 6(3), 349–355.

Sapey-Triomphe, L. A., Lamberton, F., Sonié, S., Mattout, J., & Schmitz, C. (2019). Tactile hypersensitivity and GABA concentration in the sensorimotor cortex of adults with autism. Autism Research. https://doi.org/10.1002/aur.2073.

Sapey-Triomphe, L. A., Leiros Costa, T., & Wagemans, J. (2019). Sensory sensitivity in autism mostly depends on contextual predictions. Cognitive Neuroscience, 10(3), 162–164.

Sapey-Triomphe, L. A., Timmermans, L., & Wagemans, J. (2020). Priors bias perceptual decisions in autism, but are less flexibly adjusted to the context. Autism Research. https:// doi.org.10.1002/aur.2452.

Sasson, N. J., Pinkham, A. E., Weittenhiller, L. P., Faso, D. J., & Simpson, C. (2016). Context effects on facial affect recognition in schizophrenia and autism: Behavioral and eye-tracking evidence. Schizophrenia Bulletin, 42(3), 675–683.

Sato, W., Uono, S., Okada, T., & Toichi, M. (2010). Impairment of unconscious, but not conscious, gaze-triggered attention orienting in Asperger's disorder. Research in Autism Spectrum Disorders, 4(4), 782–786.

Schauder, K. B., Mash, L. E., Bryant, L. K., & Cascio, C. J. (2015). Interoceptive ability and body awareness in autism spectrum disorder. Journal of Experimental Child Psychology, 131, 193–200.

Schopler, E. (1965). Early infantile autism and receptor processes. Archives of General Psychiatry, 13(4):327–335.

Schopler, E., & Reichler, R. J. (1968). Psycholobiological referents for the treatment of autism. Paper presented at Indiana University Colloquium on Infantile Autism, Indiana University Medical Center, Indianapolis, Indiana, April, 1968.

Schreiter, M. L., & Beste, C. (2020). Inflexible adjustment of expectations affects cognitive-emotional conflict control in adolescents with autism spectrum disorder. Cortex, 130, 231–245.

Schulz, S. E., & Stevenson, R. A. (2020). Differentiating between sensory sensitivity and sensory reactivity in relation to restricted interests and repetitive behaviours. Autism, 24(1), 121–134.

Schuwerk, T., Sodian, B., & Paulus, M. (2016). Cognitive mechanisms underlying action prediction in children and adults with autism spectrum condition. Journal of Autism and Developmental Disorders, 46(12), 3623–3639.

Schuwerk, T., Vuori, M., & Sodian, B. (2015). Implicit and explicit theory of mind reasoning in autism spectrum disorders: The impact of experience. Autism: The International Journal of Research and Practice, 19(4), 459–468.

Sedley, W., Friston, K. J., Gander, P. E., Kumar, S., & Griffiths, T. D. (2016). An integrative tinnitus model based on sensory precision. Trends in Neurosciences, 39(12), 799–812.

Sharvit, G., Vuilleumier, P., & Corradi-Dell'Acqua, C. (2019). Sensory-specific predictive models in the human anterior insula. F1000Research, 8, 164.

Sinha, P., Kjelgaard, M. M., Gandhi, T. K., Tsourides, K., Cardinaux, A. L., Pantazis, D.,... & Held, R. M. (2014). Autism as a disorder of prediction. Proceedings of the National Academy of Sciences, 111(42), 15220–15225.

Skewes, J. C., & Gebauer, L. (2016). Brief report: Suboptimal auditory localization in autism spectrum disorder: Support for the Bayesian account of sensory symptoms. Journal of Autism and Developmental Disorders. https://doi.org/10.1007/s10803-016-2774-9.

Skewes, J. C., Jegindø, E. M., & Gebauer, L. (2015). Perceptual inference and autistic traits. Autism, 19(3), 301–307.

Snowling, M., & Frith, U. (1986). Comprehension in 'hyperlexic' readers. Journal of Experimental Child Psychology, 42, 392–415.

Speer, L. L., Cook, A. E., McMahon, W. M., & Clark, E. (2007). Face processing in children with autism: Effects of stimulus contents and type. Autism, 11(3), 265–277.

Sterling, P. (2012). Allostasis: A model of predictive regulation. Physiology & Behavior, 106(1), 5–15. Stivers, T., Enfield, N. J., Brown, P., Englert, C., Hayashi, M., Heinemann, T., ... & Levinson, S. C. (2009). Universals and cultural variation in turn-taking in conversation. Proceedings of the National Academy of Sciences, 106(26), 10587–10592.

Tell, D., & Davidson, D. (2015). Emotion recognition from congruent and incongruent emotional expressions and situational cues in children with autism spectrum disorder. Autism, 19(3), 375–379.

Tewolde, F. G., Bishop, D. V., & Manning, C. (2018). Visual motion prediction and verbal false memory performance in autistic children. Autism Research, 11(3), 509–518.

Tikir, S., Crosse, M. J., & Molholm, S. (2019). Predictive processing in changing environments in autism: Electrophysiological, pupillometric and behavioral assays. Poster presentation at INSAR 2019 Annual Meeting, Montreal, Québec, Saturday, May 4, 2019.

Tversky, A., & Kahneman, D. (1974). Judgment under uncertainty: Heuristics and biases. Science, 185, 1124–1131.

Utzerath, C., Schmits, I. C., Buitelaar, J., & de Lange, F. P. (2018). Adolescents with autism show typical fMRI repetition suppression, but atypical surprise. Cortex, 109(25), e3–4.

Van de Cruys, S. (2017). Affective value in the predictive mind. In T. Metzinger & W. Wiese (Eds.), Philosophy and predictive processing: 24. MIND Group. https://doi.org/10.15502/9783958573253.

Van de Cruys, S., de-Wit, L., Evers, K., Boets, B., & Wagemans, J. (2013). Weak priors versus overfitting of predictions in autism: Reply to Pellicano and Burr (TICS, 2012). i-Perception, 4(2), 95.

Van de Cruys, S., Evers, K., Van der Hallen, R., Van Eylen, L., Boets, B., de-Wit, L., & Wagemans, J. (2014). Precise minds in uncertain worlds: Predictive coding in autism. Psychological review, 121(4), 649.

Van de Cruys, S., Friston, K., & Clark, A. (2020). Reply to Sun and Firestone on the dark room problem. Trends in Cognitive Sciences, 24(9), 1–2.

Van de Cruys, S., Perrykkad, K., & Hohwy, J. (2019). Explaining hyper-sensitivity and hypo- responsivity in autism with a common predictive coding-based mechanism. Cognitive Neuroscience, 10(3), 164–166.

Van de Cruys, S., Van der Hallen, R., & Wagemans, J. (2017). Disentangling signal and noise in autism spectrum disorder. Brain and Cognition, 112, 78–8.

Van de Cruys, S., Vanmarcke, S., Van de Put, I., & Wagemans, J. (2018). The use of prior knowledge for perceptual inference is preserved in ASD. Clinical Psychological Science, 6(3), 382–393.

Van den Hurk, J., Van Baelen, M., & de Beeck, H. P. O. (2017). Development of visual category selectivity in ventral visual cortex does not require visual experience. Proceedings of the National Academy of Sciences, 114(22), E4501–E4510.

Van Laarhoven, T., Stekelenburg, J. J., Eussen, M. L., & Vroomen, J. (2019). Electrophysiological alterations in motor-auditory predictive coding in autism spectrum disorder. Autism Research, 12(4), 589–599.

Van Laarhoven, T., Stekelenburg, J. J., Eussen, M. L., & Vroomen, J. (2020). Atypical visual-auditory predictive coding in autism spectrum disorder: Electrophysiological evidence from stimulus omissions. Autism, 24(7), 1849–1859.

Vasa, R. A., Kreiser, N. L., Keefer, A., Singh, V., & Mostofsky, S. H. (2018). Relationships between autism spectrum disorder and intolerance of uncertainty. Autism Research, 11(4), 636–644.

Vermeulen, P. (1996). Dit is de titel. Over autistisch denken. Berchem: EPO. (English version: Vermeulen, P. (2001). Autistic thinking: this is the title. London: Jessica Kingsley Publishers. Deutsche Ausgabe: Vermeulen, P. (2009). Das ist der Titel – Über autistisches Denken: Verlag Bosch & Suykerbuyk Trainingszentrum B.V.).

Vermeulen, P. (2012). Autism as context blindness. Overland Park, KS: Autism Asperger Publishing Company. (Deutsche Ausgabe: Vermeulen, P. (2016). Autismus als Kontextblindheit. Göttingen: Vandenhoeck & Ruprecht.

Vermeulen, P. (2017). Autisme is niet blauw. Smurfen wel. Kalmthout: Pelckmans Pro. (Not translated into English).

Von Der Lühe, T., Manera, V., Barisic, I., Becchio, C., Vogeley, K., & Schilbach, L. (2016). Interpersonal predictive coding, not action perception, is impaired in autism. Philosophical Transactions of the Royal Society B: Biological Sciences, 371(1693), 20150373.

Wigham, S., Rodgers, J., South, M., McConachie, H., & Freeston, M. (2015). The interplay between sensory processing abnormalities, intolerance of uncertainty, anxiety and restricted and repetitive behaviours in autism spectrum disorder. Journal of Autism and Developmental Disorders, 45(4), 943–952.

Williams, D. (1996). Autism. An inside-out approach. Jessica Kingsley Publishers.

Wlotko, E. W., & Federmeier, K. D. (2015). Time for prediction? The effect of presentation rate on predictive sentence comprehension during word-by-word reading. Cortex, 68, 20–32.

Wright, B., Clarke, N., Jordan, J., Young, A. W., Clarke, P., Miles, J., Nation, K., Clatke, L., & Williams, C. (2008). Emotion recognition in faces and the use of visual context in young people with high-functioning autism spectrum disorders. Autism, 12(6), 607–626.

Zalla, T., & Korman, J. (2018). Prior knowledge, episodic control and theory of mind in autism: Toward an integrative account of social cognition. Frontiers in Psychology, 9,752–752.

Zalla, T., Labruyère, N., Clément, A., & Georgieff, N. (2010). Predicting ensuing actions in children and adolescents with autism spectrum disorders. Experimental Brain Research, 201(4), 809– 819.

Der Autor

Peter Vermeulen, MSc und PhD in Psychologie und Erziehungswissenschaften, arbeitet seit mehr als 30 Jahren mit Menschen mit ASD und ihren Familien. Er ist ein international renommierter Dozent/Ausbilder im Bereich Autismus und hält Vorträge in ganz Europa und darüber hinaus. Peter Vermeulen ist Autor von mehr als 15 Büchern und zahlreicher Artikel über Autismus. Zu seinen Büchern gehören „This is the Title: on Autistic Thinking" (2001), „I am Special: Handbook for Psycho-Education" (2000, überarb. Ausg. 2013) und „Autism as Context Blindness" (2012), das in den USA mehrfach ausgezeichnet wurde. Im Jahr 2019 erhielt Peter Vermeulen in Belgien den Passwerk Lifetime Achievement Award für seine mehr als 30-jährige Arbeit im Bereich Autismus.